Der Anfang: **Henry und der Guru**
Oder: Smartseller Zero auf dem Andersweg

»Hey, junger Mann!«

Henry hat keinen Plan, wo er hin muss. Er steht deshalb etwas verloren vor der Universitätsbibliothek und checkt gerade sein Vorlesungsverzeichnis, als er überraschend angesprochen wird.

Um ihn herum wuselt das Leben: Gegenüber ist gerade die letzte Einführungsveranstaltung zu Ende gegangen, Studentinnen und Studenten schlendern über den Platz, andere versuchen noch hastig, den gerade einfahrenden Bus an der Haltestelle am Ende des Areals zu erwischen. Manche lachen, andere unterhalten sich angeregt, nur Henry steht auf seiner kleinen Insel und weiß offensichtlich nicht so recht, was als Nächstes kommt. Ein bisschen peinlich ist das schon.

Wenn er gewusst hätte, dass ihm sein Schicksal heute direkt in den Weg tritt, hätte er sich vielleicht ein anderes T-Shirt angezogen und die Brille besser geputzt. Henry schließt die App im Smartphone und blickt auf.

»Hey, junger Mann! Sympathisch … kompetent und vertrauensvoll! Was macht denn jemand mit solchen Talenten gerade hier?«

Das Schicksal, das ihn so anspricht, ist ein gut aussehender Mann, vielleicht Ende vierzig, mit wenigen, kurzen Haaren, dafür aber braungebrannten, markanten Gesichtszügen – und einer gewinnenden Ausstrahlung, die Henry irgendwie gleich in ihren Bann zieht. Das Lächeln hat an der Insel kurzerhand angelegt und rollt nun einen roten Teppich aus.

»Äh«, stottert Henry, »… hallo?«

Der Mann lächelt ihn mit einem Lächeln an, das so breit ist, als hätte Henry ihm gerade den besten Tag seines Lebens in der Karibik versprochen. Henry kann gar nicht anders, er lächelt zurück.

»Äh, welche Talente meinen Sie jetzt genau?«

Hat sich der Mann tatsächlich gerade ein wenig verbeugt? Jedenfalls lächelt er immer noch weiter, als er etwas theatralisch und mit ausladender Geste eine Karte aus seinem Jackett hervorzaubert. Als könnte man den Auftritt jetzt noch toppen, überreicht er – nein, kredenzt! – Henry mit leuchtenden Augen die Karte.

»Ah …!« Er beugt sich vor und raunt verschwörerisch. »Komm einfach zur Loge der Smartseller! Dort entdecken wir deine Talente gemeinsam – und schauen, was du damit machen kannst. Ruf an, komm vorbei … du wirst schon sehen!«

Dann wirbelt er auch schon weiter, eine Erscheinung für sich.

Henry glotzt ihm noch ein wenig nach.

Er blickt auf die Karte, auf der in geschwungenen Lettern zu lesen ist:

GURU GEE
LOGE DER SMARTSELLER

Es folgt eine Adresse, die sich nach besserer Gegend anhört, und dann noch folgender Spruch:

Entdecke die Philosophie der SMARTSELLING LEADERSHIP.

Hier beginnt der ANDERSWEG zum Erfolg.

Zwei Tage sind vergangen. Henry hat inzwischen doch noch in jedes seiner Seminare gefunden. Doch keine Begegnung der letzten Tage reichte an diesen Guru Gee heran, das muss Henry ihm lassen. Was für ein Typ! Irgendwie eine ganz eigene Klasse.

Die ominöse Visitenkarte mit den Kontaktdaten von Guru Gee in der Hand sitzt Henry jetzt vor Google Maps und sucht nach der Adresse. Ah, eigentlich gar nicht so weit weg wie gedacht. Und ja, da ist auch die Website vom Guru. Henry weiß zwar immer noch nicht wirklich, was Gee von ihm will - aber ihn interessiert jetzt doch, was die da so machen. Und außerdem hat er morgen vorlesungsfrei und will einfach mal raus aus dem Uni-Alltag. Kann er sich ihn ja mal anschauen, diesen ANDERSWEG.

Henry schnappt sich sein Handy und ruft unter der angegebenen Nummer an. Er sieht mental gleich den lächelnden Guru vor sich und strafft unwillkürlich den Rücken.

Anstelle des Gurus meldet sich aber die freundliche Stimme einer jungen Frau.

»Pastor & Prophet - Smartselling Leadership! Was kann ich für Sie tun?«

Jetzt aber!

»Äh, ja, hier spricht der Henry … Ich soll einen Termin mit dem Guru Gee vereinbaren!«

Na, toll. Das hat er ja mega performt.

Doch die Assistentin antwortet, als lächle auch sie so breit wie der Guru selbst.

»Henry - toll, dass Du anrufst! Ja, ich habe schon gehört, dass Du Dich bald meldest! - Du kannst morgen um 14.00 Uhr vorbeikommen! Passt das?«

Henry ist so perplex, dass er nickt, obwohl ihn die Assistentin gar nicht sieht, und umgehend zusagt.

Am nächsten Tag steht Henry vor der mächtigen Villa aus der Gründerzeit. ›LOGE DER SMARTSELLER‹ prangt in eindrucksvollen Lettern auf einem großen silbernen Schild neben der Einfahrt. Etwas verstohlen sieht sich Henry noch einmal um, aber das scheint hier wirklich alles ganz normal und real zu sein. Diesmal hat sich Henry die Brille geputzt, bevor er den Klingelknopf drückt.

Die schwere Eingangstüre öffnet sich ganz leicht und leise, und eine zierliche junge Dame lächelt ihm entgegen.

»Guru Gee wartet bereits auf Dich«, säuselt sie.

Henry gibt sich große Mühe, jetzt nicht zu stolpern.

Er ist tough!

Die Frau führt Henry über einen Gang in ein großes Arbeitszimmer. An der gegenüberliegenden Wand steht ein langer Schreibtisch, und an dessen Ende sitzt Guru Gee.

Kaum erblickt er den Besucher, lässt der Guru das Buch, in dem er gerade liest, auch schon sinken und breitet die Arme aus.

»Henry!«, ruft Guru Gee.

Henry weiß nicht, ob er jetzt eigentlich auch die Arme ausbreiten müsste.

»Da ist ja das Vertriebstalent!«, ruft der gut gelaunte Gee noch ein bisschen lauter. »Nimm Platz und mach es Dir bequem!«

Da ist sie wieder, diese Energie, die Henry schon bei der ersten Begegnung gespürt hat.

Und ja, als Henry merkt, dass er schon Platz genommen hat, fühlt er sich tatsächlich willkommen und ist gespannt, was jetzt passiert. Er muss nicht lange warten.

»Also, Henry, Junge! Erzähl mir von deinen Heldentaten!«

Henry schaut den Guru an. »Tja, so viele Dinge hab ich noch gar nicht gemacht in meinem Leben. Ich studiere halt. Ja, Sport mach ich auch ein bisschen. Und jobmäßig dann halt, was sich so ergibt, oder?«

Guru Gee mustert Henry aus zusammengekniffenen Augen. Er legt seine Fingerspitzen aufeinander und schaut ihn durchdringend an. Dann beginnt er zu sprechen.

»Ich möchte dir meine Geschichte erzählen, und damit auch verraten, warum Du heute hier sitzt ...«

»Als ich vor vielen Jahren fertig war mit meinem Studium, bewarb ich mich bei unzähligen Firmen um einen Job. In Anstellung, sozialversicherungspflichtig. Und es sollte zu mir und meinem Leben passen.

Doch keiner wollte mich einstellen oder vielmehr, keiner wollte oder konnte mir das anbieten, was ich wirklich wollte.[1]

Da ich aber meiner Mutter versprochen hatte, wirklich einen Job zu finden, fand ich letztlich auch einen: Ich wurde selbständiger Handelsvertreter, ein Verkäufer und Unternehmer.«

Guru Gee hält einen Augenblick inne.

»Henry, Junge: Verkäuferinnen und Verkäufer, Unternehmerinnen und Unternehmer zeichnet aus, dass sie etwas verkaufen, entweder eine Dienstleistung oder ein Produkt. Bei einem erfolgreichen Verkauf erzielen sie eine Marge, Du kannst auch sagen, eine Provision. Davon leben Vertriebsunternehmen, und gemäß dieser Definition ist jeder Unternehmer immer auch ein Verkäufer!

Das heißt aber auch: Verkaufst Du nichts, hast Du auch kein Geld, um Deine Miete zu bezahlen. Mit dieser Möglichkeit im Rucksack, keinen Erfolg zu haben, hielt sich die Begeisterung meiner Mutter über dieses Job-Modell in starken Grenzen. Vielleicht war das in gewisser Weise normal, denn entweder man schafft es oder hat keinen Erfolg, das eine wie das andere hat zu Beginn des Wegs eine Wahrscheinlichkeit von fünfzig Prozent! Und meine Mutter sah und verband damit vor allem die Möglichkeit meines Scheiterns … Für sie, die aus der Mittelschicht entstammt, war und ist ein guter Beruf immer einer, der Jobsicherheit garantiert und ein regelmäßiges, monatliches Einkommen erwirtschaftet.

Tja, da war ich also.

Nichts sicher, nichts fix.

Alles eine Wette auf meine Fähigkeiten, die sich in Provisionen auszahlen sollte.

---

[1] Die Erfahrung zeigt: Es ist nie der Unternehmer, der an Schule oder einem normalen sozialversicherungspflichtigen Job scheitert – es ist vielmehr umgekehrt: Die Schule und die stupiden Regeln von Tätigkeiten in Anstellung scheitern an Unternehmern und ihrer anderen Wahrnehmung der Welt!

Meine eigentliche Aufgabe ließ sich einfach beschreiben: Wenn ich etwas verkaufen würde, dann hätte ich auch Geld zum Leben, zum Überleben. Falls nicht – na, da wäre ich eben schnell wieder heraus aus dieser Welt der Vertriebsunternehmer. Und genau das musste ich annehmen, ja sogar verinnerlichen. Meine Tätigkeit und die Ausbildung zum Diplom-Unternehmer begann ich daher bewusst mit dieser Perspektive.

Meine Ausbildung konntest Du dann auf diesen einen Satz herunter brechen:

›Mach es Dir selbst, sonst macht es Dir keiner!‹

Das war eine harte Schule. Auf die Frage ›Wie geht das?‹ lautete die Antwort meistens ›Sie machen das schon!‹ Und ich gebe zu, als ich damals in diesen Situationen steckte, verfluchte ich meinen Mentor oft genug für diese Art der Ausbildung.

Heute sehe ich das differenzierter und bin sogar froh darüber, weil all das mich zu einem erfolgreichen Vertriebsunternehmer heranwachsen ließ.[2]

Ich bestand die erste Prüfung des Unternehmerlebens. Damit fing ich an, mein Unternehmen im Vertrieb aufzubauen.

Ohne viel Wissen, aber mit jeder Menge Anfangsmomentum, vielen, vielen investierten Arbeitsstunden und einer Sieben-Tage-Woche in den ersten fünf Jahren der Tätigkeit, in denen Freizeit und Urlaub zurückstanden. Aber dieser Einsatz sollte sich auszahlen: Die Erfolge kamen dadurch schneller. Innerhalb von vierundzwanzig Monaten konnte ich nicht nur auf der Rangliste der Verkäuferinnen und Verkäufer zu den Besten aufschließen, ich konnte auch feststellen, zu dem einen Prozent der bestbezahlten Personen in Deutschland zu gehören.

Natürlich gehörte es dann auch dazu, dass mir meine Aufgaben als Unternehmer auf die Dauer gesehen auch Spaß machten, und dass meine Verantwortung für mich selbst dazu führte, dass ich auch glücklich war mit

---

[2] Vgl. Napoleon Hill: »It takes half your life before you discover that life is a do-it-yourself-project.« Auf www.brainyquote.com/quotes/napoleon_hill_384677, aufgerufen Oktober 2023.

dem gewählten Weg - und mit dem Ergebnis, das allmählich immer besser wurde.«

Henry hängt inzwischen gebannt an den Lippen des Gurus.
Und schon erzählt Gee weiter.

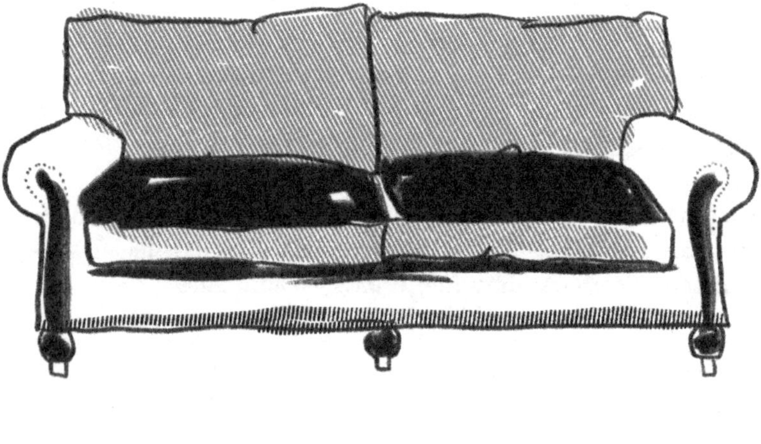

»Der Erfolg führte dazu, dass der Inhaber und Gründer der Vertriebsfirma, in die ich mich so eingebracht hatte, sich bei mir meldete und einen persönlichen Termin mit mir vereinbarte. Am Tag des Gesprächs saß ich dann zuerst einmal aufgeregt in dessen eindrucksvoller Villa und war gespannt darauf, worum es gehen sollte.

Das erfuhr ich dann wenig später.

Der Gründer saß auf einem imposanten braunen Vintage-Sofa und führte in ruhiger Sprache aus: ›Lieber Guru Gee, Du bist ein Topverkäufer. Ich frage mich, ob Du außerhalb deiner freiberuflichen Verkäufer-Tätigkeit auch das Zeug zu einem richtigen Vertriebsunternehmer hast.

Was denkst Du?‹

Ich antwortete: ›Keine Ahnung. Was muss ich tun, damit ich einer werde?‹

Der Gründer beugte sich zu mir vor und erklärte ruhig und bestimmt:

›Du musst Personen finden und rekrutieren, die besser sind als Du. Wenn Du das geschafft hast, dann darfst Du Deinen Verkäufern und Verkäuferinnen zeigen, wie das System Vertrieb funktioniert, und sie in der Tätigkeit des Verkaufens unterrichten. Sind sie so gut wie Du geworden, dann zeigst Du ihnen die Möglichkeit auf, ebenfalls vom Verkäufer zum Vertriebsunternehmer zu werden. Du unterrichtest sie in Deiner Philosophie der Menschenführung und lässt sie selbst Vertriebsorganisationen aufbauen. Hast Du eine erfolgreiche Mannschaft aus Verkäufern und Leadern aufgebaut und wächst der Umsatz Deiner Firma, dann besteht die letzte Aufgabe darin, Dein Team zusammenzuhalten und es zu einer wachstumsstarken Einheit zu verschmelzen.

Gelingt dir das, dann wirst Du schon bald Ergebnisse durch und mit anderen erzielen, und nicht mehr nur, indem Du selbst verkaufst. Dann hast Du ein Unternehmen, das eine ›Cash Cow‹ ist und Dir passives Einkommen ermöglicht, ohne selbst aktiv zu verkaufen.

Denk mal darüber nach, ob Dir das Spaß machen könnte!‹

Guru Gee lehnt sich im Sessel zurück und hält inne, bevor er fortfährt.

»Natürlich begeisterte mich die Vorstellung, ein Unternehmen mit vielen Menschen zu haben. So fing ich damit an, wohl jeden Fehler zu machen und auf die Schnauze zu fallen … Aber ich kam jedes Mal wieder auf die Beine, und bin jedes Mal als ein besserer Unternehmer zurückgekommen.

Nach fünfzehn Jahren war es vollbracht: Das einstige ›Baby-Unternehmen‹, das als ›One-Man-Show‹ begann, hatte seine Teenagerzeit nicht nur überlebt, sondern begann langsam erwachsen zu werden! Und nach siebzehn Jahren war dieses Unternehmen im Kreis des einen Prozents der umsatzstärksten Firmen in Deutschland angekommen.«

Henry muss ehrlich zugeben: Die Geschichte des Gurus beeindruckt ihn wirklich. Es war auf jeden Fall ein Gewinn, der Einladung des Gurus gefolgt zu sein, und sicher auch keine Zeitverschwendung, dem Mann jetzt zuzuhören.

Als hätte Guru Gee Henrys Gedanken gelesen, schaut er ihn jetzt direkt an und fragt nach einer kleinen Pause:

»Henry, was denkst Du, warum ich Dich eingeladen habe?«

Eine Antwort fällt Henry schwer - eigentlich hat er keine Ahnung, aber er ist ja immerhin hier. »Helfen Sie mir beim Antworten, Guru Gee.«

»Ich hab Dich gesehen! Und ich denke, dass Du ein Naturtalent bist - in Bezug auf Vertrieb und Unternehmertum!

Wir möchten Dich ausbilden zu einem Smartseller. Das bedeutet, das wir Dich innerhalb von sechsunddreißig bis achtundvierzig Monaten weiterentwickeln, bis Du auch zu dem einen Prozent der Bestverdienenden gehörst!

Danach bekommst Du beigebracht, wie Du ein Vertriebsunternehmen aufbaust und dieses Unternehmen in den Kreis des einen Prozents der umsatzstärksten Firmen führst.

Wir wollen Dir die Möglichkeit geben, bei uns ein Diplom in Sachen Unternehmertum zu absolvieren!

Wir möchten herausfinden, ob jemand mit Talent und einem genauen Fahrplan, ob jemand wie Du, Henry, das Ziel des Ein-Prozent-Kreises zielsicher erreichen kann, indem Du mit uns den ANDERSWEG zum Erfolg gehst.«

Guru Gee verschwindet kurz hinter dem Schreibtisch, zieht eine Schublade heraus und holt ein Buch heraus: Es ist dasselbe Buch, in dem er vorhin geblättert hat: Schwarzer Umschlag, edles Leseband, ein auffälliger Schriftzug ist darauf zu erkennen.

Guru Gee beugt sich hinüber zu ihm, und es ist Henry ein wenig feierlich zumute, als er das Buch selbst in die Hand nimmt und umblättert. Auf der ersten Seite beginnt er zu lesen:

Hier beginnt der

ANDERSWEG

zum Erfolg …

GURU GEE
LOGE DER SMARTSELLER

Entdecke die Philosophie der **SMARTSELLING LEADERSHIP**:
Hier beginnt der **ANDERSWEG** zum Erfolg.

Liebe Smartsellerin, lieber Smartseller!

Hier beginnt auch DEIN ANDERSWEG zum Erfolg!
Dafür erhältst Du in einem ersten Schritt dieses allererste Buch von uns.

Das Buch gilt es zu studieren und sich mit den Ideen, Techniken und Systemen vertraut zu machen, die darin beschrieben werden. Wir wollen Dich dabei begleiten, den Smartseller und die Smartsellerin in Dir zu entdecken: Hast Du das Potential, Großes zu erreichen?

Dieses Potential wachzurufen und Dich dabei zu begleiten ist unser Ziel: Orientiere Dich auf dem ANDERSWEG, und Du wirst feststellen, dass seine Perspektiven viel weiter gefasst sind, als man vermuten könnte, und dass das Thema Verkauf viel bedeutsamer in unserem Leben ist, als es auf den ersten Blick zu sein scheint!

Wir laden Dich deshalb ein auf eine Reise, die Deine Persönlichkeit weiterentwickelt. Und gerade deshalb sollen Dich bestenfalls unsere Impulse nicht nur in der Theorie begleiten: Deine Challenge als Smartseller ist es deshalb, am besten bereits bei der Lektüre in einem nächsten Schritt die Erkenntnisse anzuwenden und damit zu beginnen, sie konkret für Dich zu nutzen![1]

Nie war das Thema Verkaufen wichtiger als heute. In einer Welt des Hyperwettbewerbs, der Überinformation und der Austauschbarkeit von Produkten ist es allein der Kunstform des Verkaufs geschuldet, ob Du als Unternehmerin und Unternehmer in Zukunft Erfolg haben wirst oder nicht.[2] Dabei ist Verkaufen weitaus mehr, als es auf den ersten Blick scheint – und gerade deshalb ist die Beschäftigung mit dem Thema tatsächlich lebensverändernd. Fange deshalb am besten gleich damit an, Erfolge mit den Ideen der Smartselling Leadership aus diesem Buch zu feiern!

---

[1] Dazu lohnt es sich, die MINDSET-CHALLENGES zu absolvieren, die die Workbooks der Reihe ANDERSWEG ZUM ERFOLG beinhalten, in denen alle Learnings mit Aufgaben und Vertiefungen begleitet werden. Eine Übersicht der Titel findest Du auf www.Pastorund-Prophet.de/Andersweg.

[2] Überdies kannst du neben der Lektüre in einem weiteren Step direkt die Academy von Pastor & Prophet nutzen und damit in kurzer Zeit selbst ein erfolgreicher Smartseller werden. Mehr Infos bekommst Du auf www.PastorundProphet.de.

Die spannenden Learnings, die sich aus dem Aufbau unserer Vertriebsunternehmen ergaben, sind eingeflossen in die Erkenntnisse, die in der LOGE DER SMARTSELLER gesammelt und weitergegeben werden. Hier arbeiten wir daran, die Geheimnisse, die wir auf unserer Smartseller-Reise entdecken durften, Dir als wertvolle Erkenntnisse so aufzubereiten, dass Du den Weg zum Kreis des einen Prozents in noch kürzerer Zeit findest.

Unser Wissen soll Dir helfen, nicht nur als Persönlichkeit ein bislang verborgenes Potential zu entdecken. Wir wollen Dich beim Groß-Denken als

ANDERSPRENEUR, als Entrepreneur auf dem ANDERSWEG, inspirieren – und nicht nur eine Gazelle mit 10 Millionen Euro Umsatz beim Heranwachsen begleiten, sondern vielmehr einen Elefanten mit 50 Millionen Euro Umsatz aus Dir machen! Ich lade Dich ein, damit zu beginnen, mutig zu werden und entsprechend zu handeln: Mit der Philosophie der SMARTSELLING LEADERSHIP wollen wir Dir ermöglichen, dass Du Deine Ziele sicher und in möglichst kurzer Zeit erreichst.

Du bist ›Smartseller Zero‹, denn Du gehörst zu den Ersten, die die Philosophie der SMARTSELLING LEADERSHIP für ihren beruflichen Erfolg nutzen. Du baust Dir Dein Mindset nach der Philosophie der SMARTSELLING LEADERSHIP auf und entdeckst damit Dein persönliches Potential, um als echter Bestseller Deine Ziele schneller und sicherer realisieren zu können: Los geht's auf DEINEN ANDERSWEG!

Dein Guru Gee

MIX
Papier | Fördert gute Waldnutzung
FSC® C014496
FSC www.fsc.org

Im Ehnried 5, 88605 Meßkirch
Telefon 07575/2095-0
info@gmeiner-verlag.de

1. Auflage 2024

Korrektorat: Isabell Michelberger, Annemarie Gehring
Satz und Layout: Raketenschmiede / Agentur für Kommunikationsdesign, Pfullingen
Umschlaggestaltung: Veronika Buck
Druck: GGP Media GmbH, Pößneck
Printed in Germany
ISBN 978-3-8392-2964-4

ANDEЯSWEG

Entdecke dein
Potential
als **Smartseller**
und starte
deine persönliche
Erfolgsgeschichte!

GMEINER

Steffen Preiss
Steffen Bareiss
Martin Gehring

ANDERS
WEG

Inhaltsverzeichnis: **Der ANDERSWEG zum Erfolg**
Oder: Die Roadmap für Deinen Andersweg

Buch 1: **Entdecke Dein Potential als Smartseller und starte Deine persönliche Erfolgsgeschichte!**

Teil I

Captain Future erobert die Verkaufswelt

AN
DE
RS
WEG

Kapitel 1: **Verkauf hat keine Freunde!** Oder: Das Prinzip Upside Down als Gamechanger lieben lernen

Die Welt verändern – vielleicht als ein wichtiger Politiker.

Oder besser noch: als Astronautin die Welt von oben betrachten.

Als Herzchirurg Leben retten und die Welt ein wenig besser machen?

Oder wenigstens als berühmte Sängerin oder Schauspielerin die Bretter, die die Welt bedeuten, im Sturm erobern?

Wer Kinder nach ihren Traumberufen fragt, bekommt wahrscheinlich die besten Antworten. Antworten, die ehrlich sind, weil sie den Traum, und weniger den Beruf, in den Fokus rücken.

Später, wenn wir älter werden, werden die großen Träume oft ad acta gelegt – schade eigentlich. Für viele Traumberufe bedarf es eben meist mehr, als nur zu träumen – schauen wir also der Realität ins Auge:

Erst einmal gezwungen, eine realistische Vorstellung vom Traumjob zu finden, verändert sich der Traum- zum Wunschjob. Dann finden sich etwa folgende Berufe auf der Hitliste wieder[1]:

---

[1] Vgl. Berufswünsche von Jugendlichen, Artikel und Zahlen auf www.profiling-institut.de/berufswuensche-von-jugendlichen/, aufgerufen Oktober 2023.

1. Informatiker (6,7 Prozent)
2. Maschinenbauer (5,2 Prozent)
3. Kfz-Mechatroniker (5,1 Prozent)
4. Polizist (4,5 Prozent)
5. Lehrer (3,8 Prozent)
6. Wissenschaftler (3,6 Prozent)
7. Arzt (3,1 Prozent)
8. Ingenieur (3,1 Prozent)
9. Architekt (2,8 Prozent)
10. Profisportler (2,6 Prozent)

Während diese Liste des Jahres 2018 für Jungen gilt, sieht es bei den Mädchen wie folgt aus:

1. Lehrerin (10,4 Prozent)
2. Ärztin (10 Prozent)
3. Erzieherin (6,4 Prozent)
4. Psychologin (4,5 Prozent)
5. Krankenschwester (4,5 Prozent)
6. Architektin (3,6 Prozent)
7. Polizistin (3,5 Prozent)
8. Büroangestellte (3,2 Prozent)
9. Designerin (2,8 Prozent)
10. Anwältin/Juristin (2,7 Prozent)

Fast alle diese Wunschberufe verbindet am Ende eines: Es handelt sich um Jobs, die man in Anstellung ausübt. Ob die Berufswünschenden diesen Aspekt für sich selbst beachten, ist unklar. Sie sollten jedenfalls wissen, was auf sie zukommt: Informatiker etwa erhalten ein Gehalt zwischen 60.000 bis 90.000 Euro.[2] Lehrerinnen liegen andererseits nach circa sechsundzwanzig Jahren als unkündbare Beamte in der höchsten Besoldungsstufe. Das führt zu einem durchschnittlichen Einkommen von 66.000 Euro im Jahr.[3]

---

[2] Zahlen nach www.alphajump.de/karriereguide/gehalt/gehalt-informatiker, aufgerufen November 2022.

[3] Zahlen nach www.academics.de/ratgeber/gehalt-lehrer#subnav_wie_hoch_sind_fuer_lehrer_die_gehaltsunterschiede_in_den_bundeslaendern, aufgerufen November 2022.

Interessant: Verkauf und Unternehmertum sind in der Hitliste der Traumberufe von deutschen Jugendlichen nicht vorzufinden. Warum eigentlich nicht?

Auch hier lohnt es, sich zunächst mit den möglichen Einkommen zu befassen, um eine Antwort auf diese im Kontext eines Smartselling-Programms besonders wichtige Frage zu finden.

Im Verkauf wird auf der einen Seite (fast) immer leistungsorientiert bezahlt. Es ist daher zunächst einmal schwierig, auf diesem Feld spezifische Aussagen zu treffen. Am Ende einer üblichen Verkaufskarriere in Anstellung liegt das Gehalt jedoch gleich auf mit dem eines Informatikers. Wer im Verkauf Karriere im Management macht und Personalverantwortung für ein Team erhält, kann schnell ein Gehalt von 250.000 Euro im Jahr erwarten.[4]

Selbstständige Verkäuferinnen oder Verkaufsunternehmerinnen kommen leicht auf 100.000 Euro und mehr Einkommen im Jahr – und das schon im Alter von Anfang zwanzig. Das durchschnittliche Einkommen von deutschen Unternehmern liegt zwischen 65.000 bis 90.000 Euro. Wichtig ist allerdings zu wissen, dass auch 73 Prozent aller Millionäre selbstständige Unternehmer sind.[5]

Es ist jedenfalls problematisch, so legen es die Zahlen nahe, wenn beim Nachdenken über Wunschberufe die finanzielle Seite zu wenig bedacht wird. Wer sich alleine auf die inhaltlichen Aspekte konzentriert, vergisst dabei zu leicht das Motiv des Einkommens. Das wiederum ist gerade dann bizarr, wenn es zum Traum gehört, finanziell gut ausgestattet zu sein – und gerade darum geht es ja vielen Berufseinsteigerinnen und Berufseinsteigern.

Es ist damit sicher richtig zu postulieren, dass der Weg zu einem hohen Vermögen über eine unternehmerische Tätigkeit führt – und statistisch dies auch die höchste Wahrscheinlichkeit hat, in diesem Sinn erfolgreich zu werden.

Wer trotzdem glaubt, eher als kommender Entertainer oder Sportler bessere Karten zu haben, täuscht sich am Ende selbst. Denn in einer ökonomi-

---

[4] Zahlen nach www.vertriebsmanager.de/ressort/gehaelter-im-vertrieb, aufgerufen November 2022.

[5] Zahlen nach www.sparkasse.de/aktuelles/reichenstudie-millionaere-in-deutschland.html, aufgerufen November 2022.

sierten Leistungsgesellschaft, die einen unbegrenzten (Online-)Markt unterhält, liegt das Geheimnis des finanziellen Erfolgs heute ganz eindeutig in den Fähigkeiten des Verkaufs!

Warum also steht der Verkauf trotzdem nicht in der Hitliste?

Anders verhält es sich mit dem Unternehmertum an sich: Es fällt auf, dass das Image von Unternehmern und Unternehmerinnen in Deutschland insgesamt positiv ist. Mehr als fünfzig Prozent der Deutschen gönnt Selbstständigen Ihren Erfolg.[6] Dabei sind gute Unternehmer nicht selten gute Verkäufer! Dennoch, das Image von Verkäuferinnen und Verkäufern ist trotzdem so schlecht, dass sie meist ganz hinten in den Ranglisten auftauchen.
Nochmals: Warum also steht der Verkauf nicht in der Hitliste?

Tatsächlich stimmt zudem, dass sehr viele Berufe ganz praktisch gesehen sehr viel mit dem Thema Verkaufen zu tun haben, und sei es auch nur zum Teil. Verkauft man nicht selbst ein Produkt oder eine Dienstleistung, arbeitet man zumindest in einer Firma oder einem Unternehmen, deren Geschäft darauf basiert.

Und selbst in den Berufen, in denen man dies selten tut, muss man doch fast täglich sich selbst verkaufen, indem man sein Umfeld von sich und seiner Tätigkeit überzeugt. Das Thema Verkauf hat damit auch eine über den beruflichen Inhalt hinausgehende Bedeutung und ist als Fähigkeit wichtig, auf die Menschen täglich zurückkommen.[7]

Tatsächlich kommen wir damit fast alle mit dem Thema Verkauf in Berührung – mal direkter, mal indirekter, mal im Bewusstsein, dass eine Tätigkeit mit Verkauf zu tun hat, oder auch, ohne es direkt zu thematisieren.

---

[6] Vgl. Deutschland hat eine Neidkultur, Artikel auf www.vgsd.de/jetzt-ist-es-amtlich-deutschland-hat-eine-neidkultur, aufgerufen Oktober 2023.

[7] Weil das Thema Verkauf somit ubiquitär bedeutsam ist, ist eine Beschäftigung damit grundsätzlich sinnvoll – und dies selbst dann, wenn man beruflich damit weniger zu tun hat. Verkaufen gehört auch zu den Soft Skills, die eine Persönlichkeitsentwicklung begleiten: Die Buchreihe DER ANDERSWEG ZUM ERFOLG geht deshalb auf das Thema Verkaufen nicht nur aus der klassischen Verkäuferperspektive und des Business ein, sondern hat darüber hinaus den Anspruch, die universelle Bedeutung des Themas ebenfalls zu beleuchten, sodass eine Lektüre für ein breites Publikum umso interessanter wird.

Eigentlich sollte deshalb jede und jeder vom Wissen des Smartsellertums profitieren. Wir alle können uns als Smartsellerinnen und Smartseller betätigen und müssen nicht weit gehen, um das tun zu können.

Fakt ist jedenfalls, dass uns das Thema Verkaufen fast alle betrifft – und wir natürlich auch immer und immer wieder an Verkaufsprozessen teilhaben, im Zweifelsfall auch auf der Seite der Käuferinnen und Käufer.

Obwohl das Thema Verkaufen somit ein weites Feld abdeckt, wird der Verkauf wohl andererseits weiterhin sehr oft mit dem Bild des Klinkenputzens assoziiert, und das sorgt damit auch weiter für ein negatives Image.[8]

Schade, denn im Verkauf gibt es in Wirklichkeit tatsächlich mehr Freiheiten und die Chance auf echte Selbstverwirklichung, als dies in anderen Berufen der Fall ist.

Wird es darum nicht Zeit, eine Lanze für den Verkauf zu brechen?

Haben all die, die den Verkauf negativ bewerten, über die Freiheiten und Chancen des Berufsfelds ausreichend nachgedacht? Vielleicht nicht.

Du wirst als echter Verkäufer, als echte Verkäuferin nie nach Anwesenheit bezahlt, immer nur nach Leistung. Du erhältst, wenn du Erfolge erzielst, Anerkennung und Wertschätzung. Du lernst neue, oft interessante Menschen kennen, und auch die Tätigkeitsfelder ändern sich ständig. Last not least: Überdurchschnittliche Einkommen sind ebenso im Verkauf möglich und oft zu finden, wie dies auch bei großen, erfolgreichen Karrieren der Fall ist.

Dennoch möchten nur wenige Berufseinsteiger und Berufseinsteigerinnen eine Verkaufskarriere starten. Das hat sicher vielfältige, auch gesellschaftliche Gründe, mit denen man sich beschäftigen sollte.

Wir können deswegen drei pointierte Thesen formulieren, die einerseits Gründe plausibel machen, andererseits aber auch aufzeigen, dass wir eine Änderung des Mindsets in Sachen Verkauf nötig haben.

Warum also ist der Verkauf nicht sexy genug?

---

[8] Vgl. Sandra Schubert: Lust statt Frust! Aktiv und glücklich werden im Verkauf, Artikel auf www.vertriebszeitung.de/lust-statt-frust-endlich-gluecklich-werden-im-verkauf/, aufgerufen Oktober 2023.

Warum Verkauf nicht sexy ist, These I: Verkauf und Unternehmertum werden von einer Mehrzahl der Akademiker abschätzig bewertet, da sie Aufstieg durch Leistung belohnen und weder Titel noch Herkunft berücksichtigen!

Unsere Gegenwart findet in einer ökonomisierten Welt statt. Bereits jetzt wird sie von einer Leistungsgesellschaft geprägt. Das wird mit Sicherheit auch in der Zukunft so sein. Wir tun deshalb gut daran, die Rahmenbedingungen dieser Leistungsgesellschaft zu kennen.

In einer ökonomisierten Welt ist die Leistung, auf die es ankommt, am Point of Sale verortet – also beim eigentlichen Verkauf. Diejenigen, die Nutzen für andere schaffen, die etwas verkaufen, was andere haben wollen, werden erfolgreich!

Dass das Thema Verkauf besonders in Deutschland trotzdem oft negativ besetzt wird, ist deshalb zunächst einmal unlogisch.

Gerade eine systemische Betrachtungsweise fragt deshalb, welche Argumente für diese Sicht der Dinge sprechen, und warum und wie unsere Wahrnehmung entsprechend geprägt wurde. Sind jene Argumente praktischer Natur oder ideologisch erworben und antrainiert?

In der Leistungsgesellschaft gibt es jedenfalls viele Akteure, die praktisch anders handeln als dies ein ablehnendes Mindset nahelegt.

Ein ablehnendes Mindset entsteht dabei keineswegs zufällig, das steht fest. Ein solches Mindset muss man sich vielmehr erst einmal aneignen – womit wir wieder direkt zu unserer These Nummer eins kommen. Denn dieses Mindset bilden sich die Menschen notwendig im ersten großen Abschnitt ihres Lebens nach der Kindheit aus, bei dem sie sich sozialisieren: dem Bildungsweg.

Wenn die Meinungen zur Leistungsgesellschaft so abschätzig sind, obwohl unsere Gesellschaft dieses Konzept praktisch lebt, muss dieses Dilemma seine Ursachen genau hier haben.

Unser Bildungsapparat – oder vielmehr die Personen, die ihn als Akademikerinnen und Akademiker ausmachen – verschließt offensichtlich nicht nur die Augen vor der Tatsache, dass eine Leistungsgesellschaft unser Leben dominiert, er verschließt auch die Augen davor, dass es deshalb zu seiner Aufgabe gehören würde, fit zu machen für das Leben und Arbeiten in einer solchen Gesellschaft.

Gerade an den Universitäten muss man stattdessen den Eindruck gewinnen, wir lebten vermeintlich in einer idealisierten Bildungsgesellschaft.

Warum diese Annahme fatal ist: Berufseinsteigerinnen und Berufseinsteiger tun sich schwer, wenn ihre Zeit in dieser eigenen Welt abgelaufen ist, und sie in der Realität hart landen.

Das Beispiel René Köhler, der Fahrrad.de gründete, zeigt das Problem anschaulich auf. Köhler ist zunächst ein einfacher Fahrradverkäufer und hat kein Studium abgeschlossen. Trotzdem – oder vielleicht auch deshalb? – kam ihm als einem der Ersten die Idee, Fahrräder über das Internet zu vertreiben. Der einfache Fahrradverkäufer – und am Ende ist er das immer gewesen – hat damit einen Schlüssel zum Erfolg gefunden.

Nach einigen Jahren harter, aber lohnender Arbeit konnte er seine Firma für über 50 Millionen Euro verkaufen. Damit gehört Rene Köhler, der einfache Fahrradverkäufer, zu den erfolgreichsten Internet-Unternehmern Deutschlands.[9]

Auf diese Geschichte kann man neidisch werden – und Fehler suchen. Man kann dann als promovierter Nachbar klagen: »Also, ich kann mir hier in dieser Wohnlage kaum die Vierzimmerwohnung für mich und meine Frau leisten, aber der Fahrradverkäufer hat eine geile Villa, einen Ferrari und finanzielle Unabhängigkeit!«

Die vermeintliche Ungerechtigkeit ergibt sich aus dem Denken, dass diejenigen, die viel besser gebildet sind, Erfolg doch viel mehr verdient hätten als der ›einfache Verkäufer‹.

Diese Argumentationskette der Bildungselite ertönt dabei mit der immer gleichen Melodie. Dahinter steht die eine, höchst problematische Annahme: Wer nicht studiert und zur Bildungselite gehört, der hat es auch nicht verdient, finanziell erfolgreich zu werden.

---

[9] Vgl. Artikel auf Stuttgarter-Zeitung.de/Inhalt.fahrrade-Gruender-ren-Marius-Koehler-ich-will-werte-schaffen.a9a0738e-45e2-4706-8c12-55c2984f6e6b.html, augerufen November 2022.

Natürlich ist nicht jeder Akademiker ein solcher Neidhammel und vom Standesdünkel beseelt. Trotzdem kann man überspitzt formulieren, dass ein darin verortetes Denken dazu führt, dass folgender verbreitete Eindruck entsteht: Nur eine höhere Bildung berechtigt zum Erfolg – und gleichzeitig könne nur der Weg der Elite, die diesen Weg ohne das gesellschaftlich nötige Andersdenken geht, der richtige sein. Hat die Kaste der Akademiker doch brav und fleißig die Schule und Universität absolviert – und das mit Bravour und Doktortitel! Mit einem akademischen Titel ausgerüstet, leitet eine vermeintliche Bildungselite dann mit diesem Denken ein vermeintliches ›Erbrecht‹ auf ein automatisches, lebenslanges und dazu überdurchschnittliches Einkommen ab.

Das bedeutet am Ende eines: Nicht die fortgesetzten, immer wieder von neuem zu erbringenden Leistungen am Point of Sale sollen belohnt werden, vielmehr ist es die einmalige Peak Performance einer Bildungsleistung, die den Bewertungsmaßstab für die sichere Zukunft anlegt. Titel und Zertifikate setzen den Rahmen, um Einkommen und Standesdünkel zuzuweisen und zu zementieren.[10]

Erreicht dann ein problematischer, erfolgreicher ›Verkaufsunternehmer‹ ohne Schulabschluss die finanzielle Freiheit, wird dies von mancher Bildungselite als ein Affront wahrgenommen. »Einer ohne Titel, der kann das doch nicht wirklich! Das kann doch nicht seriös sein! Der zieht bestimmt Leute über den Tisch! Das ist Glück!« – so und ähnlich lauten dann die Vorwürfe, die aus einem antrainierten Mindset entstammen.

Dieser von Kindesbeinen an verinnerlichte Mechanismus führt dazu, dass eine breite Bevölkerungsschicht nichts mit Verkauf und Unternehmertum anfangen kann! Im Gegenteil, sie lehnt beides oft sogar komplett ab.

Ein Beruf wie der des Unternehmers oder der Verkäuferin, in dem es nicht auf einen Titel ankommt, wo jeder ›Dahergelaufene‹ viel Geld verdienen kann, ist in den Augen vieler Akademiker nicht seriös oder anspruchsvoll genug. Sie stehen deshalb dem Konzept grundsätzlich ablehnend, ja, feindlich gegenüber.

---

[10] Vgl. Roland Baader: Totgedacht: Warum Intellektuelle unsere Welt zerstören. Neuauflage, Grevenbroich 2020.

Diese Vorstellung ist deshalb gefährlich, weil zu viele Berufseinsteigerinnen und Berufseinsteiger sie unkritisch und durch die Hintertüre in ihr Mindset aufgenommen haben. Es ist eben deshalb auch kein Zufall, wie in der breiten Gesellschaft über das Thema Verkauf gedacht wird.

Doch die Realität ist jetzt und in Zukunft eine andere, und die Gesellschaft muss sich entsprechend dafür aufstellen. Wir benötigen eine positive Bewertung der Leistung, positiver als das Bild, das bislang davon gezeichnet wird. Die Vorstellung, dass Erfolg nur den Bildungseliten zusteht, brauchen wir nicht – sie ist weder richtig noch zielführend, ja, sogar gefährlich für eine freiheitliche Gesellschaft!

Die Zukunft wird abseits einer elitären Bildungsgesellschaft geschrieben.

Im Übrigen bedeutet ein Ja zu einer Leistungsgesellschaft keineswegs, die Bildung an sich abzulehnen. Bildung hat einen großen Wert, auch für sich alleine genommen. Doch Wissen ist heute immer und überall verfügbar – und zwar für alle, nicht nur für einen elitären Zirkel.

Wissen ist zugleich inflationär, und oftmals reicht die Haltbarkeit von erworbenem Wissen noch nicht einmal mehr durch ein Studium hindurch. Der Erwerb von Wissen geht über das Studium hinaus und kann auch außerhalb dieses Studiums erfolgen; Wissen kann dabei auch potentiell überall erworben werden, und lebenslanges Lernen ist nicht an eine Institution gebunden.

Visionäre wie Elon Musk heben gerade darum immer wieder die Fähigkeit hervor, besondere Skills zu besitzen, dafür jedoch nicht explizit auf eine Universität gegangen sein zu müssen.[11]

Zu ignorieren, dass wir uns daher bereits auf den Ausbildungswegen mit einem offenen System für alle beschäftigen und Berufseinsteigerinnen und Berufseinsteiger darauf vorbereiten sollten, ihr wahres Leistungspotential abrufen zu können, heißt jedoch, die Augen vor der Wirklichkeit zu verschließen.

Unsere Bildungswelten sollten vielmehr im besten Sinne fit machen für die Wirklichkeit. Gerade die höhere Bildung geht mit einem Mangel einher, wenn sie eine souveräne, offene Sicht auf die tatsächlichen Verhältnisse verweigert und stattdessen einen Irrweg vorzeichnet. Das muss nicht so sein.

---

[11] Vgl. Elon Musk knocks the college experience, Clip auf www.youtube.com/watch?v=Io3sdAAcZLw, aufgerufen Oktober 2023.

Jenes Kastendenken wird sich zudem in der Zukunft der Creative Economy auflösen, ja auflösen müssen. Diese Creative Economy zeichnet sich dadurch aus, dass mehr Freelancer, also freiberuflich arbeitende Personen, im Wirtschaftssystem ihren Platz einnehmen.

Noch konterkariert das die Einstellung vieler konservativer Deutscher, in deren Vorstellungswelt gute Bürgerinnen und Bürger einen sicheren, sozialversicherungspflichtigen Arbeitsplatz haben müssen. Außerdem wird ein geregeltes und stets gleich hohes Gehalt erwartet, und natürlich darf auch der bezahlte Urlaub nicht fehlen.

Im besten Sinne geht es bei dieser Vorstellung um den perfekten Durchschnittsmenschen!

Leistungsorientierte Bezahlung, die höher oder niedriger ausfallen kann, mögen die meisten Menschen dagegen nicht.

Das Arbeitspensum und die Unsicherheit zukünftiger Verkäufe schrecken zusätzlich viele Personen ab.

Jeden Tag an sich zu arbeiten, besser zu werden, immer weiter zu lernen, das ist für viele eine krasse Vorstellung, mit der sie nichts anfangen können und wollen.[12]

Aber trotzdem gehört all das zum wahren Modell der Leistungsorientierung – und bietet gleichzeitig die Chance, wirklich selbstbestimmt zu handeln, mit allen Konsequenzen.

Denn Leistung zählt – und zwar faktisch. Wir brauchen nicht weniger als einen Paradigmenwechsel, weg vom Wissen einer Elite, die damit ihre Pfründe sichert, hin zu einer freiheitlichen Anwendung dieses Wissens zur Förderung des Leistungsprinzips!

---

[12] Vgl. Artikel »Willkommen in der Realität«: So reagieren User auf Tränen-Video wegen 8-Stunden-Tag, auf amp.focus.de/panorama/welt/willkommen-in-der-realitaet-so-reagiert-social-media-auf-brielles-emotionalen-ausbruch-nach-8-stunden-arbeitstag_id_233104287.html?sp_amp_linker=1*10a1xwi*amp_id*YWxERUpPdXNvUTMzWGVaTjJyR1hnYTZ0N2FJMmhJX0dSaUVkdzdzVjcxZzJ3THlhVDBnVVV6UmNNVmw1V2czdA, aufgerufen Oktober 2023.

Tatsächlich zeigt ein Blick in die Geschichte, dass gerade Fortschritte im Bereich der Leistung, nämlich der Wirtschaft, unsere Gesellschaften weiterentwickelt und zur Prosperität verholfen haben. Handel und Verkauf in seiner ursprünglichsten Art gehört zu den Errungenschaften, die die menschliche Spezies zu dem gemacht hat, was sie ist.

Die Zukunft der Wirtschaft ist daher ebenfalls mit diesem einen der ursprünglichsten aller menschlichen Motive verbunden.

Egal wo und zu welcher Zeit, das Schaffen und Etablieren von Märkten gehört zum Erfolgsrezept menschlicher Gesellschaften und deren Aufstieg in der Welt.

Ob bewusst oder unbewusst, erfolgreiche Menschen waren und sind dabei immer auch die besten Verkäufer:

Denn Verkäuferinnen und Verkäufer sind geniale Netzwerker.

Sie können andere Menschen für sich und ihre Ideen gewinnen!

Sie sind geborene Überzeugerinnen und Überzeuger und tauchen in Politik, Wirtschaft, Kunst und Kultur auf.

Diejenigen, die sich an der Spitze von Unternehmen wiederfinden, sind meist auch die Topverkäufer.

Es ist darum auch höchste Zeit, sich mit den tiefliegenden Motiven der menschlichen Natur zu beschäftigen – und damit auch zwingend dem Verkauf. Denn für zu viele Menschen ist die Kunst des Verkaufs noch immer keine Fähigkeit, die es lohnt erlernt zu werden. Das ist schade und verschenkt viel Potential. Es wird Zeit, dies zu ändern!

Warum Verkauf nicht sexy ist, These II: Zu viele assoziieren Verkauf noch immer mit Klinkenputzen und Drückerkolonnen!

Doch nicht nur in den Bildungswelten der Akademikerinnen und Akademiker, die das Selbstverständnis des Erfolgs durch Einflussgarantien und mittels Abschlüssen für sich in Anspruch nehmen, wird der Verkauf skeptisch gesehen.

Das negative Bild, das in den Bildungseinrichtungen gemalt wird, kommt auch in den Bereichen der Gesellschaft an, die selbst nicht Teil dieser Eliten sind.

Verkäuferinnen und Verkäufer werden dabei als Menschen wahrgenommen, die unlautere Mittel anwenden, ihre Kunden bedrängen und unseriös auftreten: Es geht dann um das klassische Bild des Klinkenputzertums und der Drückerkolonnen, das kein gutes Image vermittelt.[13]

Allerdings muss man feststellen, dass es bei dem Vorwurf des Klinkenputzens dann nicht mehr darum geht, die eigenen vermeintlichen Vorrechte zu verteidigen. Was davon übrig bleibt, ist letztlich ein Reflex der moralischen Überlegenheit gegenüber einem Feld, das von der vermeintlichen Elite gesellschaftlich ebenfalls abgelehnt wird.

Dadurch entsteht wohl der Effekt, sich mit dem Denken dieser Elite zu solidarisieren, um damit wiederum selbst aufgewertet zu sein.

Diese psychologische Deutung eines kollektiven Mindset-Phänomens mag vielleicht etwas übertrieben klingen, doch erklärt es das Phänomen der Ablehnung, ohne dadurch selbst einen praktischen Vorteil zu erlangen, ziemlich überzeugend.

In der Auseinandersetzung mit der ersten These hat sich bereits gezeigt, dass damit nicht nur der Anspruch, sondern auch das praktische Vorgehen der Verkäuferin und des Verkäufers kritisch gesehen wird. Dies ist dann besonders der Fall, wenn der Verkauf außerhalb bereits lange etablierter, konservativ-althergebrachter Räume stattfindet.

---

[13] Quelle: www.faz.net/aktuell/karriere-hochschule/buero-co/aussendienst-und-vertrieb-gestatten-verkaeufer-1943247.html, aufgerufen November 2022.

Im Kaufhaus darf verkauft und bedient werden – darüber hinaus möchte man nichts mit dem Verkauf zu tun haben.

Wer es dennoch versucht, muss damit rechnen, als Klinkenputzer und Klinkenputzerin und Drückerkolonne scheel angesehen zu werden.

Freilich ist unbestritten, dass nicht alle Verkäufer und Verkäuferinnen geschickt vorgehen und damit auch gerade diese Vorurteile bestätigen. Deshalb brauchen sie eben eine gute Schulung: gerade deswegen, um nicht nur gut verkaufen zu können, sondern auch, um die Skepsis der Vorverurteilung überwinden zu können.

Darüber hinaus täuscht die konservative Wahrnehmung des Verkaufs innerhalb unserer Gesellschaft wieder einmal über die Fakten und die Entwicklungen der Zukunft hinweg: Das Kaufhaus, das als althergebrachter Raum des Verkaufs gelitten wird, ist nämlich längst am Sterben und teilweise bereits tot. Dies zeigt etwa die mehrfache Insolvenz der Kette Galeria Kaufhof eindrucksvoll auf.

Faktisch haben sich auch die klassischen Verkaufsräume längst verlagert: weg vom Neckermann-Katalog hin zu Amazon und anderen Plattformen.

Dass das Feld des Verkaufs natürlich insgesamt nicht nur enorm größer, sondern auch heterogener ist, ist freilich logisch. Deswegen ist auch die Liste erfolgreicher Personen endlos lang, die ihre Karriere im Verkauf starteten und dabei ganz unterschiedliche Wege und Methoden gewählt haben.

Dass die Karrierewege im Verkauf somit weniger vorgezeichnet und voller Möglichkeiten sind, wird vielerorts nicht verstanden – und macht gerade deshalb all denjenigen Angst, die sowieso kein gutes Bild vom Verkauf haben, weil sie Veränderungen etablierter Lebensmodelle fürchten.

Die Veränderung, die eigentlich Chance und Freiheit bedeutet und rundum erstrebenswert ist, wird im Denken vieler oft erst gar nicht zugelassen.

Dies hat zur Folge, dass die meisten jungen Menschen und Absolventinnen und Absolventen unterschätzen, welch ein Karrieresprungbrett der Verkauf sein kann.

Dabei ignorieren sie den Schlüssel zum Erfolg, obwohl er frei benutzt werden kann!

»Heute schafft man es oft nur noch in die Geschäftsführung, wenn man vorher eine gewisse Zeit im Verkauf war«, erläutert Tchibo-Vorstand Peter Rikowski. Er hat seine Karriere im Verkaufsbereich gestartet und ist nicht alleine damit: Gleiches gilt für Pieter Nota, ehemals Vorstand bei Beiersdorf. Gerhard Berssenbrügge, ehemals Nestlé-Deutschlandchef, war lange Zeit Verkaufschef von Jacobs.[14] Carly Fiorina, die erste Frau, die als CEO von Hewlett Packard ein Top-20-Unternehmen in den USA leitete, begann ihre Karriere nach dem Studium im Verkauf von AT&T.[15]

Große Karrieren beginnen also im Verkauf! Die Kunst der Überzeugung im Verkauf zu lernen qualifiziert offensichtlich zur Führung von großen Unternehmen.

---

[14] Julia Löhr: Gestatten: Verkäufer, Artikel auf www.faz.net/aktuell/karriere-hochschule/buero-co/aussendienst-und-vertrieb-gestatten-verkaeufer-1943247.html, aufgerufen Oktober 2023.

[15] Vgl. die Biografie auf www.wikipedia.org/wiki/Carly_Fiorina, aufgerufen Oktober 2023.

»… und deswegen lernen wir in unseren Seminaren manches, was richtig wäre, gar nicht.«

Nach dem Proseminar ›Einführung in die Statistik‹ ist Henry mit der süßen Julia verabredet. Sie sind in zwei Wochen dran mit ihrer studentischen Präsentation und haben sich daher verabredet, um das Vorgehen zu besprechen.

Doch Henry hat stattdessen noch das erste Kapitel im Kopf.

Und da er schon zu spät gekommen war, weil er dieses Kapitel unbedingt noch zu lesen anfangen musste, muss er Julia zunächst einmal aufklären. Im besten Sinne.

Noch schaut sie fragend.

»Ich meine damit: Wir sollen hier doch etwas lernen beim Studium, und das doch eigentlich, damit wir später damit etwas anfangen können. Aber ich fürchte, wir lernen eines eben nicht, Julia: Wie man wirklich verkauft.«

»Ja und? Das ist hier schließlich eine Universität, da geht es doch um was ganz anderes!« Julia bleibt skeptisch.

»Das stimmt schon«, entgegnet Henry. »Aber wir sind doch auch deshalb hier an der Uni, um später gut vorbereitet zu sein! Und es stimmt auch: Verkaufen muss man sich auch schon hier. Bei unserem Vortrag nächste Woche wollen wir doch auch schon überzeugen!«

»Das ist ja wohl logisch!«

»Ja, genau deshalb sage ich es doch! Überzeugend sein heißt doch eben auch am Ende, sich gut zu verkaufen! Aber darüber spricht man eben nicht offen. Das würde doch viel Sinn machen!«

»Nichts gegen die Universitäten«, fährt Henry fort, »aber schau Dir die Leute hier doch einmal an. Die sind doch teilweise in ihrem Elfenbeinturm gefangen und haben selbst den Schlüssel weggeworfen. Kannst Du Dich noch an den Tutor erinnern, der uns zum Beginn des ersten Semesters durch die Fakultät geführt hat? Der hat auf mich schon den Eindruck gemacht, dass er noch nie über den Tellerrand der Universität hinaus geblickt hat. Weißt Du nicht mehr, der Typ mit der Hornbrille, der so eingebildet geredet hat?«

Julia lacht. »Okay, das stimmt echt.«

Ein bisschen entrüstet ist sie aber doch noch. »Hey, willst Du damit jetzt sagen, ein Studium lohnt gar nicht?«

»Nein, das habe ich nicht gesagt«, beschwichtigt Henry. »Aber es ist doch wohl falsch, wenn man das wahre Leben ausblendet. Und es ist doch wichtig, dass man einen Plan hat oder bald findet!«

»Du und Plan«, lästert Julia und rümpft die Nase.

Ja, sie ist wirklich eine Süße ... Henry träumt schon wieder ein bisschen.

»Henry!« Julia tippt ihm ungeduldig auf den Handrücken, weil er offensichtlich zu offensichtlich abwesend ist. »Das ist jetzt der Beweis, dass ich recht habe, nicht?«

»Äh, ja, stimmt. Aber vielleicht habe ich diesen Plan an der Uni nur nicht, weil mir am Ende hier etwas fehlt?«

Warum Verkauf nicht sexy ist, These III: Der Verkauf – und vor allem eine selbstständige verkäuferische Tätigkeit – wird von immer weniger Menschen ausgeübt, weil es an Wertschätzung für diese Zunft mangelt!

In anderen Ländern werden Unternehmer – also auch Verkäufer, was in diesem Fall im Grunde das gleiche ist – gefeiert und wie Stars präsentiert. In Deutschland dagegen gelten Macher oft als zwielichtige Persönlichkeiten, die nur ihren eigenen Profit im Kopf haben und sich auf Kosten von anderen bereichern wollen.

Die Erörterungen der beiden vorigen Thesen haben bereits gezeigt, worin die Ursachen dafür liegen. Im Ergebnis schenkt die Gesellschaft den Verkäufern und Unternehmern nicht nur zu wenig Wertschätzung, sondern vielmehr eine gewisse Form der Verachtung.

Solange unsere Gesellschaft auch medial mit ihren Leistungsträgern nicht anders umgeht, hat dies zur Folge, dass immer weniger Menschen Lust auf Leistung und damit Lust auf Verkaufsunternehmertum bekommen.

Das Gute daran ist allerdings: Die wenigen, die es sich trotzdem zutrauen und den Schritt in das Verkaufsunternehmertum wagen, haben ungeahnte Einkommensmöglichkeiten und können von der wirtschaftlichen Unabhängigkeit träumen![16]

Gleichzeitig braucht es auch hier einen Paradigmenwechsel hin zur besseren Wertschätzung von Leistung.

---

[16] Vgl. Sven Bargel: »Kein Wunder, wenn keiner mehr selbstständig werden will«, Interview mit Steffen Kampeter auf www.magazin-forum.de/de/node/12376, aufgerufen November 2022.

Fakt ist, dass im gesellschaftlichen Diskurs, in der politischen Debatte und in der öffentlichen Wahrnehmung der Beruf des Verkaufsunternehmers und der Verkäuferin auf den letzten Plätzen der Beliebtheitsskala zu finden ist – zumindest bislang.

Ein Wandel der damit verbundenen Paradigmen ist wünschenswert, jedoch in unmittelbarer Zukunft nicht absehbar. Vielleicht muss unsere Gesellschaft erst weiter in die Krise geraten, um dies zu erkennen.

Fast alle haben wir in den Bildungswelten gelernt, dass sich unser Einkommen und unser gesellschaftlicher Status an unserem Bildungsniveau ablesen ließe. Doch das ist rundum falsch.

Sobald wir das wahre Wesen der Leistungsgesellschaft in der Wirklichkeit sehen lernen, verstehen wir auch, dass nicht das in Universitäten oder anderen Bildungseinrichtungen erworbene Wissen das meiste Geld einbringt, sondern die Fähigkeit, am Point of Sale Kunden und Kundinnen mit dem passenden Produkt oder der richtigen Dienstleistung zu begeistern.

Den Point of Sale zu suchen bringt die größten Belohnungen mit sich!

Daher kann aus den oben postulierten Thesen die Erkenntnis gewonnen werden, dass die Entscheidung, eine Verkaufsunternehmerin und ein Verkäufer zu werden, zunächst zu keinem großen Statusgewinn führt. Im Gegenteil: Rechne damit, dass du ausgelacht, belächelt und bekämpft wirst!

Doch dies ist nicht von Bedeutung. Denn als Verkäuferin und Unternehmer, die ein Produkt oder eine Dienstleistung für andere Menschen anbieten, bieten sich uns, bieten sich dir in den nächsten Jahrzehnten unglaublich große Chancen!

Deshalb lohnt es sich für dich auch, dich mit dem Gedanken zu befassen, ein Smartseller und eine Smartsellerin zu werden!

Egal ob die Aldi-Brüder, Götz Werner von DM oder Jeff Bezos: Sie alle sind und waren Topverkäufer. Verkaufen erzielt die höchste Unternehmerrendite.

Setze darum auf die Fakten statt auf das Renommee! Als Smartsellerin und Smartseller traust du dich mit diesem Faktenwissen, ANDERS zu sein – und Erfolg auf deinem ANDERSWEG zu haben. Du profitierst in jedem Fall vom Smartsellerwissen – in Theorie und Praxis.

Und dabei gilt: Es ist gut, dass wir heute alle im Verkauf tätig sind, ob wir das möchten oder nicht!

Du verkaufst dich in einem Assessment-Center genauso wie im Beförderungsgespräch. Du verkaufst dich als Gründer gegenüber Geldgebern und Investoren. Du verkaufst deine Überzeugungen und Ideen immer und überall.

Alles ist Verkauf!

Es wird höchste Zeit, dass wir jede falsche Vorstellung zum Thema Verkauf aufgeben.

Denn der Gamechanger für deine Zukunft ist in der Welt des Verkaufens zu finden!

Kapitel 2: **Captain Future macht Verkauf!** Oder: Warum wir das Verkaufen in unsere DNA aufnehmen sollten

»Verkauf ist tot!«

»Durch das Internet und die Digitalisierung stirbt der Verkauf aus!«

»Eine Verkäuferin kostet bloß Geld und ist zu langsam!«

»Die Kundinnen und Kunden können im Internet alles selber recherchieren und dann ihre Kaufentscheidung ohne den Verkäufer treffen!«

Hast du das – so oder ähnlich – schon einmal gehört?

Jedenfalls lauteten viele gängige Thesen zur Entwicklung des Verkaufs Anfang des 21. Jahrhunderts nicht anders.

Untersucht man aber die aktuellen Zahlen im Business, dann arbeiten in den USA heute zehn Prozent aller Personen im Verkauf. In Kanada sind es sogar fünfundzwanzig Prozent. In Australien verdienen zehn Prozent aller arbeitenden Personen ihren Lebensunterhalt im Verkauf. In Japan sind es acht Prozent. Und auch in der Europäischen Union kommen die Verkäuferinnen und Verkäufer auf einen ähnlichen Anteil: Mehr als jede und jeder Zehnte ist hierzulande aktuell im Verkauf tätig.[1]

---

[1] Vgl. Daniel H. Pink: To Sell is Human. The Surprising Truth About Moving Others. New York 2012, Seite 18.

Damit steht eines fest: Die These vom Aussterben des Verkäufertums war und ist falsch. Die Zahl der Personen im Verkauf sinkt keineswegs, sie steigt vielmehr immer weiter an.

Es gibt fünf entscheidende Trends für die Zukunft, die dafür sorgen, dass Captain Future seine Karriere im Verkauf sucht. Darum sollten sich Verkäuferinnen und Verkäufer freuen: The trend is your friend!

Trend Nummer 1: Der Trend zum Non Sales-Selling

Viele Menschen denken, dass sie eigentlich überhaupt nicht im Verkauf tätig sind. Dennoch verbringen sie, wie wir bereits im vorigen Kapitel gesehen haben, eine Menge Zeit ihres Arbeitsalltags damit, andere Menschen zu motivieren, sie zu etwas zu bewegen, sie zu überzeugen oder sie zu influencen.

Damit machen sie eines sehr wohl: Sie verkaufen sich und etwas, auch ohne es zu thematisieren. Ob Ärztinnen und Ärzte, Politikerinnen und Politiker oder Lehrerinnen und Lehrer: Alle möchten oder müssen etwas verkaufen – und zwar immer und überall und vor allem permanent.

Zugegeben, dabei sind viele Gruppen nicht im herkömmlichen oder einfachen Sinn im Verkauf tätig. Ihr jeweiliger Job erfordert jedoch auch die Fähigkeiten, die ein Verkäufer und eine Verkäuferin haben muss!

Nach den Rechercheergebnissen von Daniel H. Pink verbringen Menschen heute ganze vierundzwanzig Minuten je Arbeitsstunde damit, andere von etwas zu überzeugen – und erachten diese Tätigkeit als wichtig für ihren Job![2]

Genau deshalb macht es auch für uns alle Sinn, das Thema Verkauf auch aus der Adlerperspektive zu betrachten.

Verkauf ist heute also überall – und beeinflusst alle Branchen und Märkte. Ob du auf LinkedIn, WhatsApp oder Instagram etwas von dir und deinen Überzeugungen preisgibst – es ist letztlich auch ein Verkauf deiner Werte, Überzeugungen und Ideen!

Die Fähigkeit, dies überzeugend zu tun, also das Verkaufen aus der Adlerperspektive zu lernen, verschafft dir einen entscheidenden Vorsprung, dein Leben als Captain Future erfolgreich zu gestalten.

---

[2] Vgl. ebenda, Seite 21.

Trend Nummer 2: Der Trend zur Garagenwerkstatt

Junge, gut ausgebildete Personen sind heute oft Expertinnen und Experten auf ihrem jeweiligen Gebiet. Sie möchten nicht mehr in großen, hierarchischen Systemen arbeiten und bevorzugen kleine, familiäre Start-Up-Atmosphären zum Arbeiten. Diese Projekte kann man als Garagenwerkstätten definieren.

In diesen Garagenwerkstätten, die auch innerhalb großer Unternehmen existieren, kommen Menschen aus verschiedenen Fachbereichen zusammen. Die oft zeitlich befristet zusammengestellten Projektteams, die darin tätig werden, benötigen enorme Fähigkeiten in den Bereichen Menschenkenntnis, Kommunikation und Leadership, um ihre Projekte erfolgreich zu gestalten.

Noch ist die Garagenwerkstatt nicht die Regel. Doch deren Erfolge zeigen auch: Die Zeit, in der Mitarbeiterinnen und Mitarbeiter noch an Arbeitsplätze gesetzt wurden, um dort dreißig lange Jahre im ewig selben Team zu verbringen, ist weitgehend vorbei – und das ist gut so.

Die Zukunft macht es darum auch erforderlich, sich auf ein Arbeiten in der Garagenwerkstatt optimal einzustellen. Das bedeutet für junge High Performer immer auch, dass sie exzellente verkäuferische Fähigkeiten für ihre Karriere benötigen:

Schnell neue Freunde gewinnen zu können ist eine wesentliche Voraussetzung dafür, zukünftig Erfolg haben zu können. Das Wissen darum, wie man Teil von Netzwerken werden kann, und wie man diese Netzwerke dann auch für den eigenen persönlichen Vorteil einsetzt, wird in Zukunft zu einer Schlüsselfähigkeit werden.

Das Talent der Menschenkenntnis wird dabei auch benötigt, um Teams effektiv weiterentwickeln zu können. Als Motivatoren ganze Teams zu begeistern und damit die gesteckten Ziele in einer vorgegebenen Zeit gemeinsam erreichen zu können, ist ebenfalls eine der wichtigen Fähigkeiten für die kommende Zeit.

All diese Eigenschaften gelten als Kernqualifikationen dafür, eine erfolgreiche Tätigkeit im Verkauf auszuüben.

Noch essentieller werden diese Verkaufsfertigkeiten, wenn man die hierarchischen Strukturen jener Garagenwerkstätten analysiert:

In Projektteams sind alle Teilnehmerinnen und Teilnehmer immer Expertinnen und Experten und begegnen sich auf Augenhöhe; trotzdem gibt es in diesen Projektteams auch Projektleiter und Projektleiterinnen, die auf Zeit für ein Projekt und dessen Zielerreichung verantwortlich sind.

Ohne formelle Hierarchien muss ein Projektleiter jedoch um die Zusammenarbeit der Experten und Expertinnen werben – und damit Erfolg haben, sodass die Ziele erreicht werden.

Sich selber verkaufen und darstellen zu können zählt dabei genau wie die Fähigkeit, eine gute Atmosphäre schaffen zu können, zu den Eigenschaften, die die Person mit Projektverantwortlichkeit zur erfolgreichen Zielerreichung benötigt. Topverkäufer und Unternehmerinnen benötigen dabei tatsächlich identische Eigenschaften, um erfolgreich in Märkten zu agieren.

Fakt ist, dass sich die Arbeitswelt derzeit transformiert – und dass auch du für diese Transformation alle Eigenschaften eines Verkäufers benötigst, um den heutigen Anforderungen an Zusammenarbeit gerecht werden zu können.

Gleichzeitig entwickelst du dich dabei, auch bei einer Tätigkeit in einem Unternehmen, immer mehr zum ›Intrapreneur‹ – einem Unternehmer im Unternehmen.

Das bedeutet, dass du als Captain Future neben deinen fachlichen Fähigkeiten auch die mentalen Eigenschaften eines Spezialisten für Menschen benötigst.

Trend Nummer 3: Der Trend zum Franchise-Unternehmertum

Neben dem Besitzen der Fähigkeiten und der richtigen Einstellung zur Selbstständigkeit bedarf es im klassischen Unternehmertum des Faktors Kapital, um den Traum vom eigenen Unternehmen zu realisieren.

Kapital kann dabei über vielfältige Formen generiert werden.

Der klassische Weg besteht darin, zur Bank zu gehen, einen Businessplan vorzulegen – und dann einen Kredit zu erhalten. Dann beginnt das Unternehmen zu wachsen. Dabei wird mehr Geld, wiederum in Form von Krediten, geliehen.

Je größer das Unternehmen wird, desto mehr besteht dabei die Gefahr, dass die Unternehmerinnen und Unternehmer dabei zum Mädchen für alles werden. Sie sind dann für einfach alles zuständig: für die IT, das Personal, die Lohnbuchhaltung, die Mitarbeiterinnen und das Marketing.

Für die wichtigste Aufgabe aber – nämlich das Verkaufen des Produktes oder ihrer Dienstleistung – bleibt dann oft kaum noch Zeit übrig!

Das ist rundum fatal – und führt oftmals zu Frust, Überforderung und schlimmstenfalls sogar zu einer Aufgabe des Geschäfts.

Heute ist es allerdings nicht mehr zwingend notwendig, diesen Weg zu gehen, um den Traum vom eigenen Unternehmen wahrzumachen.

Wenn dein Talent im Verkauf liegt und du genau dieses Talent gewinnbringend einsetzen möchtest, bietet sich dabei eine andere, interessante Unternehmensform an: das Franchise-Unternehmertum. Es hat gegenüber dem herkömmlichen Unternehmertum den Vorteil, sich auf die eigentliche Stärke fokussieren zu können und sich nicht in den Bereichen zu verzetteln, die für herkömmliche Unternehmerinnen und Unternehmer so oft zum Problem werden.

Beim Franchise-Unternehmertum werden bereits funktionierende Geschäftsmodelle adaptiert, um diese Business Cases mit persönlichen Verkaufsfähigkeiten kombinieren zu können. Dabei sind bereits einhundertvierundvierzig entsprechende Unternehmen am Markt.[3]

---

[3] Vgl. die Auswertungen auf de.statista.com/statistik/daten/studie/5561/umfrage/franchising-anzahl-der-franchise-geber-in-deutschland-zeitreihe/, aufgerufen November 2023.

Bei eintausend befragten Franchise-Unternehmen konnte Statista im Jahr 2022 einen Umsatz von einhundert zweiundvierzig Milliarden ermitteln – das macht einen Umsatz von 142 Millionen pro Unternehmen!

Eine gewaltige Zahl – die noch größer wird, wenn man die durchschnittliche Eintrittsgebühr zur Unternehmenseröffnung dieser Franchises kennt: Sie lag bei nur 13.328 Euro.[4]

Das bedeutet: Wir können als Smartseller und Smartsellerin Franchise-Unternehmer und Franchise-Unternehmerinnen werden – oder eigentlich: Intrapreneure – ohne dabei große finanzielle Risiken einzugehen, mit der Aussicht auf guten Umsatz, und können unser Talent zur Vermarktung sehr profitabel einbringen. Dabei können wir in Deutschland unter 990 verschiedenen Franchise-Systemen auswählen.[5]

Gerade auch in der lukrativen Finanzindustrie findet sich eine reiche Palette an Direktvertrieben zum Einstieg. Zusätzlich steht eine riesige Menge an Network-Marketing-Firmen zur Auswahl.

Als talentiertem Verkäufer, als talentierter Verkäuferin steht uns mit einem Franchise-Unternehmen die Welt offen.

Du kannst deinen persönlichen Lebensentwurf mit allen Freiheiten eines Intrapreneurs leben, dabei aber auf den Stress eines klassischen Gründers verzichten. Minimalen finanziellen Risiken stehen weit überdurchschnittliche Einkommensoptionen gegenüber.

Besonders fähigen Verkaufstalenten ist der Weg zum Millionär innerhalb weniger Jahre vorgezeichnet – wenn das keine Aussicht für Captain Future ist!

---

[4] Diese Summe ermittelte das Portal Statista für 2017. Vgl. die Auswertungen auf de.statista.com/statistik/daten/studie/247975/umfrage/eintrittsgebuehr-fuer-den-franchise-nehmer-in-deutschland/, aufgerufen November 2023.

[5] Vgl. die Übersichten unter www.Franchiseverband.com, aufgerufen Oktober 2023.

Trend Nummer 4: Der Trend zur Leistungsgesellschaft

Die Wirtschaft ist getrieben durch die Globalisierung – und erlebt deshalb einen nie gekannten Hyperwettbewerb. In allen Bereichen konkurrieren Firmen um potentielle Kunden und Kundinnen.

Ein Beispiel zeigt auf, was das bedeutet:

Im Regal eines Kaufhauses kann leicht zwischen fünfzehn unterschiedlichen Klobürsten gewählt werden. Doch welche wird gekauft?

Die Antwort lautet überwiegend: die günstigste.

Das macht Sinn, denn wenn alle letztlich gleich sind und ihre Funktion erfüllen, wird der Preissieger seine Klobürste verkaufen.

Als Grundsatz gilt dabei: ›The winner takes it all‹ und ›Second is the first of the losers!‹ In einem preisschildroten Ozean, einem Markt der ›Ich bin gleich‹-Produkte, in dem auf qualitativ gleichwertigem Niveau gegeneinander konkurriert wird, entscheidet allein der Preis. Der günstigste Anbieter gewinnt – alle anderen gehen leer aus!

Daraus resultiert ein einseitiger Wettbewerbsdruck auf den Preis, der zu stagnierenden oder fallenden Löhnen führt. Damit können Arbeitnehmerinnen und Arbeitnehmer zwar immer mehr im Wettbewerbsfeld arbeiten, werden am Ende dabei aber nicht mehr Gehalt verdienen.

Der globale Hyperwettbewerb setzt damit die Löhne unter Druck und reduziert das Wohlstandniveau von Arbeitnehmenden.

Hinzu kommt, dass die Angestellten durch die Digitalisierung der Arbeit zunehmend selbst in einen Hyperwettbewerb geraten. Die Arbeit wurde früher von fünf Mitarbeiterinnen und Mitarbeitern gemacht – jetzt reichen plötzlich zwei dafür.

Damit steigt der Konkurrenzkampf um die verbleibenden Arbeitsstellen – und damit erneut der Druck.

Auch für alle Arbeitnehmerinnen und Arbeitnehmer wird es daher immer wichtiger, sich selbst gut zu vermarkten, sich positiv zu verkaufen, damit sie einen jener noch vorhandenen Arbeitsplätze besetzen können.

Es kommt also nicht nur bei Produkten selbst zu einem Hyperwettbewerb; der Hyperwettbewerb setzt sich auch auf dem Arbeitsmarkt fort!

Es gilt deshalb nicht nur, dass jene Arbeitsplätze weniger Einkommen ermöglichen – sie werden auch selbst immer weniger zahlreich angeboten. Es kommt damit auch unweigerlich zu einem immer härteren Wettbewerb unter den Bewerbern und Bewerberinnen für diese raren Stellen.

Auch ein Fachkräftemangel sollte uns nicht darüber hinwegtäuschen, dass der Hpyerwettbewerb unser Arbeitsumfeld somit grundsätzlich verändert.

Der Grund für diese globale Entwicklung ist einerseits in der Veränderung der globalen Märkte zu suchen, liegt andererseits aber auch in unserer Gesellschaft selbst verortet – und ihrem Bildungsniveau.

Die Idee, dass Bildung grundsätzlich Aufstiege möglich macht, hat die Entwicklung dieser Gesellschaft maßgeblich beeinflusst. Während um das Jahr 1900 noch lediglich ein Prozent der Bevölkerung das Abitur absolvierte, betrug die Abiturientenquote im Jahr 1961 bereits 6,1 Prozent. Heute studieren 51 Prozent eines Jahrgangs an einer Hochschule.[6]

Mit der Idee verbunden war die feste Annahme, dass jene Bildung die Aufstiege auch verlässlich ermöglicht.

Früher konnte man also davon ausgehen, dass bereits das Abitur eine Karriere ermöglicht. Doch heute ist die Konkurrenz auch unter den gut ausgebildeten Bevölkerungsgruppen so groß, dass dieser Mechanismus längst seine Automatismen verloren hat, vor allem, wenn es um die eigentlich begehrten Stellen geht.

Heute ist selbst ein Studium so inflationär geworden, dass es längst keine Garantie mehr gibt, alleine aufgrund dessen einen Job zu finden, wie man sich ihn vorstellt.

Jeder soll studieren, das ist trotzdem die Devise – und tatsächlich auch die gleichzeitige Lösung der Herausforderungen. Es kommt dann aber darauf an, einen Ausbildungsweg nicht mehr in der Absicht einer Festschreibung des Status zu beschreiten, sondern vielmehr in Hinblick auf die erworbenen Fähigkeiten, neues Wissen erlernen zu können.

Das heißt auch: Wenn die Ambitionen eines Studiums sich darin erschöpfen, einen bestimmten Schein für einen bestimmten Abschluss zu erwerben

---

[6] Vgl. Christian Schlesiger: Die Hauptschule muss weg, Artikel auf www.wiwo.de/erfolg/hochschule/duales-system-in-gefahr-51-prozent-eines-jahrgangs-machen-das-abitur/8763246-2.html, aufgerufen Oktober 2023.

und Wissen nur aus diesem Zweck erworben wird, bringt das Studieren am Ende nichts.

Das Wissen ist nutzlos, wenn es nur erworben wird, weil es eben so vorgegeben ist; dann wird im Studium im Grunde nichts anderes gemacht, als eine schlechte Schule weiterzuführen.

Nach einem Studium dieser Art begegnen wir zwar den perfekten Dienstleisterinnen oder Assistenten – allein, ihre Jobs sind gerade in andere Länder abgewandert.

Nach einer solcherart ›bulimistischen Ausbildungszeit‹, die zudem den Spaß am Lernen nimmt, kommen die Absolventen und Absolventinnen außerdem oftmals nicht damit zurecht, dass es die alten Berufsbilder immer weniger gibt – und sie über das gesamte Leben hinweg neue Rollen erlernen müssen.

Das kann auch anders gehen: Wissen aus eigenem Interesse zu erwerben, um es selbstständig immer wieder zu erweitern und zu adaptieren, das kann auf dem Bildungsweg geübt und im Studium zur Königsdisziplin gemacht werden!

Das Konzept des lebenslangen Lernens, das damit in den Fokus rückt, ist tatsächlich eine Lebenseinstellung; wir tun gut daran, es nicht nur als Schlagwort eines Allgemeinplatzes abzutun, weil es tatsächlich zur Überlebensnotwendigkeit in einer sich dynamisch und schnell ändernden Welt wird!

Ohne Zweifel wird der Abschluss und der Titel einer Hochschule heute trotzdem immer noch für wichtiger betrachtet als das Wissen für sich genommen.

Die Vorstellung, dass das Lernen mit dem Erwerb eines passenden Titels zu Ende geht, ist im Kontext der Universität dabei aber noch einem zweiten Problem ausgesetzt: Auch an den Universitäten selbst ist die Konkurrenz gewachsen, sodass der Titel alleine nicht mehr ausreicht.

Die Reichen kaufen ihren Söhnen und Töchtern daher einen Abschluss – und versorgen sie im Anschluss mit gut bezahlten Jobs. Die breite Masse der Abgängerinnen und Abgänger gewinnt mit einem Titel jedoch nichts mehr.

Wie sonst sind die monatelangen Traineeprogramme bei Berufsstartern und Berufsstarterinnen zu erklären? Was also bringt ein Titel ohne Mittel?

Die Titel der alten Bildungswelten lenken uns also im Gegenteil oftmals nur ab von dem, was wirklich gebraucht wird. Zu viele Menschen verlieren damit Zeit für die wirklich wichtigen Dinge im Leben und das Lernen der wirklich wichtigen Fähigkeiten – dazu gehören heute vor allem die Fähigkeiten für Verkauf, Unternehmertum, Fehlermanagement und Persönlichkeitsentwicklung!

Durch die verkürzten Studiengänge und die Verschulung des Studiums haben allerdings die wenigsten Studentinnen und Studenten im Studium ihre Persönlichkeit in diese Richtung entwickelt, sodass sie Schwierigkeiten im Umgang mit Konflikten, Kritik, Doppeldeutigkeit, unklaren Zielen und mangelnden Vorgaben haben.

Die Lösung ist einfach:

Studiere den Beruf des Verkäufers und der Verkäuferin in der Leistungsgesellschaft und werde zum Smartseller und zur Smartsellerin!

Lege dir genau deshalb und genau dafür ein ›Learning Mindset‹ zu!

Mache dein Weiterlernen zu einer Erfolgsoption!

Da der Verkaufsberuf immer noch ein Beruf ist, der bislang noch immer nur von einigen wenigen entschieden nachgefragt und zugleich nur von wenigen professionell beherrscht wird, liegt hierin die große Chance:

Du entkommst dem Hyperwettbewerb durch die Berufswahl zum Verkäufer und zur Verkäuferin!

Der Verkauf offeriert immer wieder hoch dotierte Stellen und bietet auch ohne teuer erworbene Hochschultitel exzellente Karrierechancen. Jeder Unternehmer ist Verkäufer und jede Verkäuferin ist Unternehmerin. Und wenn sowieso alle Arbeitnehmerinnen und Arbeitnehmer die Eigenschaften eines Verkaufsunternehmers vorweisen können müssen, um Erfolg zu haben, ist in einer Leistungsgesellschaft das Thema Verkauf ein Pflichtfach für alle.

Daher entscheidet sich Captain Future heute immer für eine Aufgabe im Verkauf!

Trend Nummer 5: Der Trend zur Aufmerksamkeitsökonomie

Der Trend zur Leistungsgesellschaft hat den Umstand zur Folge, dass es von allem stets viel gibt – besser: zu viel! Das wiederum bringt mit sich, dass wir uns an vieles gewöhnt haben – und somit nur noch das wirklich Besondere auffällt.

Wir können es auch anders ausdrücken: Was nicht extrem genug ist, fällt nicht auf!

Somit leitet sich aus dem breiten Angebot der Leistungsgesellschaft ein weiterer Trend ab: der Trend zur Aufmerksamkeitsökonomie. Das Prinzip, das sich aus diesem Trend ableitet, ist leicht zusammenzufassen:

Was nicht auffällt, das existiert nicht! In der Aufmerksamkeitsökonomie gibt es nur das Besondere, weil nur das Besondere noch wahrgenommen werden kann.

Der Trend zur Aufmerksamkeitsökonomie ist dabei in vielen Feldern zu beobachten – nicht zuletzt im Bildungssektor, wie er bereits problematisiert wurde.

In einer Analyse der Situation beschreibt Nassim Taleb eindrucksvoll[7], welche Dynamik durch den Geltungskonsum des Trends in Bezug auf den Bildungssektor entsteht, blickt man auf die Situation in den USA. Eliteuniversitäten haben dort mittlerweile in den Augen der neuen asiatischen und amerikanischen Oberschicht den Status von Luxusgütern erlangt: Harvard, Yale und andere Eliteeinrichtungen erlangen dabei die gesteigerte Bedeutung einer Tasche von Louis Vuitton oder einer Uhr von Cartier. Der Universitätsabschluss muss somit erworben sein, um auffallen zu können.

Dies zu erreichen erzeugt einen gewaltigen Druck auf die Mittelschichten: Immer größere Anteile des Ersparten müssen aufgewendet werden, um Teil des Besonderen zu werden. In gewisser Hinsicht ähnelt das einer Erpressung. Man braucht den Abschluss einer namhaften Universität, um im Leben weiterzukommen! Und weil man den teuren Abschluss benötigt, muss man ein Vermögen in diese Institutionen hinein schaufeln.

---

[7] Vgl. Ronald Stöferle, Rahim Taghizadegan, Gregor Hochreiter: Die Nullzinsfalle: Wie die Wirtschaft zombifiziert und die Gesellschaft gespalten wird. München 2019.

Wer es dann persönlich geschafft hat und selbst Kinder bekommt, muss, um den Kindern ebenfalls den Status zu erhalten, erneut diesen Universitäten das erarbeitete Vermögen zurückführen.

Das Beispiel, das die Jagd nach den Titeln der Eliteuniversitäten abgibt, zeigt eindrucksvoll, wie das Extreme das Leben und die Gesellschaft prägen kann!

Es ist dabei kein Geheimnis, dass eine Gesellschaft, die durch ein solches System maßgeblich beeinflusst wird, insgesamt keine Fortschritte macht, die auf ein organisiertes Bildungssystem zurückzuführen sind.[8] Denn es geht in einer solchen Gesellschaft nicht mehr um den Inhalt des Studiums, sondern nur noch um den Titel einer besonderen Universität.

Dieser Trend ist in den USA zwar weiter ausgeprägt als hierzulande – hat aber längst auch in Deutschland seinen unumkehrbaren Weg begonnen. Wie in Bezug zum Trend der Leistungsgesellschaft bereits ausgeführt beobachten wir, wie sich unsere Welt hin zur Aufmerksamkeitsökonomie wandelt.

Wir leben indessen zugleich in einem Zeitalter der Hypermedialität und Digitalisierung.

Deshalb findet der wahre Krieg um Aufmerksamkeit, der die größte Zielgruppe hat, in den sozialen Medien statt. Aus den Medien, den ursprünglichen Vermittlern – der Begriff leitet sich vom lateinischen ›mediare‹ ab, dem Verb ›vermitteln‹ –, ist dabei vor allem ein Beschleuniger von Affekten geworden. Social Media besteht in diesem Sinne aus Emotionsmaschinen, die rund um die Uhr nach Nahrung suchen, und die erste Währung dieser hypermedialen Welt ist die Aufmerksamkeit.

Gewinner in diesem Krieg ist daher derjenige, der interessante, abseitige, schrille, spannende, überraschende, provokative, angstmachende oder hasserfüllte Botschaften sendet.[9] Damit gewinnt eine ›Ich-Manufaktur‹, die diese Botschaften auszusenden in der Lage ist, an zentraler Bedeutung. Auch dies ist das Ergebnis der Veränderung der Märkte.

---

[8] Vgl. ebenda, Seite 158.

[9] Vgl. Matthias Horx: 57 – Die Zeit der Aufmerksamkeitskriege. Wie wir mit der Moral-Hysterisierung umgehen können, Artikel auf www.horx.com/57-die-zeit-der-aufmerksamkeitskriege/, aufgerufen Oktober 2023.

Positiv betrachtet eröffnen sich dabei auch neue, bislang nicht nutzbare, oft auch bislang ungeahnte Möglichkeiten – auch für das Verkaufen.

Mittels der Nutzung des World Wide Web kannst du heute jeden Abend bei drei Milliarden Menschen auf dem Sofa sitzen: Unglaubliche Möglichkeiten eröffnen sich für den Verkäufer und die Verkäuferin, die diesen Weg erfolgreich zu gehen lernen.

Egal, was du anzubieten hast, irgendjemand will es haben – du musst nur deine Zielgruppe erreichen.

Die wichtigste Aufgabe ist es daher, als Erste und Erster in den Kopf der potentiellen Kunden zu kommen und dort zu bleiben.[10] Hat der Interessent ein Problem oder ein Bedürfnis, dann muss er wissen, dass er die Lösung gerade bei dir findet.

Damit kommt es nicht nur auf dein Produkt, deinen Service oder deine Dienstleistung an – sondern in hohem Maß auch auf dich selbst.

Damit du als Persönlichkeit überzeugen kannst, bedarf es der Vermarktung deiner eigenen Person.

In einer Welt, in der es von allem zu viel gibt, kann deine eigene Persönlichkeit, deine Ich-Marke, der entscheidende Wettbewerbsvorteil werden und bleiben – denn du wirst dabei der emotional entscheidende Faktor des Verkaufs sein.

Dies ist auch deshalb möglich, weil die Produkte, die zum Verkauf stehen, heutzutage einen Lebensstil definieren. Damit geht es längst um mehr als nur darum, einfache Bedürfnisse zu befriedigen: Lifestyle steht für das Leben, das man sich wünscht, und für dessen Umsetzung man investiert – sich selbst und seine Mittel.

Jene Lebensstile über Human Branding zu bewerben, also über überzeugende und überzeugte Menschen, die ihre Ich-Marke verkaufen, sorgt für entscheidende Kaufimpulse. Zusammengefasst heißt das: Hier machen Verkäuferinnen und Verkäufer Kundinnen und Kunden zu Fans!

---

[10] Vgl. Edgar K. Geffroy und Benjamin Schulz: Erfolg braucht ein Gesicht: Warum ohne Personal Branding nichts mehr geht. München 2016.

Influencerinnen und Influencer – und Meinungsführer generell – nutzen diese Entwicklung für ihren eigenen Erfolg, und tun dies in spezifischen Branchen. Sie posten Produkte für ihre Community und verdienen damit Millionen. Ihre Follower vertrauen dem Urteil der Influencer, was für den Produktkauf sorgt.

Ihr Beispiel zeigt: Als vertrauenswürdige und wertgeschätzte Ich-Marke kannst du alles verkaufen.

Auch deshalb stimmt, dass heute letztlich ganz ordinäre Verkäuferinnen und Verkäufer online wie offline das große Geld machen. Im Unterschied zu früher wird dabei heute immer öfter mittels der eigenen Ich-Marke verkauft, und nicht mehr ausschließlich für Firmenbrands.

Dabei gelten in der Online- wie auch in der Offline-Welt jedoch stets die gleichen Funktionsweisen für den Abverkauf von Produkten – und dies aus einem recht simplen Grund:

Wir Menschen haben ein Gehirn, das überwiegend auf dieselbe Art und Weise psychologisch überzeugt werden will!

Auch hier gilt daher erneut: Lerne die Kunst des Verkaufens! Studiere die Mechanismen des menschlichen Gehirns und die Wirkungsweisen von Kommunikation – und studiere auf dieser Basis, wie man ein Verkaufssystem implementiert. Der ANDERSWEG zum Erfolg begleitet Smartsellerinnen und Smartseller dabei.

Von der Erfindung des Buchdrucks durch Gutenberg bis zur heutigen Aufmerksamkeitsökonomie ist absolut betrachtet nur wenig Zeit vergangen. Wir sollten erkennen, dass wir darauf reagieren sollten, indem wir Agierende im System werden:

In der Aufmerksamkeitsökonomie ist die Fähigkeit zum Verkaufen die Eintrittskarte zum Aufbau unserer eigenen Ich-Marke, und die Eintrittskarte dafür, im System aktiv zu agieren und dadurch unsere Selbstbestimmung verwirklichen zu können.

Fakt ist, dass die Ökonomisierung der Welt längst dazu geführt hat, dass heute jeder und jede im Verkauf tätig ist. Die interessante Frage ist dabei nicht, ob das so ist – sondern vielmehr, ob uns allen diese Rolle bereits ausreichend bewusst ist, und wie gut wir darin performen!

Unsere Gesellschaft begegnet der Komplexität von Problemstellungen mit immer mehr temporärer, interdisziplinärer Projektarbeit – und wir sollten in der Lage sein, uns als Agierende in diesen Projekten zu bewähren und zu wachsen. Expertinnen und Experten kommen ohne vorgegebene Hierarchie zusammen und lösen gemeinsam spezifische Herausforderungen – wenn sie sich in den Teams gut verkaufen, mit Erfolg! Das erfolgreiche Arbeiten in solchen Garagenwerkstätten erfordert deshalb immer auch höchste verkäuferische Fähigkeiten.

Die Eigenschaften eines Verkäufers werden dabei in der wachsenden Leistungsgesellschaft, die durch das Phänomen der Aufmerksamkeitsökonomie begleitet wird, zudem als zukünftiger, wichtigster Erfolgsfaktor benötigt – und das ausdrücklich auch deshalb, um mit all den anderen, die sich ebenfalls verkaufen, gut umgehen zu können. Deshalb:

»Verkauf ist lebendig wie nie!«

»Durch das Internet und die Digitalisierung wird der Verkauf noch wichtiger!«

»Ein guter Verkäufer und eine gute Verkäuferin sorgen für eine Win-Win-Situation und sind ihrer Zeit voraus!«

»Ihre Kundinnen und Kunden machen sie zu Fans – und helfen ihnen bei der Kaufentscheidung.«

Das alles sorgt dafür, dass Captain Future heute das Verkaufen studiert – und damit seine Superhelden-Karriere beim Verkauf beginnt! Du brauchst wie er die Verkäufer-DNA, um richtig durchstarten zu können.

Henry liegt in seinem Bett und kann nicht schlafen.

Einerseits will ihm Julia nicht aus dem Kopf gehen … und das nicht etwa deshalb, weil das Proseminar, das sie gemeinsam besuchen und wo er neben ihr sitzt, so spannend war. Andererseits waren die letzten Tage aus dem anderen Grund spannend: Immer noch hallt die Begegnung mit dem Guru nach, und die ersten beiden Kapitel des Buchs haben ihm doch zu denken gegeben.

Er muss zugeben, dass er bislang immer ein wenig durchs Leben gestolpert ist. Eines ergab das Nächste, und er war auch immer irgendwie klargekommen.

So war Henry letztlich auch ins Studium gestartet.

Ein bisschen war es ja wie zuvor im Gymnasium: Man gab ihm einen Stundenplan, und er absolvierte das Programm. Immer gut im Durchschnitt liegend, keine bösen Überraschungen provozierend oder erwartend.

Und jetzt der Guru mit seinen Thesen zum Verkaufen.

Vielleicht beeindruckte ihn am meisten, dass der Guru dabei so überzeugt und vehement war.

Er sprach nicht vom Durchkommen, sondern vom Gewinnen! Und dass man sich entscheiden müsse dazuzugehören.

Vielleicht stimmt es sogar, dass Henry vorher noch nie so über ein Thema nachgedacht hat, wie er es jetzt tut. Noch nie hatte ihm jemand die Bedeutung einer recht simplen Frage so eindrücklich nahegebracht:

»Willst Du Captain Future sein?«

Ja, es klang weird, aber darum ging es doch am Ende. Auch wenn er noch nicht so richtig wusste, wie das alles konkret aussehen sollte, er hatte in den letzten Tagen doch über das Wohin nachdenken müssen.

Henry war bislang davon ausgegangen, dass Verkaufen nichts Besonderes wäre – vor allem hatte er vorher nicht daran gedacht, dass es da große Unterschiede geben könnte.

Jeder kann Verkaufen, das hätte er bislang unterschrieben – aber sich auch nichts dabei gedacht.

Wie wichtig das Thema wirklich war und dass die Verkäuferskills einer besonderen Ausbildung bedürften, von der der Guru schrieb, das hatte er vorher nicht gesehen.

Doch die Geschichte des Gurus und seine Überlegungen zur Verortung des Themas in der Welt hatte ihm den Verkauf auf eine Weise nahegebracht, wie er sie bislang nicht gekannt hatte.

Henry fragt sich inzwischen ernsthaft, ob sich in einer Welt des Wandels das Wissen um die Geheimnisse erfolgreichen Verkaufens als Erfolgsbeschleuniger herausstellen könnte!

Irgendwie ist es wie mit Julia: Er ist fasziniert.

Und plötzlich hat er den einen Gedanken: »Ich will tatsächlich Erfolg haben!«

Muss er dazu nicht einfach die Verkäufer-DNA ausbilden?

Bei Julia muss er noch überlegen, wie er am besten zum Ziel kommen kann.

Doch was, wenn er beim anderen Thema gerade mit dem ANDERSWEG den Schlüssel für eine erfolgreiche Zukunft in Händen hält?

Henry fasst den Entschluss, es herausfinden – und zwar ganz konkret.

Teil II

Die Smartseller-Persönlichkeit

FETTERSCHINKEN

Kapitel 3: **Die Alchemie des Verkaufs**
Oder: Prinzipien des Lebens sind Fundament für Verkaufserfolg

Alchemie – damit bezeichnet man seit dem 1. Jahrhundert die Lehre von den Eigenschaften der Stoffe und deren Reaktion. Ein besonderes Interesse der Alchemisten galt der Transmutation – und damit Prozessen der Umwandlung.

Praktisch gesehen waren die Alchemisten oft frühe Chemiker – und doch wurde ihnen oft auch das Streben nach mythischen Fähigkeiten nachgesagt. Nicht erst Harry Potter soll auf diese Weise nach dem Stein der Weisen gesucht haben.

Erst im 17. Jahrhundert entwickelten sich aus der Alchemie herkommend mehr exakte Wissenschaften wie die Chemie oder Pharmakologie – und damit ging auch der Mythos der Alchemie, universelles Wissen zu erreichen, ein Stück weit verloren.

Die Idee, universelle Prinzipien zu finden, wurde aber in anderen Gebieten erneut aufgegriffen, zum Beispiel in der analytischen Psychologie durch Carl Gustav Jung.

Was in der Tiefenpsychologie seinen Ausgang nimmt, kann jedenfalls aufschlussreich sein, wenn es um die Alchemie einer besonderen Art geht: nämlich die Alchemie des Verkaufs.

Eine Alchemie des Verkaufs interessiert sich für die universellen Prinzipien, die im Verkauf gelten. Wer diese Alchemie versteht, lernt sicherlich auch eine ganze Menge über das Leben – und das ist einfach deshalb so, weil der homo oeconomicus mehr ist als nur ein Modell, das als Grundlage für viele Wirtschaftsmodelle herhält.

Es geht dabei um die Annahme, dass sich Menschen rational entscheiden, um sich selbst zu nutzen, und somit letztlich um den Aspekt des Menschseins, der mit dem Verkauf verbunden ist – einen Aspekt, der damit große Bedeutung für unser Leben hat.

Als Smartseller und Smartsellerin werden wir durch die Beschäftigung mit der Alchemie des Erfolgs verstehen können, wie unsere Persönlichkeit im Umgang mit diesen Prinzipien wachsen kann! Unsere Smartseller-Persönlichkeit wird sich fortentwickeln, wenn wir aus unserem Wissen die richtigen Schlüsse ziehen und in der Praxis danach handeln.

Wer die Alchemie des Verkaufs studiert, beschäftigt sich deshalb mit einem Aspekt des Menschseins, bei dem es erneut um universelle Prinzipien geht, die auch die ersten Alchemisten interessiert haben dürften. Wer diese Prinzipien verstehen lernt, wird sein Wissen im Verkauf anwenden können: Dieses Wissen kann erfolgreich machen – und mehr als das.

Beginnen wir also damit, die Alchemie des Verkaufs zu entschlüsseln – und lernen die Prinzipien des Verkaufens kennen, mit denen sich alle Smartsellerinnen und Smartseller vertraut machen sollten:

Henry liegt auf dem Sofa, vor sich das aufgeschlagene Buch.

Es ist bereits kurz vor Mitternacht, doch Henry hat die Zeit vergessen.

Er will nicht schlafen, denn er ist tatsächlich noch gefesselt von seiner Lektüre …

Jetzt, nachdem er gelesen hat, welche Bedeutung das Thema Verkaufen hat und welche Chancen im Bereich des Verkaufs bestehen, will er darüber doch mehr erfahren.

Um die ›Smartseller-Persönlichkeit‹ sollte es jetzt also gehen.

Also wohl darum, wie ein Verkäufer sein muss, damit dieser seine Aufgabe erfolgreich rocken kann!

Das würde ihm gefallen.

Als Erstes würde er sich aktuell selbst verkaufen – an Julia.

Das würde seine Chancen bei ihr doch sicher beträchtlich erhöhen. Da kann ihm jeder Tipp, und sei er eigentlich auch aus einem weiten Feld, nur recht kommen!

Und vielleicht hilft ihm das Buch ja auch tatsächlich dabei ein wenig weiter!

Es war ja schon irgendwie so, dass es fast so war, als würde Guru Gee aus dem Buch heraus direkt zu ihm sprechen. Als würde ein weiser Lehrer den Kopf schütteln über die herkömmliche Art zu Denken. So eine Art Meister Yoda, aber halt im seriösen Business.

»Anders Du sein musst, junger Padavan!«, das wäre dann die Catchphrase, wenn es um die Kunstform des Verkaufens geht, und was sie ihm bringen kann. Um Chancen und Ziele, um Mindsets und Möglichkeiten.

Zumindest hatte ihm der Guru in der Loge der Smartseller das noch expressis verbis mitgegeben:

»Henry, mein Junge, lies das Buch! Werde eine Smartseller-Persönlichkeit und habe Erfolg!«

Das faszinierte Henry.

Wie also soll dieser Smartseller aussehen?

Welche ›Geheimnisse‹ hat der Guru wohl noch in petto?

Er studiert die ersten Sätze des Kapitels … und fühlt sofort, dass es krass wäre, wenn es tatsächlich universelle Prinzipien gäbe, die im Leben wie im Verkauf gelten.

Henry rutscht auf dem Bett hin und her.

In diesem Kapitel scheint es um genau diese Prinzipien zu gehen.

Wenn es ihm gelänge, sie zu verstehen und dann im persönlichen Verkauf anzuwenden, dann muss diese Alchemie ihn doch wohl auch erfolgreich machen – bei Julia und darüber hinaus …

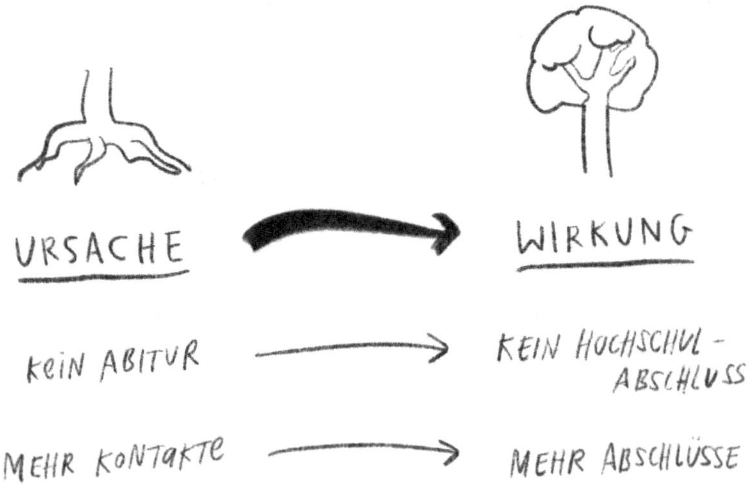

Die Alchemie des Verkaufs, Prinzip Nummer 1: Das Prinzip der Kausalität und die Alchemie der Quote

Das Gesellschaftsspiel ›Mensch ärgere dich nicht!‹ verdeutlicht uns ein interessantes Konzept: Das Zusammenspiel von Zufall und regelgeleiteter Reaktion.

Der Sinn des Spiels erschließt sich den Mitspielerinnen und Mitspielern unmittelbar: Tatsächlich gewinnt man das Spiel, wenn man seine Spielfiguren am besten über das Spielfeld bewegt – nach Hause, in den jeweiligen Zielbereich. Man möchte jeweils das Ziel schnellstmöglich erreichen, und steht dabei im Wettbewerb mit den Mitspielern.

Während die Regeln des Spiels für alle, die an der Spielrunde teilnehmen, sehr einfach sind – man zieht nach vorne, darf die Spielfiguren der anderen Spieler schlagen, würfelt in der Runde – ist der eigentliche Kern des Spiels völlig zufallsbedingt: Der Wurf des Würfels und die daraus resultierende Augenzahl erfolgen vollständig zufällig.

Der Zufall entscheidet also darüber, wie – bei gleichzeitiger Einhaltung der Spielregeln – das Spiel ausgeht, oder anders gesagt: Wer gewinnt, wird durch den Zufall ausgewürfelt. Der Erfolg stellt sich aber gleichzeitig nur dann ein, wenn nicht nur das Zufallsprinzip als Bestandteil des Spiels akzeptiert wird, sondern gleichzeitig auch die anderen Spielregeln befolgt werden.

›Mensch ärgere Dich nicht!‹ macht damit ein Prinzip des Lebens zum Spielerlebnis:

Erfolg entsteht an der Schnittstelle aus kosmischem Zufall – oder anders gesagt, aus nicht durch uns beeinflussbaren Faktoren – und der gleichzeitigen Einhaltung der daraus resultierenden Spielregeln, die auf der Grundlage von Kausalitäten basieren! Diese Ambivalenz wohnt jeder Art von Erfolg inne. Gleichzeitig basiert das Spiel damit auf dem Prinzip der Kausalität, indem gerade unser aktiver Part seine Auswirkungen auf das Spiel hat.

Während wir den Zufall nicht beeinflussen können, ordnen wir doch durch unser Spiel nach bestimmten Regeln den anschließenden Spielverlauf, nicht zuletzt im Hinblick darauf, ein Ziel zu erreichen. Wir konzentrieren uns dabei auf die Möglichkeiten, die wir im ambivalenten System als Akteure nutzen können.

Dabei bekommen gerade Faktoren, mit denen wir den Spielverlauf aktiv beeinflussen können, für den Spieler und die Spielerin in der Folge eine große Bedeutung:

Mit welcher der vier Spielfiguren zieht der Spieler?

Wie erhöhen sich die Chancen, die Mitspieler zu schlagen oder ihnen zu entkommen?

Vor allem aber zeigt sich, dass es zuvorderst darauf ankommt, es dabei wieder und wieder zu versuchen: Wir müssen unbedingt fortgesetzt würfeln – und so lange weitermachen, bis die Sechs geworfen wird und wir unsere Figur auf das Spielfeld bringen können!

Auch wenn dies manchmal verlangt, geduldig zu warten, bis der Würfel die gewünschten Augen zeigt, so ist doch auch sicher: Je öfter wir würfeln, desto mehr wird wahrscheinlich gemacht, dass das gewünschte Ergebnis eintritt – weil dann die Alchemie der Quote wirkt.

Daraus ergibt sich eine wichtige Erkenntnis für Smartsellerinnen und Smartseller auf dem Weg zum Erfolg:

Wir müssen es wieder und wieder, ja, oft genug versuchen, im ambivalenten Spiel des Zufalls und der Beeinflussung am Würfeln zu bleiben, bis die Alchemie der Quote und das Prinzip der Kausalität wirken und wir im großen Spiel die richtigen Würfe landen können!

All dies ist ubiquitär, also überall verbreitet, wirksam. Der Zufall findet sich als Prinzip im gesamten Kosmos wieder, und stets gibt es auch Spielregeln, die nach dem Wurf den Verlauf des Spiels ordnen.

Wichtig für uns ist vor allem, dass das Spiel dabei dem Prinzip der Kausalität folgt, das auf Ursache und Wirkung basiert. Es wird auch als das Prinzip von Saat und Ernte bezeichnet. Aus diesem Prinzip können wir ableiten, dass jedes Verhalten unsererseits zu einer Konsequenz führt – auch dann, wenn der Ausgangspunkt ein Ergebnis des Zufalls war:

Ohne Abitur kannst du als Schülerin und Schüler nicht an einer Universität zu studieren beginnen.

Trinkst du am Abend zu viel Alkohol, dann wirst du es am nächsten Tag mit Kopfschmerzen bezahlen.

Jede Ursache zeitigt eine Wirkung: Jedes Verhalten führt zu Konsequenzen, zu einem Effekt!

Das heißt auch: Tust du die richtigen Dinge, dann folgt daraus automatisch das richtige Ergebnis – auch beim Verkaufen!

Sind unsere Verkaufsergebnisse nicht wie gewünscht, dann sollten wir stets zuerst nach der Ursache dafür fragen, um dann die richtigen Schlüsse für uns daraus zu ziehen. Die Frage nach der Ursache bringt immer einen ersten Ansatz zur Lösung: Zu wenig akquirierte Kontakte führen etwa zu viel zu wenigen Terminen, und dies führt wiederum dahin, zu wenige Abschlüsse machen zu können.

Die Alchemie der Quote wirkt dann gerade im Verkauf als mathematische Gewissheit: Denn die Quotenrechnung stellt gerade hier das Ursache-Wirkungsmodell auf eine nachprüfbare Basis.

Das Gesetz der Quote besagt: Je mehr Kontakte wir machen, je mehr Menschen wir unser Angebot unterbreiten, desto mehr Abschlüsse werden wir erzielen!

Zugleich leitet sich diese Erkenntnis aus der Erfahrung ab, dass nicht alle Interessenten und Interessentinnen unser Angebot annehmen – weshalb wir dafür sorgen müssen, dass wir mehr Interessenten ansprechen sollten, um eine bestimmte Quote an Abschlüssen erreichen zu können. Am Ende ist alles auf das Ursache-Wirkungsprinzip zurückzuführen.

Die Frage im Verkauf lautet deswegen: Kannst Du es nicht oder willst Du es nicht? Unsere persönliche Antwort verrät uns in der Folge viel über unsere Selbtsführung.

Führen wir als Smartseller und Smartsellerin eine Statistik darüber, wie viele Interessenten wir benötigen, um zu einer bestimmten Anzahl an Abschlüssen zu gelangen, machen wir unser Einkommen sogar vorhersagbar.

Allein das Wissen um das Prinzip von Ursache und Wirkung und die richtige Reaktion darauf bringt dir den sicheren Verkaufserfolg.

Die Alchemie des Verkaufs, Prinzip Nummer 2: Das Prinzip der Polarität und die Alchemie des Neins

Ein zweites universales Prinzip, das uns beim Verkaufen begegnet, ist das Gesetz der Polarität. Es geht davon aus, dass unsere Welt durch korrespondierende Gegensätze erklärt werden kann.

Auf das Einatmen folgt das Ausatmen, auf Ebbe die Flut, und jede Nacht wird durch den Morgen beendet.

Im Daoismus begegnet uns dieses Prinzip im Bild des weiblichen Yin und des männlichen Yang. Beide Aspekte stehen für einander entgegengesetzte und dennoch aufeinander bezogene duale Kräfte, die in einem Widerstreit, aber doch auch in einer ergänzenden Beziehung zueinander stehen. Die Polarität der Aspekte im korrespondierenden Gegensatz macht das Bild erst komplett.

Aus dieser Perspektive gesehen haben tatsächlich alle unsere Handlungen die Folge, dass sie ganzheitlich betrachtet immer korrespondierende Gegensätze auslösen und beinhalten.

Jeder Beginn zieht eine Reaktion nach sich – und zwar eine Reaktion, die gemäß des Gesetzes der Polarität erfolgen wird. Mit anderen Worten: Alles, was begonnen wird, setzt auch seinen korrespondierenden Gegenpart in Bewegung. Wenn du etwas in Gang setzt, rufst du damit auch zielsicher einen Gegenspieler auf den Plan!

Johann Wolfgang von Goethe hat im berühmten Stück ›Faust – Der Tragödie erster Teil‹ diesem Prinzip sogar eine eigene Figur gewidmet: Mephisto.

»Ich bin ein Teil von jener Kraft,
Die stets das Böse will und stets das Gute schafft.«

So führt sich Mephisto im Studierzimmer von Doktor Faust selbst ein[1] und im Verlauf des Stücks vor Augen, wie das Prinzip der Polarität wirkt.

Tatsächlich hat das Prinzip der Polarität eine enorme Bedeutung für unser Mindset, die wir als Topverkäufer und Topverkäuferin kennen sollten.

---

[1] Johann Wolfgang von Goethe: Faust. Der Tragödie erster Teil. Hamburger Ausgabe Band 3, München 1982, S. 47.

Der Philosoph Allan Watts schreibt über das Prinzip der Polarität, wenn er das ›Backwards Law‹ postuliert: Der Wunsch nach positiven Erfahrungen ist selbst eine negative Erfahrung – und paradoxerweise ist die Akzeptanz der eigenen negativen Erfahrungen wiederum selbst eine positive Erfahrung.[2]

Die Münze hat immer zwei Seiten, die zusammengehören – und ohne beide Aspekte kann es die Münze nicht geben. Wer über neue Münzen nachdenkt, ja, neue Münzen prägen möchte, muss das wissen.

Was bedeutet all dies für uns als Verkäufer und Verkäuferin – und warum ist es so bedeutsam?

Die Idee, dass wir danach streben, stets glücklicher zu werden und uns besser zu fühlen, wird automatisch dazu führen, dass wir weniger zufrieden und weniger glücklich sind – eben weil wir mit unserem Wunsch gleichzeitig unseren Mangel bereits zum Ausdruck gebracht haben.

Je reicher wir sein wollen, desto ärmer fühlen wir uns, weil wir uns mit denen, die mehr haben, vergleichen – und das wird so bleiben, egal, wie viel Geld wir bereits besitzen.[3] Unsere Lust auf Leistung, die uns als Smartsellerinnen und Smartseller antreibt, können wir nur in einer Welt leben, in der das Prinzip der Polarität wirkt! Um darin Veränderung zu erreichen – die Transmutation der Alchemie –, müssen wir diesen Zustand annehmen und daraus lernen, auch wenn es schmerzt.

Das Backwards Law funktioniert natürlich umgekehrt genauso für uns als Smartsellerin und Smartseller: Gehen wir ins Fitness-Studio und zahlen wir den Preis der Anstrengung für das Training und für den Verzicht auf Süßigkeiten und Fast Food, dann werden wir schon bald einen trainierteren und fitteren Körper haben.

Die Schmerzen sind notwendig, um zum Glücksgefühl zu gelangen.

Anders gesagt: Das Prinzip der Polarität ist stets auch das Prinzip der echten Lernkurve. Wer die positiven und negativen Aspekte einer Erfahrung ganz-

---

[2] Vgl. www.einzelganger.co/the-backwards-law/, aufgerufen November 2023.

[3] Vgl. Mark Manson: The Subtle Art of Not Giving a F*ck: A Counterintuitive Approach to Living a Good Life. New York 2016, S. 9.

heitlich versteht, lernt wirklich – und immer auch auf die harte Tour. Wer aber nur den einen Teil der Erfahrung in den Fokus nimmt, lernt nicht wirklich.

Das bedeutet: Erfolg kann man erst dann erfahren, wenn man den Misserfolg versteht! Dies gilt gerade für uns als Smartseller mit Persönlichkeit:

Wir müssen bereit sein, unsere schwierigen Lektionen genauso zu durchleben wie die angenehmen.

All das, was in unserem Leben von außergewöhnlichem Wert ist, können wir nur dadurch gewinnen, dass wir dafür den Preis des Schmerzes bezahlen.[4]

Die Möglichkeit des Scheiterns darf uns dabei nicht davon abhalten, unseren Weg zu beginnen – denn Scheitern und Erfolg enstehen beim Starten gemäß des Gesetzes der Polarität gemeinsam. Und das ist gut so! Denn die Lektionen, die wir dabei erhalten, sind nicht einfach, aber wertvoll.

Wenn wir als Verkäuferinnen und Verkäufer scheitern, dann werden wir es im nächsten Anlauf mit den gesammelten Erfahrungen einfacher haben, erfolgreich zu sein, weil wir gelernt haben – und nun wissen, was wir beim nächsten Mal anders machen müssen.

Die Polarität, das Prinzip des korrespondierenden Gegensatzes, durchdringt die gesamte Welt! Aber gerade der Umstand, dass jene Gegensätze immer in einem Spannungsfeld mit einander verbunden sind, bedeutet auch, dass durch diese Spannung die Möglichkeit an sich erwächst.

Wenn alles in unserem Leben durch das Prinzip der Polarität wirkt, beinhaltet dieses Prinzip auch enorme Antriebskräfte. Die Überwindung des Widerstands ist dann gerade dasjenige, was das Erreichen von Zielen ausmacht.

Das Prinzip der Polarität bringt es in Hinblick auf unsere möglichen Erfolge mit sich, dass wir etwas opfern müssen, um unser gewünschtes Ziel zu erreichen. Erfolg ist – auch das lernen wir aus dem Prinzip der Polarität – niemals ein Selbstläufer, sondern erfordert eine Entwicklung und die Überwindung des Widerstands, angefangen bei uns selbst.

---

[4] Vgl. Mark Manson: The Subtle Art of Not Giving a F*ck: A Counterintuitive Approach to Living a Good Life. New York 2016, S. 11.

Als Smartseller und Smartsellerinnen sollten wir deshalb sehr schnell zur Erkenntnis kommen, dass das Prinzip der Polarität nichts ist, wovor wir uns fürchten müssen. Seine Auswirkungen auf unseren Verkaufsalltag dürfen wir – die richtige Einstellung und die Bereitschaft, das Prinzip als unsere Spielregel anzuerkennen vorausgesetzt – uns immer wieder bewusst machen, und zwar immer dann, wenn wir dem Widerstand im Vorgang des Verkaufens konkret begegnen: dem »Nein!«, das uns entgegentritt.

Das Nein eines anderen Menschen ist die Entsprechung der Spielregel der Polarität! Dieses Nein begreifen wir dann als Chance, als Potential im Widerstand, aus dem wir lernen und an dem wir wachsen können.

Damit gilt für Smartseller und Smartsellerinnen grundsätzlich: Im Verkauf ist das heutige Nein eines Interessenten die unbedingte Voraussetzung für ein zukünftiges Ja bei einem anderen Kunden!

Es gilt: Je mehr Verkaufserfolge wir im Leben haben wollen, desto mehr Ablehnungen werden wir ertragen müssen!

Je mehr positive Abschlüsse wir erzielen, desto größer wird auch die Anzahl der erhaltenen Neins gewesen sein!

Je mehr Fans wir gewinnen, desto mehr Hater haben wir!

Je größer unser persönlicher Erfolg im Leben, desto grandioser die Misserfolge, die uns auf dem Weg nach oben begleitet haben!

Jedes Angebot, und mag es noch so verführerisch sein, wird aufgrund der Polarität auch Ablehnung erfahren. Erst durch die Ablehnung unserer Angebote können sie auch angenommen werden. Je mehr wir ausgelacht werden, je mehr Ablehnung wir erfahren, je größer der Widerstand gegen unser Angebot zu sein scheint, desto näher kommen wir gleichzeitig unserem Ziel:

Ohne Scheitern kann es keinen Erfolg geben, ohne Fehler und Irrwege keine Erkenntnisse und Lernfortschritte und ohne Hass keine Liebe.

Das Prinzip der Polarität nicht nur zu akzeptieren, sondern anzunehmen und sogar zu umarmen, macht das unausweichliche Scheitern einfacher. Denn wir erkennen dann, dass es notwendig und nützlich ist.

Daraus sollten wir den Mut und die Zuversicht gewinnen, das gefürchtete Scheitern als das zu verstehen, was es wirklich ist: nämlich nur ein Aspekt des Ganzen, nur eine Seite der Münze und Teil des Prinzips der Polarität!

Die Biographien erfolgreicher Persönlichkeiten zeigen uns an einigen Beispielen auf, wie mit dem Prinzip der Polarität umgegangen und das Potential des Scheiterns genutzt wurde:

Das erfolgreiche Überwinden von Widerständen, Beispiel 1: Ignaz Semmelweiss

Ignaz Semmelweiss war ein ungarischer Arzt und Geburtshelfer. Er fand in den Jahren 1847 und 1848 in Studien heraus, dass es lebensrettend sein kann, wenn man sich die Hände reinigt, bevor man Kinder auf die Welt bringt.[5]

Von seinen Zeitgenossen erntete er für seine Publikationen Spott und Hohn, weil seine Kollegen seine Arbeit nicht ernst nahmen, sogar ablehnten.

Heute gilt Semmelweiss als der Erfinder der evidenzbasierten Medizin und der Desinfektion.

Mit den Worten Mahatma Gandhis kann man den langen Weg, den Semmelweiss bewältigte, wie folgt zusammenfassen: »Beginnst du etwas, dann wirst du ausgelacht werden. Machst du es gut, beginnt man dich zu bekämpfen und zu diskreditieren. Am Ende, wenn du es geschafft hast, werden dich alle bewundern.«[6]

---

[5] Vgl. Matthias Röder: Ignaz Semmelweis – der verkannte Retter. Artikel auf www.aerztezeitung.de/Panorama/Ignaz-Semmelweis-der-verkannte-Retter-231199.html, aufgerufen Oktober 2023.

[6] Zitiert nach www.zitatezumnachdenken.com/mahatma-gandhi/6693, aufgerufen November 2023.

Das erfolgreiche Überwinden von Widerständen, Beispiel 2: John W. Smith

John W. Smith wollte an der Yale Universität eine Semesterarbeit schreiben. Es sollte um die Überlegung gehen, wie Päckchen in den USA über Nacht von einem Ort zum anderen geliefert werden können.

Gerüchteweise soll er dafür die Note C erhalten haben – also eine unterdurchschnittliche Bewertung; die Idee war den Professoren einfach zu unrealistisch.

Der Inhalt der Arbeit sollte jedoch den Grundstein zur Gründung von FedEX legen, das John W. Smith im Anschluss gründete.

Smith wurde nach der praktischen Umsetzung seiner zunächst kritisch beurteilten Idee einer der reichsten Amerikaner.

Das erfolgreiche Überwinden von Widerständen, Beispiel 3: Abraham Lincoln

Vor gut einhundertfünfzig Jahren lebte ein Mann in Amerika, dessen Biographie die Geschichte des Scheiterns vielleicht illustriert wie keine andere:

Im Alter von dreiundzwanzig Jahren verlor der Mann nicht nur seinen ersten Job, sondern auch seinen ersten Wahlkampf.

Als er sechsundzwanzig Jahre alt war, musste er seine Geliebte zu Grabe tragen. Zwei seiner Söhne starben im Kindesalter.

Mit siebenundzwanzig Jahren erlitt er einen Nervenzusammenbruch.

Mit neunundzwanzig Jahren verlor er seinen zweiten Wahlkampf.

Mit vierunddreißig Jahren unterlag er in den Kongresswahlen, ebenso fünf Jahre später.

Gleich zweimal, im Alter von fünfundvierzig und neunundvierzig Jahren, versagte er im Wahlkampf um ein Senatorenamt und verfehlte mit siebenundvierzig Jahren auch sein Ziel, Vizepräsident zu werden.

Mit zweiundfünfzig Jahren wurde Abraham Lincoln dann zum Präsidenten der Vereinigten Staaten von Amerika gewählt und wurde damit eine der einflussreichsten Persönlichkeiten der Weltgeschichte, die unter anderem dem Sklavenhandel ein Ende setzte.[7]

---

[7] Vgl. Gerhard Scheucher: Laufen lernt man durch Hinfallen. Artikel auf www.spiegel.de/karriere/gescheiter-scheitern-laufen-lernt-man-durch-hinfallen-a-786783.html, aufgerufen Oktober 2023.

Scheitern ist die exakte Entsprechung der Polarität von Erfolg!

Ohne Misserfolg entsteht kein Erfolg!

Dem Nein und der Ablehnung aus dem Weg zu gehen bedeutet, auf die Chance zu verzichten, ein Champion zu werden!

Für wahre Smartseller und Smartsellerinnen gibt es daher keinen Aufzug und keine Abkürzung zur Zielerreichung. Der Weg, den wir alle gehen müssen, ist von Polarität gekennzeichnet – und doch bietet er ein enormes Potential zu wachsen!

Smartseller haben dann Erfolg, wenn sie erfolgreich die Treppe nach oben scheitern! Das Hinfallen, Aufstehen und Weitermachen sind die eigentlichen Konstanten auf der Abenteuerreise des Erfolgs.

Die Hymne des Sieges wechselt in den Tonlagen der Hochs und Tiefs. Und alle Heldengeschichten beinhalten immer auch Erzählungen der Niederlagen der Protagonisten.

Es sind die Niederlagen, die uns einem Ziel näher bringen und durch die wir Stolz gewinnen, weil wir vor allem aus den Niederlagen lernen können.

Tatsächlich müssen wir diese Lektionen auch annehmen und positiv wenden: Nur wer seine Niederlagen als Teil des Lernprozesses begreift, wird den Lernprozess an sich erfolgreich gestalten.

Erfolgreiche Smartseller und Smartsellerinnen lernen aus dem Schmerz der Ablehnung und entwickeln daraus die Attitude wahrer Champions!

Entscheidend ist dann freilich, mit welcher Haltung, welchem Mindset wir uns dem Schmerz nähern:

Wir können vom Schmerz lernen wie ein Kind, das auf eine heiße Herdplatte greift: Machen wir den Fehler nicht zum zweiten Mal!

Gleichzeitig wird der Schmerz der Ablehnung nie enden. Es geht nicht um Masochismus, wenn wir das feststellen – sondern um die Überwindung der Angst vor diesem Schmerz mit dem gleichzeitigen Wissen, dass wir den Schmerz aushalten werden.

Sich dem Schmerz gewappnet und vorbereitet zu stellen, indem wir sein Wesen und seine Natur verstehen, heißt, die Unausweichlichkeit proaktiv zu suchen. Wir entwickeln uns dabei weiter und versetzen uns in die Lage, Herrin und Herr des Schmerzes zu werden.

Über die Zeit führt uns das zu einer psychischen Desensibilisierung: Wir bekommen das dicke Fell, mit dem wir als Smartseller und Smartsellerin geschützt werden.

Ist dies geschehen, ertragen wir den Schmerz mit einem inneren Lächeln – und beginnen damit, uns über Ablehnungen permanent hinwegzusetzen und unsere Ziele weiter zu verfolgen.

Wenn es uns gelingt, diesen Fokus zu stärken und zu behalten, hilft uns eine starke Motivation dabei, das Scheitern als Aspekt des Erfolgs anzunehmen.

Das persönliche Warum, das unseren Antriebsmotor ausmacht, müssen wir dabei stärken. Denn am Ende basiert unser Erfolg auch darauf, dass derjenige und diejenige am erfolgreichsten werden, die sich am längsten und häufigsten dem Schmerz des Scheiterns aussetzen können und immer wieder aufs Neue aussetzen.

Wer dem Scheitern von vornherein aus dem Weg geht, der wird dagegen mit Sicherheit im Sumpf des Durchschnitts enden. Trotzdem zieht es die Mehrzahl der Menschen vor, einen vermeintlich einfachen und sicheren Weg einzuschlagen – und damit auch der Möglichkeit, zu scheitern, vermeintlich zu entgehen.

Tatsächlich sollten diejenigen, die stattdessen den Mut haben möchten, einen ANDERSWEG zu gehen, auch die guten Gründe dafür kennen. Denn gerade mit dem Wissen darüber, woher die menschliche Abneigung und die Angst vor dem Scheitern eigentlich kommt, können wir Strategien entwickeln, die uns diese Angst nehmen.

Diese Strategien helfen uns dabei, letztlich an einen Punkt unserer Entwicklung zu gelangen, an dem das so genannte Scheitern – eigentlich benutzen wir ab diesem Punkt unserer Entwicklung ein falsches Wort für diese Antriebskraft – in unserem Leben zum Erfolgsmotor wird!

Es gibt mehrere Erklärungen dafür, warum viele Menschen nicht mit dem Prinzip des Scheiterns umgehen können. Zwei dieser Erklärungen sind einer genaueren Betrachtung wert: Vielleicht gelten sie sogar für den Querschnitt der Gesellschaft, für die das Ertragen des Neins und die damit einhergehende Ablehnung nur schwer auszuhalten ist.

Erklärung 1: Das Streben nach Angepasstheit in der Gruppe und die problematische Angst vor der Ablehnung

Die Angst vor Ablehnung kann in einem ersten Ansatz mit einem sozialen Erklärungsmodell nachvollzogen werden, das uns dabei hilft zu verstehen, warum wir den Umgang mit dem Scheitern meistens ganz neu erlernen müssen.

Wer geboren wird, besitzt das gesamte angeborene Potential eines Menschen. Das bedeutet, dass jede und jeder etwas mit auf die Welt bringt, das durch unsere Gene bestimmt wird.

Auf der anderen Seite erfolgt über die Meme – womit die Gene unserer Kulturen gemeint sind – die Weitergabe der Ideen unserer Gesellschaften. Die Meme werden etwa von unseren Eltern über das jeweilige Erziehungsmodell an uns übermittelt, aber auch im Kindergarten, an den Schulen und in der Ausbildung.

Die Meme zu erwerben heißt dann, auf Basis seines Potentials und seiner Gene ein normal funktionierendes Subjekt der Gesellschaft zu werden, wobei die Vermittlungen der Meme normalerweise das Ziel verfolgen, uns ein Verhalten beizubringen, das genau dieses Funktionieren ermöglicht.

Da wir Menschen soziale Wesen sind, die in großen Sozialverbänden zusammenleben, ist es von Vorteil, wenn unser Verhalten dem der anderen Menschen entspricht, oder anders gesagt von einer Kompatibilität ausgezeichnet wird. Tatsächlich hat diese Anschlussfähigkeit, das Verhalten in der Gruppe, der Herdentrieb, evolutionäre Vorteile.

In modernen Gesellschaften geht es dabei weniger um das nackte Überleben, allerdings bringt die Tendenz zum ›Mainstream-Verhalten‹ meist den Vorteil mit sich, im Rahmen einer ›Normalität‹ wahrgenommen zu werden. ›Normalsein‹ sichert wiederum die Position des Einzelnen in der Gesellschaft.[8]

Wie man sich in einer Gesellschaft normalerweise zu verhalten hat, wird uns in unseren jungen Jahren zum einen über die Sprache vermittelt – etwa von den Eltern. Das formt unser Bewusstsein und unser Selbstbild.

---

[8] Vgl. Vera Birkenbihl: Wie geht Erfolg? Erfolgspsychologie Vera F. Birkenbihl 1/2. Clip auf youtu.be/f1xASKV5jH4, aufgerufen November 2022.

Allerdings lernen wir Menschen zum anderen auch über die Imitation von Verhaltensweisen. Dieses unbewusste Imitieren von beobachtbaren Handlungen in unserem Umfeld, angefangen bei den Eltern, führt zu unserem Fremdbild.

Wenn wir zwar wissen, wie wir uns normal zu verhalten haben, es aber dennoch nicht tun, liegt eine Abweichung zwischen unserem Fremdbild und unserem Selbstbild vor – und damit ein Konflikt, wenn es um unsere Anpassung an die Normalität geht.

Um das Ziel der Normalität in der Entwicklung zu erreichen, werden uns daher durch unser Umfeld Standards des normalen Verhaltens vermittelt.

Damit wir uns innerhalb dieser Standards bewegen, wird meist das Prinzip von Belohnung und Strafe als Werkzeug der Erziehung angewendet: Zeigt man erwünschtes Verhalten, ist man lieb, brav und fleißig – und wird belohnt.

Kinder können die Belohnung dabei aber nicht als abstraktes Konzept verstehen und somit auch noch nicht erkennen, was der Vorgang eigentlich bedeutet.

Sie verstehen vielmehr, dass die Wiederholung des erwünschten Verhaltens zu einem ersehnten Ergebnis führt: nämlich dem Empfangen der Belohnung. Angepasstes Verhalten wird für Kinder somit zu einem Akt des Empfangens von Liebe, indem uns als Kind Aufmerksamkeit und Zuwendung geschenkt wird, wenn wir uns normal verhalten.

Je mehr dabei das erwünschte Verhalten gezeigt wird, desto größer wird der Wunsch, ein entsprechendes Feedback zu bekommen. Wir möchten das Verhalten wiederholen, um mehr von der Aufmerksamkeit und Zuwendung des anderen zu erhalten.

Natürlich handelt es sich dabei um eine Konditionierung, nämlich die Konditionierung zur Normalität in Hinblick auf das gesellschaftliche Miteinander. Diese Art der Konditionierung funktioniert deshalb so gut, weil das Gemocht- und Geliebtwerdenwollen eines der stärksten Motive des Menschen überhaupt ist.

Die Erkenntnis, wie wichtig dieses Motiv für unser Überleben ist, ist freilich nicht neu. Ein Experiment des deutschen Königs und römischen Kaisers Friedrich II., mit dem der ›Ursprache‹ des Menschen auf den Grund gegangen werden sollte, zeigte dies auf grausame Weise bereits im Mittelalter auf. Für das Experiment wurden Säuglinge aus dem Waisenhaus isoliert und gut mit Nahrung versorgt; gleichzeitig war es den Ammen jedoch untersagt, den Kindern gegenüber jedwede Zuneigung zu zeigen und auch nicht mit ihnen zu sprechen. Die Folgen waren erschütternd: Die Kinder waren entwicklungsverzögert, sprachen überhaupt nicht – und einige starben binnen kurzer Zeit.

Dies zeigte: Ohne emotionale Zuwendung sterben Kinder nicht nur, wir Menschen brauchen das Gefühl von Liebe tatsächlich in fortgesetzter Art und Weise, um existieren zu können![9]

Im Umkehrschluss lässt sich dieses Bedürfnis benutzen, um Verhalten entscheidend beeinflussen zu können.

Natürlich ist dieses Prinzip in der Wirtschaft ebenfalls bekannt und wird überall zur Leistungssteigerung herangezogen. Firmen bekunden ihre ›Liebe‹ gegenüber Leistungsträgern in Form von Incentive- und Bonusleistungen. Top-Leistung – oder eben erwünschtes Verhalten – wird belohnt.

Wer dagegen schon als Kind das erwünschte Verhalten verweigert oder sich diesem sogar gänzlich widersetzt, wird in aller Regel mit demselben Prinzip bestraft, mit dem er und sie belohnt wird, nur eben im Umkehrschluss: Es kommt dann in Form von Strafen zum Liebesentzug.

Ob im Elternhaus, im Kindergarten oder in der Schule, für ›falsches Verhalten‹ werden Strafen fällig gestellt, die auf einer abstrakten Ebene immer einen Liebesentzug bedeuten – ja, die Strafe an sich ist selbst nichts anderes.

Problematisch dabei ist wie gesehen, dass das Prinzip der Strafe in seiner Konditionierung auf eine Art und Weise wirkt, in der die oder der Bestrafte dessen abstrakte Funktion nicht verstehen kann.

Das Kind nimmt folglich wahr, dass etwas nicht in Ordnung ist – ohne zu verstehen, warum dies so ist.

Im Ergebnis wird nicht das Wissen um einen Fehler vermittelt, sondern nur ein Verhalten verändert, ohne einen Gewinn der Erkenntnis jenseits der Konditionierung.

---

[9] Vgl. Ulrich Pontes: Liebe – ein Grundnahrungsmittel. Artikel auf www.dasgehirn.info/handeln/liebe-und-triebe/liebe-ein-grundnahrungsmittel, aufgerufen Oktober 2023.

Fehler zu machen, scheitern, abgelehnt werden: In der Welt des Kindes wird dies meist mit einem unangenehmen Gefühl verbunden und bedeutet, nicht geliebt werden zu können.

Die Tatsache vorausgesetzt, dass die Konditionierung zur Norm der Gruppe über das Prinzip des Geliebt- und Angenommenseins erreicht wird, ist nun die evolutionäre Angst erklärbar, die alle Menschen in sich tragen: Es ist die Angst, aufgrund von abnormem Verhalten aus einer Gruppe ausgeschlossen zu werden.

Wo in früheren Zeiten das Funktionieren einer primitiven Gruppe – und damit auch die Anpassung des und der Einzelnen in dieser Gemeinschaft – als Überlebensprinzip hohe Bedeutung hatte und vernünftig war, wenn der Gruppenausschluss unzweifelhaft in der Folge zum Tode des Einzelnen führte, muss die Bedeutung der Normalität heute neu gedacht werden.

Früher musste der Ausschluss durch ›richtiges Verhalten‹ gegenüber der Gemeinschaft vermieden werden, doch heute verhindert das Prinzip der Herde, das immer noch aktiv durch Meme tradiert wird, die Entwicklung der Gesellschaft enorm!

In unserer modernen Welt mit ihren Städten mit Millionen von Einwohnern ist der gemeinsame Jagderfolg nicht mehr entscheidend, aber der Umgang mit dem Scheitern und einer Fehlerkultur sehr wohl!

Wir vermeiden das Scheitern, die Ablehnung und das Nein, da wir noch zu fühlen meinen, dass es noch immer zum Tode führen kann – obwohl es faktisch unwahr ist.

Karrieren werden nicht gemacht, Unternehmen nicht gegründet und Verkäuferinnen stehen ohne Abschlüsse da, nur weil sie in den uralten Automatismen unserer Evolution feststecken und vor dem Nein davonlaufen.

Wir müssen uns falscher Konditionierungen daher bewusst werden, um sie überwinden und unsere Möglichkeiten neu entdecken zu können.

Entscheidend sind hier nicht unsere Gene, sondern die Meme: Die Angst vor dem Scheitern mag vielleicht ein Überbleibsel unserer steinzeitlichen Vorfahren sein, doch wird die Angst vor dem Fehler längst durch eine problematische Kultur der Angepasstheit ausgelöst.

Fakt ist: Niemand wirft uns bei einem Fehlversuch aus der Gruppe, und es geht nie um Leben und Tod.

Mit diesem Wissen haben wir das psychologische Rüstzeug, sich neu zu (er)finden und zu lernen, dem Scheitern gelassen entgegenzublicken. Fangen wir also an, das Nein aktiv zu suchen – und es von morgens bis abends zum selbstverständlichen Teil unseres Lebens werden zu lassen!

Wem dies gelingt, wird die Alchemie der Polarität zu seinem persönlichen Antrieb nutzen und damit 99 Prozent aller Menschen ›outperformen‹.

Fakt: Du läufst dem Erfolg hinterher, wenn du der Herde hinterherläufst!

Sei stattdessen ANDERS als andere und freue dich auf Hater und die darauf folgende Ablehnung!

Habe den Mut, als ANDERSPRENEUR außerhalb der Komfortzone zu wachsen!

Du wirst dabei ein Persönlichkeits- und Erfolgslevel erreichen, das du dir heute noch nicht vorstellen kannst!

Erklärung 2: Die Software unseres Gehirns operiert im automatischen ›Fehler-Suchmodus‹

Neben dem Streben nach der Angepasstheit in der Gruppe und der verbundenen Konditionierung, durch die Erfüllung der Norm zu gefallen, gibt es einen weiteren Mechanismus in unserem Gehirn, der uns Ablehnungen so schwer erträglich macht: nämlich einen verinnerlichten ›Fehler-Suchmodus‹, der eine biologistische zweite Erklärung dafür liefert, warum wir den Umgang mit dem Scheitern neu denken lernen müssen.

Die These, die der Erklärung vorangeht, setzt an der Art unseres Denkens an – oder vielmehr: an den Voraussetzungen unserer Denkstruktur an sich.

Der moderne Mensch, der Cro-Magnon-Mensch, hat es – so das Erklärungsmodell – deshalb bis an die Spitze der Nahrungskette gebracht, weil er mit einem pessimistischen Denken ausgestattet ist! Die Fokussierung auf das Negative hat aus dieser Sicht dazu geführt, dass der Mensch besser vorsichtiger agierte, sich besser vorbereitete – und damit weniger oft aufgrund einer schlechten Risikobewertung sein Leben riskierte.

Negativ zu denken war ein Überlebensvorteil.

Unsere Vorfahren haben demnach, wenn sie ihre Höhlen verließen, nicht als Erstes in den Himmel geblickt und das tolle Wetter gefeiert, um dann begeistert die Badehose einzupacken. Im Gegenteil, vermutlich waren unsere Vorfahren stattdessen ängstlich und haben stets behutsam nach gefährlichen Tieren und Fremden Ausschau gehalten, die nach ihrem Leben oder Nahrungsvorräten trachteten.

Sie suchten also das Haar in der Suppe. Sie waren fokussiert auf alles Negative, auf das Risiko und die Gefahr, um damit das Überleben zu sichern. Unser ›Such-den-Fehler-Gehirn‹ half ihnen dabei – sie konnten gar nicht anders.

Man muss allerdings nicht erst an die Steinzeit denken, um tatsächlich festzustellen, dass unser Denken von diesem Fehler-Suchmodus geprägt ist, der meist im Hintergrund unserer Wahrnehmung aktiv ist.

Dieser Modus, der als Automatismus aktiv ist, erklärt wiederum unsere Abneigung gegen das Nein und das Scheitern.

Dass der Fehler-Suchmodus die Menschheit dazu motiviert hat, ihren Lebensstandard zu verbessern, ist dann nachvollziehbar, wenn wir ebenfalls davon ausgehen wollen, dass in der Entwicklung der Gesellschaften gerade die Identifikation des ›Falschen‹ und der ›Probleme‹ dazu geführt haben, diese negativen Aspekte zu überwinden.

Wenn unsere Vorfahren also die Lebensumstände als nachteilig bewerteten, konnten sie sich auch Gedanken um vorteilhaftere Unterkünfte machen – und damit Fortschritt ermöglichen.

Mit anderen Worten: Die permanente Unzufriedenheit lässt sich als Antrieb und Motor für Verbesserungen begreifen.

Paradoxerweise heißt das auch, dass aus der negativen Bewertung der Situation der Antrieb zu positivem Denken erwächst – was allerdings wiederum durch die Alchemie der Polarität und das Backwards Law erklärbar ist. Vielleicht ist es darum auch richtig, die Möglichkeit des positiven Denkens als direkte Folge der Negativität unseres Fehler-Suchmodus zu verstehen.

Die Frage ist dann, welchen Aspekt der Münze wir in den Fokus nehmen.

Ein Blick in die Erziehung zeigt wiederum, dass wir uns nach wie vor auf die Probleme konzentrieren:

Das pessimistische ›Such-den-Fehler-Gehirn‹ wird auch heutzutage in der Schule trainiert. Im Diktat wird der eine Fehler deutlich rot markiert und hervorgehoben, während die restlichen neunundneunzig korrekt geschriebenen Wörter dagegen niemand interessieren.

Es ist allein der Fehler, der be- und gedacht wird – und damit unser Denken an sich beeinflusst. Es ist uns Menschen zwar einerseits in die Wiege gelegt, stets in den Mist hineinzublicken, doch sorgen wir andererseits auch durch unsere Meme dafür, dass es so bleibt!

Wie bei der Angst um das Ausgeschlossenwerden aus der Gruppe haben sich jedoch die Bedingungen für unser Denken verändert. Der Fehler-Suchmodus mag zwar für unsere Vorfahren über Jahrtausende überlebenswichtig gewesen sein – heute ist er es jedenfalls nicht mehr.

Heute leben wir Menschen in Großstädten und steigen nicht mehr auf Bäumen herum, sondern benutzen in klimatisierten Hochhäusern die Aufzüge. Wilde Tiere haben heute mehr Angst vor uns als wir vor ihnen, und den Fremden müssen wir nicht mehr fürchten wie zuvor.

Dennoch unterrichten wir unsere Kinder weiterhin auf eine Art und Weise, als befänden wir uns noch in der tödlichen Steinzeit! Wäre es nicht intelligenter – um auf die Metapher des Diktats zurückzukommen –, erst einmal all die richtig geschriebenen Wörter zu kennzeichnen?

Damit könnte jedes Kind viel besser lernen, seine Stärken wahrzunehmen und Fehler als das zu betrachten, was sie wirklich sind: Antriebsmomente zur Veränderung und zur Verbesserung, Hinweisschilder, die eine positive Entwicklung notwendig machen.

Stattdessen lernen Kinder aus der schulischen Überbetonung einer Fehlervermeidungskultur, dass Fehler schlecht sind.

Fehler müssen vermieden werden.

Fehler bedeuten Scheitern, Ablehnung – und werden obendrein in der Schule durch schlechte Noten bestraft.

Und was Hänschen gelernt hat, das macht ihn auch noch als erwachsener Hans aus.

Diese Fehlerkultur ist fatal!

Die Vorgehensweise im Erziehungs- und Bildungswesen bringt bis hin zur Beendigung der Universitätszeit mit dem falschen Fokus eine Gattung Mensch hervor, die alle Energie auf das Vermeiden von Fehlern legt. Diese Prägung der Schule mag noch richtig für die Zeit der Industrialisierung gewesen sein, doch heute, in einer ›Creative Economy‹ mit dem Wesen der Aufmerksamkeitsökonomie, wird diese Art der Fehlerkultur, eine Fehlerbildung, mehr und mehr zum großen Stoppschild zukünftigen Erfolgs!

Das erklärt im Übrigen auch, weshalb das Schulwesen regelmäßig an Verkaufsunternehmern und Verkaufsunternehmerinnen scheitert.

Dabei gilt im Besonderen für uns Smartseller: Im Verkauf hat die Fokussierung auf Fehler schon immer ein No-Go dargestellt!

Nur wer bereit ist, durch das Prinzip von Try and Error tatsächlich zu lernen, wird im Verkauf erfolgreich werden. Wir müssen uns dazu eine neue Fehlerkultur aneignen – und damit auch das Denken neu erlernen.

Die bulimistische Wiedergabe von altem Wissen interessiert unternehmerisch denkende Menschen nicht; wir suchen stattdessen aktiv Probleme – und wollen durch neue Ideen, Modelle und Überlegungen die Entdeckung der Lösung voranbringen.

Dafür ist der unternehmerisch denkende Mensch bereit, Fehler zu begehen – und muss es stets bleiben. Tatsächlich ist das eine Eigenschaft des Denkens, die die Schule meist nicht vermittelt – doch birgt sie im echten Leben das Geheimnis zum Erfolg!

Wiederum lohnt es sich dabei, von Vorbildern zu lernen, die uns diese Denkkultur vorleben. Dabei können wir uns etwa fragen: Wie wird man eigentlich Torschützenkönig?

In der Saison 2019/2020 wurde Robert Lewandowski in Deutschland Torschützenkönig der 1. Bundesliga. Er erzielte 34 Tore. Tatsächlich schoss er dabei 140 Mal aufs Tor!

Das entspricht einer Trefferquote von 24 Prozent. Umgekehrt stimmt also: Robert Lewandowski, der Torschützenkönig, musste sich eine Fehlerwahrscheinlichkeit von 76 Prozent eingestehen.

Es sollte uns zu denken geben, dass Lewandowski in drei von vier Versuchen neben das Tor schoss – und damit trotzdem das Maß aller Dinge im deutschen Fußball war!

Interessanter noch wird die Erkenntnis, wenn wir uns allein die versuchten Torschüsse dieser Saison auf den Spitzenplätzen ansehen: Auf Platz 3 lag Serge Gnabry mit 100 Torschüssen, davor Timo Werner mit 123 Torschüssen. Spitzenreiter auch hier: Robert Lewandowski mit 140 Torschüssen.

Das bedeutet nichts anderes als das: Derjenige, der mehr Fehler gemacht hatte, mehr Fehlversuche zuließ, am häufigsten gescheitert war, der erzielte am Ende auch die meisten Erfolge.

Auch hier wirkt die Alchemie der Quote: Nur wer die maximalen Fehler macht, gewinnt und bekommt am Ende den Pokal!

Mit dieser Einstellung gelang es Lewandowski in der Saison 2020/2021 dann auch noch, mit sagenhaften 41 Toren in der Saison den alten Torrekord von Gerd Müller zu übertreffen. Allein im Trikot des FC Bayern München schoss

Lewandowski bis zum Sommer 2021 in zweihundert und neunzehn Bundesliga-Einsätzen zweihundert und drei Tore!

Das echte Leben erzählt also nicht die Geschichte der Fehlervermeidung. Anders, als wir vielleicht bislang denken, weil uns dieses Denken viel zu lange eingetrichtert wurde, werden wir zu Siegerinnen und Siegern, wenn wir von einem Fehler zum nächsten gehen. Wo gehobelt wird, da fallen Späne – sagt das Sprichwort. Und daraus folgt auch: Nur wer nicht arbeitet, nur wer absolut stillsteht, der macht keinen Fehler.

Besser wirst du dagegen nur durch eine gute Fehlerkultur. Erfolgreich werden diejenigen, die am häufigsten scheitern – und dennoch weitermachen.

Die Natur selbst funktioniert nach dem Prinzip von Try und Error: Das biologische Konzept der Entwicklung besteht aus dem Scheitern, dem Weitermachen, erneut scheitern und wieder versuchen.

Smartsellerinnen und Smartseller verinnerlichen darum das Prinzip der Polarität und akzeptieren das Nein und das Scheitern als Notwendigkeit für späteren Erfolg.

Smartseller und Smartsellerinnen verstehen, wie das Gefühl der Ablehnung entsteht und ertragen es!

Smartseller festigen ihr Denken und verstehen, dass am Ende der- und diejenige gewinnen, die die längste Zeit mit Ablehnung umgehen konnten – und dabei stets in der Harmonie mit der Alchemie der Polarität gelebt haben.

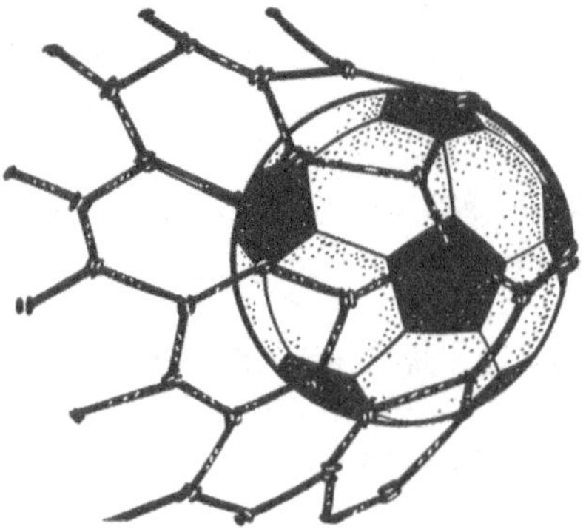

Die Alchemie des Verkaufs, Prinzip Nummer 3: Das Prinzip der Resonanz

Das dritte Prinzip der Alchemie des Verkaufs, mit dem wir uns als Smartseller und Smartsellerin vertraut machen sollten, ist das Prinzip der Resonanz. Es ist auch besser bekannt als das Prinzip der Anziehung, bei dem es um die Entsprechung einer Schwingung geht, und geht auf das hermetische Gesetz der Analogie[10] zurück.

Es besagt, dass Gedanken Energien erzeugen – und diese Energie von anderen Menschen mit der gleichen Schwingung empfangen werden kann. Wenn unsere Quelle etwas aussendet, erreichen wir mit unseren Schwingungen diejenigen, die unsere Frequenz empfangen.

Wir können uns diese Wirkung vorstellen wie die des Radios, bei dem uns verschiedene Sender angeboten werden. Möchten wir einen Sender für Techno-Musik einstellen und landen aus Versehen auf dem Hiphop-Kanal, werden wir dort auch mit Hiphop bedient; gefällt uns das nicht, wechseln wir weiter auf den Sender, der uns Techno anzubieten hat – weil dies unsere Resonanz besser trifft.

Dabei wirkt auch das Prinzip der Resonanz: Auf einer ausgestrahlten Frequenz wird die Message vom Empfänger empfangen: Trifft die Sendung beim Empfänger als Gegenüber auf Resonanz, kann die Message wirken.

Wenn das Prinzip der Resonanz im Business greift, kann eine Geschäftsbeziehung glücken. Dem Verkäufer und der Verkäuferin gelingt es dann, ihre Botschaft aussenden zu können und von den Kunden und den Kundinnen auch empfangen zu werden. Ergibt sich beim Vorgang des Sendens keine Resonanz, wird ein Business-Deal in der Folge unmöglich gemacht. Ist ein potentieller Kunde allerdings auf unserer Wellenlänge, können wir auch mit einem Abschluss rechnen.

Unsere Quelle kann als Sender erfolgreich sein, wenn wir von Menschen mit einer kompatiblen Schwingung empfangen werden. Da diese Kompatibilität oft beinhaltet, bestimmte Einstellungen zum Leben zu teilen, ähnliche Vorlieben zu haben, dieselbe Sprache zu sprechen, zieht gerne das Gleiche Gleiches an. Die Ähnlichkeit ermöglicht Sympathie. Auf der gemeinsamen

[10] Vgl. Eintrag ›Geistige Gesetze‹ auf www.spiritwissen.de/geistige-gesetze/2-das-gesetz-der-analogie, aufgerufen Oktober 2023.

Basis nämlich trifft eine gesendete Nachricht auf jene letztlich geteilte Resonanz und findet Gehör.

Das Prinzip der Resonanz findet in verschiedenen Kommunikationsmodellen und den dahinter stehenden Theorien Beachtung. Sie gehen meist davon aus, dass die Sender ihre Frequenz beeinflussen können, sodass die gesendete Nachricht besser von den Empfängern und Empfängerinnen wahrgenommen werden kann. Dies bedeutet, dass die Sender dabei ihre Nachricht auf die wahrscheinliche Resonanz einstellen und dabei sogar ein gemeinsames Teilen der Resonanz in der Dynamik der Kommunikation ermöglichen können, wozu eine Optimierung der Kommunikation beitragen kann.

Einfachere Modelle zeigen uns auf, wie Kommunikation ohne entsprechende Resonanz scheitern kann. Das bekannte sozialwissenschaftliche Kommunikationsmodell von Friedemann Schulz von Thun kann etwa die Problematiken aufzeigen, die bei fehlender Resonanz auftreten.

Das Sender-Empfänger-Modell von Schulz von Thun[11] geht zunächst als ein eher statisch-unterkomplexes Modell davon aus, dass die Sender bei jeder Art von Kommunikation Nachrichten versenden. Diese Nachrichten haben jeweils verschiedene Aspekte, die vom Empfänger durch das jeweilige »Ohr« gehört werden, sodass also jeder Aspekt separat wahrgenommen wird. Es geht dabei um eine Sachebene, eine Beziehungsebene, eine Appellebene und eine Ebene der Selbstoffenbarung.

Wie die Nachricht vom Empfänger verstanden wird, kann dann für die vier Aspekte untersucht werden. Wenn eine Nachricht nicht überzeugt, so argumentiert von Thun, dann ist das deshalb so, weil sich eine Disharmonie der Aspekte ergibt: Der Theorie zufolge können wir nur überzeugen, wenn unsere vier Aspekte vom Empfänger harmonisch wahrgenommen werden.

So kritisch man das Modell von Friedemann Schulz von Thun aufgrund seiner problematischen Postulate auch sehen muss – zum Beispiel im Vergleich mit den Modellen der wissenschaftlichen Rhetorik, die Überzeugung und auch

---

[11] Vgl. Friedemann Schulz von Thun: Miteinander reden 1– 4: Störungen und Klärungen / Stile, Werte und Persönlichkeitsentwicklung / Das ›Innere Team‹ und situationsgerechte Kommunikation / Fragen und Antworten. Hamburg 2023.

Kommunikationssituationen ganz anders und komplexer verstehen –, so kann es uns dabei helfen zu verstehen, dass die Resonanz auf verschiedenen Ebenen wirkt, die für sich gesehen sehr unterschiedlich sind.

Auf je mehr Ebenen dann eine positive Resonanz erzeugt wird, desto besser: So kann eine Nachricht etwa auf der Ebene der Information und der Ebene der Sympathie unterschiedlich wahrgenommen werden, und ist die Abweichung der Wahrnehmung zu groß, wird es dazu kommen, dass wir in der gesamten Wahrnehmung nicht überzeugen und nicht überzeugt werden können. Mit anderen Worten können wir auch sagen: Wenn nur auf einer der Ebenen keine Resonanz erzeugt werden kann, scheitern wir als Sender möglicherweise mit unserem Anliegen.

Damit ist die Deutungshoheit einer Nachricht stets vom Sender zum Empfänger verschoben, sobald die Nachricht ausgesendet wurde!

Bist du etwa in den sozialen Netzwerken unterwegs und stellst einen Beitrag online, wird nur jemand darauf reagieren, wenn deine Message gerade bei dieser Person auf die Resonanz im Gesamten trifft.

Existiert dieser Resonanzboden nicht, kann der Inhalt deiner Nachricht zwar aus deiner Perspektive sehr wertvoll sein, wird jedoch beim Empfänger der Nachricht dennoch keine Reaktion auslösen. Lehnt zum Beispiel jemand Influencerinnen als Personen grundsätzlich ab, können sie selbst mit dem ehrenhaftesten Anliegen nicht überzeugen.

Der Empfänger entscheidet somit nicht erst seit heute darüber, ob dein Inhalt für ihn relevant ist oder nicht.

Das Resonanzgesetz führt somit dazu, dass die Personen, die ihren Kanal grundsätzlich anders als unseren eigenen Sender eingestellt haben, sich nicht mit uns auseinandersetzen werden. Andererseits bringt das Prinzip der Resonanz Menschen und Dinge in unser Leben, die uns ähnlich sind, weil wir und sie auf dem gleichen Kanal senden und empfangen!

Gleichzeitig begründet das Prinzip der Resonanz eine Erkenntnis für den Verkauf, die so simpel wie bedeutsam ist: Egal, wie gut wir sind, wir werden niemals alle Menschen zu unseren Kunden machen können! Nicht jeder Mensch wird dich und dein Angebot attraktiv und anziehend finden – das ist normal und damit nichts, gegen das wir ankämpfen können oder sollten.

Die Mechanik der Resonanz

Bob Procter erklärt die Mechanik der Resonanz – mit anderen Worten: die Entstehung der Resonanz in menschlichen Wesen – in einem Bild mit zwei Kreisen[12]:

Ein großer Kreis repräsentiert das Gehirn, während ein kleiner Kreis den Körper repräsentiert. Die molekulare Struktur des Körpers wird durch Schwingungen in sehr hoher Geschwindigkeit betrieben, die davon abhängen, wie wir unser Gehirn und unseren Geist benutzen: Die Gedanken, die wir denken, bestimmen letztlich unsere Schwingungen auch in unserem Körper.

Die Schwingungen der Resonanz sind letztlich Teil unseres Energielevels, das wir ausstrahlen, und wirken dabei auf unsere Spiegelneuronen ein, mit denen wir auf unser Gegenüber reagieren können – und unser Gegenüber umgekehrt auf uns. Unsere Wahrnehmung und unser Handeln sind davon direkt betroffen, indem wir die entsprechenden Reize wahrnehmen und darauf vor allem unbewusst reagieren.[13]

Unser psychologisches Gehirn prüft dann automatisch, ob Resonanzen zu unseren Glaubenssätzen bestehen, wenn wir bestimmte Reize und Informationen erhalten. Mit unseren Glaubenssätzen bewerten wir unsere Wahrnehmung und gleichen sie dabei auch mit unseren bisherigen Lebenserfahrungen ab. Dabei wird ein Gefühl erzeugt, das wir den Reizen und Informationen gegenüber empfinden – und wenn uns der Prozess überzeugt, empfinden wir die Resonanz auf der Ebene des Unterbewusstseins im psychologischen Gehirn.

---

[12] Vgl. Proctor Gallagher Institute: The Law of Attraction Explained. Clip auf www.youtu.be/5zvnFM2BXqY, aufgerufen Oktober 2023.

[13] Unsere unbewussten Reaktionen werden in unserem psychologischen Gehirn ausgelöst, in dem unser Unterbewusstsein aktiviert wird. Dieses psychologische Gehirn wurde in unseren frühen Lebensjahren wie eine Software programmiert und bespielt: Dadurch formten sich unsere Denk- und Verhaltensmuster, die vorrangig automatisiert ablaufen und uns darum nicht direkt und bewusst zugänglich sind. Die Automatismen sind für unser Denken sinnvoll, weil das Gehirn dabei viel Energie sparen kann. Unsere programmierten Denk- und Verhaltensmuster, unsere Glaubenssätze, schwingen dabei ebenfalls auf einer gewissen Energiefrequenz. Eine ausführliche Beschäftigung mit den Wirkweisen des Gehirn erfolgt im Kapitel ›Mental wird real‹.

Zugleich wird der Sachverhalt über die Sinne des Logikgehirns und unser Bewusstsein mit seinem freien Willen wahrgenommen, wo wir die Resonanz logisch begründen können.

Gelingt es uns, Resonanz zu erzeugen, gilt es im nächsten Schritt, resonante Signale auszusenden, mit denen wir unser Radioprogramm auch auf den Verkaufserfolg einstellen:

»Achte auf Deine Gedanken, denn sie werden Worte. Achte auf Deine Worte, denn sie werden Handlungen. Achte auf Deine Handlungen, denn sie werden Gewohnheiten. Achte auf Deine Gewohnheiten, denn sie werden Dein Charakter. Achte auf Deinen Charakter, denn er wird Dein Schicksal!«[14] So fasst der Talmud das Prinzip der Resonanz zusammen, das in unserer Person seinen Ausgang nimmt – und durch Selbstführung vom Gegenüber wahrgenommen werden kann.

[14] Vgl. www.zitate7.de/11683/Achte-auf-Deine-Gedanken-denn-sie.html, aufgerufen Oktober 2023.

Eric Berne verarbeitet die Überlegungen zur Resonanz in seiner Theorie der Transaktionsanalyse. Für uns als Smartsellerinnen und Smartseller ist die Transaktionsanalyse interessant, wenn wir uns mit den ›drei Aggregatszuständen‹ auseinandersetzen. Dies kann erklären, weshalb es im Verkauf einer Quotenmathematik bedarf:

1. Aggregatszustand: »Du bist okay – dein Gegenüber ist nicht okay = kein Verkauf!«
2. Aggregatszustand: »Du bist okay – dein Gegenüber ist okay = Angebot kann verkauft werden!«
3. Aggregatszustand: »Du bist nicht okay – dein Gegenüber ist okay = kein Verkauf!«

Die Visualisierung der Aggregatszustände macht deutlich: Je nachdem, welcher Aggregatszustand in einer Situation entsteht, ist eine Geschäftsbeziehung möglich oder nicht!

Das Modell macht auf einfache Weise deutlich, worauf es im Wesentlichen ankommt, wenn wir die Prinzipien der Polarität, der Kausalität und der Resonanz beachten. Das Modell von Eric Berne erklärt somit auch, wie die Prinzipien der Resonanz, Kausalität und Polarität eine herausragende Bedeutung im Verkauf haben. Kommt es zu Störungen in einem der Bereiche, findet kein Verkauf statt.

Ist einer der handelnden Akteure im Verkaufsprozess im Zustand des ›Nicht okay!‹, kann unter keinen Umständen ein Kaufabschluss gelingen; dann aber, wenn beide Partner den Zustand des ›Okay‹ haben, ist eine Zusammenarbeit möglich – und der Smartseller und die Smartsellerin können etwas verkaufen.

Die ›Okay-Okay‹-Variante ist damit der erwünschte optimale Zustand, um einen Abschluss zu tätigen. Die Beziehung, die auf dieser Basis gelegt werden kann, basiert auf gegenseitiger Sympathie, Respekt oder Gemeinsamkeiten auf allen Wirkungsebenen. Sie ermöglicht den Verkauf durch Kausalität, Polarität und Resonanz.

Eine Beobachtung aus der Praxis kann uns verdeutlichen, wie richtig unsere Postulate sind:

Verlässt ein Verkäufer ein Unternehmen und übernimmt eine neue Verkäuferin den bestehenden Kundenbestand des alten Verkäufers, kommt es oftmals zu Meinungsverschiedenheiten und Missverständnissen zwischen dem neuen Verkäufer und den bestehenden Kunden und Kundinnen.

Das ist den Prinzipien der Kausalität, der Polarität und der Resonanz geschuldet. Kann keine Resonanz zwischen dem neuen Verkäufer und der Kundschaft erzeugt werden, entstehen Probleme!

Damit in einem solchen Szenario Kunden und Kundinnen weiterhin mit uns und unserem Unternehmen zusammenarbeiten, bedarf es der Professionalität eines Smartsellers und einer Smartsellerin, denen es gelingt, ihre Wirkung als Sender zu beeinflussen. Dies gelingt mit dem Wissen um die First Impression-Leadership, der noch im Detail auf den Grund zu gehen ist.

Gleichzeitig wissen wir als Smartsellerinnen und Smartseller jedoch auch einzuschätzen, wann eine Sache aufgrund der mangelnden Resonanz verloren ist, ärgern uns darüber wenig und nehmen es vor allem nicht allzu persönlich.

Gewinnen kann man eben nur, wenn man auch zu verlieren gelernt hat!

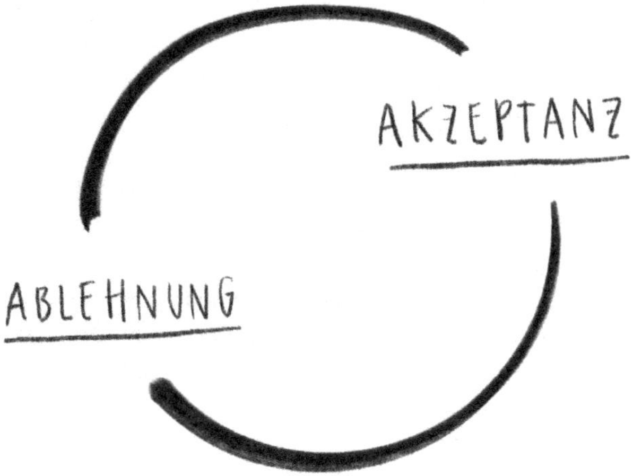

Wir sollten als Smartsellerinnen und Smartseller verinnerlichen, dass die Alchemie des Verkaufs mit Lebensprinzipien verbunden ist, die nicht nur in einem engen Sinne gültig sind. Sie betreffen nicht nur den Verkauf als eingegrenztes Feld, sondern sind in allen Lebensbereichen von Bedeutung, in denen es um Erfolg geht. Sie wirken immer und überall, im Beruf wie in anderen Feldern.

Wer ihre universelle Bedeutung versteht, dem leisten die Learnings daraus in allen Lebensbereichen großartige Dienste. Das Verstehen der Prinzipien führt uns dahin, uns entsprechend klug verhalten zu können. Unsere Smartseller-Persönlichkeit kann sich mit diesen Kenntnissen entscheidend fortentwickeln!

Wer auf diese Weise die richtigen Rückschlüsse gezogen hat, der kann herausragende Resultate im Leben erzielen. Das gilt natürlich auch für dein Verkaufsleben als Smartsellerin und Smartseller!

Die Prinzipien der Kausalität, der Polarität und der Resonanz zu verinnerlichen ist besonders wichtig – auch wenn es darüber hinaus noch viele weitere Prinzipien gibt, die es zu studieren lohnt! – um als Smartseller wachsen zu können, und um mit diesem Wachstum an Persönlichkeit erfolgreiche Verkaufsabschlüsse erhalten zu können:

Wo die frühen Alchemisten nach dem Stein der Weisen gesucht haben, um ganzheitliches, geheimes Wissen zu erlangen, sind wir heute einen Schritt weiter und können die Alchemie des Verkaufs entschlüsseln. Wir können das Wissen um die Prinzipien der Kausalität, der Polarität und der Resonanz für unseren Erfolg bei Kundinnen und Kunden ganz konkret einsetzen!

Vielleicht war es ein Zufall, dass du dieses Buch in die Hände bekommen hast – doch alles beginnt in unserem Kosmos mit jener besonderen Art des Zufalls.

Fakt ist, dass wir unter der Einhaltung der daraus folgenden Spielregeln zum Akteur werden können, die nach Erfolg streben: Du wirst deshalb auch eine Veränderung erreichen, wenn du die Prinzipien der Learnings aus diesem Buch anwendest.

Um dorthin zu gelangen ist das Scheitern und die Ablehnung unser ständiger Begleiter: Erfolg entsteht durch Misserfolg!

Fehlervermeidung sorgt dabei nur für Stillstand, während das Fehlermachen und daraus Lernen eine Evolution ermöglicht, die aus dem Gesetz des Zusammenspiels von Versuch und Irrtum besteht.

Wer das Spiel in diesem Sinne immer weiter spielt, die Regeln beachtet und niemals aufgibt, kann zunächst in den Ein-Prozent-Kreis der höchst bezahlten Verkäuferinnen und Verkäufer aufsteigen, und danach auch in den Kreis des einen Prozents der Unternehmer und Unternehmerinnen vorstoßen, die mit ihrer Firma mehr als 10 Millionen Euro Umsatz erzielen.

Ohne die Berücksichtigung der Alchemie des Verkaufs ist es allerdings nicht möglich, aus eigener Kraft den Kreis des einen Prozents zu erreichen; die Anwendung der Prinzipien der Alchemie des Verkaufs zur Zielerreichung wird dagegen deinen Erfolg potenzieren. Du kannst dann eine Verkaufsmaschine werden, die alle Rekorde schlägt!

Die Oma eilt flink zwischen dem Wohnzimmer und der Küche hin und her, um gleich mehrere Kuchen auf dem festlichen Kaffeetisch anzubieten.

»Für unseren Lieblingsenkel nur das Beste!«, ruft sie zwischen zwei Gängen Henry zu, der schon am Tisch sitzen darf.

»Opa!«, ruft seine Oma etwas ärgerlich ins Nebenzimmer hinein. »Dein Enkel ist da, würdest Du Dich bitte jetzt endlich bequemen, zu Tisch zu kommen!«

Dann kommen beide an den Tisch, und Oma schenkt den Kaffee aus.

Oma strahlt, und Opa schaut etwas fragend. »Was feiern wir denn heute?«

Oma winkt nur ab. »Er hat jetzt manchmal diese Aussetzer«, flüstert sie Richtung Henry. »Du weißt schon …«

»Schön, dass ihr mich eingeladen habt«, bedankt sich Henry. Er fühlt sich trotzdem noch so wie früher, als er hier als Kind die Wochenenden verbracht hat, wie er dies jetzt einmal wieder tut.

»Was macht denn die Schule?«, fragt Opa nach dem zweiten Stück Kuchen. »Wenn Du mal Abitur hast, steht Dir die Welt offen! Du könntest sogar studieren!«

Opa nickt Henry aufmunternd zu.

Oma verdreht die Augen.

»Opa, ich habe mein Abitur schon vor fast zwei Jahren bestanden«, erklärt Henry ganz geduldig. »Und ich studiere auch schon, und ja, an der Universität …«

»Ah, guter Junge!«, freut sich Opa. »Ich wusste, aus dir wird noch was!« Er beugt sich über den Tisch und klopft Henry anerkennend auf seine Schulter. So wie er das früher oft getan hat.

»Danke, Opa! Ich bemühe mich.«

Als Opa nach der Kaffee-Runde in seinem Sessel Platz genommen und seine Wolldecke hochgezogen hat, fallen ihm langsam die Augen zu. Oma scheint nur darauf zu warten, dass er eingeschlafen ist.

»Jetzt erzähl mal, Henry. Er bekommt es halt nicht mehr richtig mit, aber das macht nichts. Er ist ja so stolz auf Dich!«

Henry nickt. Der Opa hat ihn im Verlauf des letzten Jahrs auch nicht nur einmal nach seinem Schulabschluss gefragt, aber Oma ist dagegen noch voll da.

Er erzählt seiner Großmutter ein wenig vom Universitätsleben, in einer Stadt und einem Quartier, die so sehr von diesem Leben geprägt sind - einer Welt, die sie so nie kennengelernt hat. Oma hört mit großen Augen zu - und Henry malt sich aus, wie es wohl gewesen wäre, wenn sie in ihrer Jugend so frei gewesen wäre, das zu tun und zu entscheiden, was er heute selbst in der Hand hat.

Er vermutet, dass der wache Geist der Großmutter dann eine andere Aufgabe gefunden hätte, als alleine die traditionelle Rolle der Hausfrau auszufüllen! Vielleicht wäre gerade sie eine Kandidatin für Guru Gee gewesen und hätte als Smartsellerin überzeugt. Das hätte irgendwie zu ihr gepasst, findet Henry.

»Und mit welchen Themen befasst Du Dich gerade - bei Deinen Studien und darüber hinaus?«

Henry überlegt nur kurz.

»Du wirst es kaum glauben: Mit Alchemie ...«

Er lächelt, als er den verdutzten Ausdruck auf Omas Gesicht sieht.

Kapitel 4: **Mental wird real**
Oder: Die First Impression-Leadership-Maschine

Der erste Eindruck zählt! Das ist eine alte Weisheit, die als Formulierung bereits einen festen Platz im Wortschatz vieler Leute gefunden hat. Und tatsächlich – der Satz ist für uns als Smartseller und Smartsellerinnen extrem wichtig und wahr: Der erste Eindruck zählt tatsächlich, wenn wir erfolgreich werden möchten!

Topleistungen im Verkauf zeigen sich darin, ob wir von unserem Gegenüber als sympathisch und kompetent wahrgenommen werden – und all das ist vom ersten Eindruck abhängig.

Deshalb müssen wir uns als Smartsellerpersönlichkeit im Detail damit befassen, um zu lernen, wie wir unseren ersten Eindruck optimieren können: Wir müssen verstehen, wie wir zu Meistern und Meisterinnen der First Impression-Leadership werden können!

Unser Studium gilt dabei dem Wissen um die Entstehung des ersten Eindrucks und seiner Entstehung aus der inneren Welt der Gedanken heraus. Unsere Persönlichkeit als Smartseller und Smartsellerinnen muss im wesentlichen daran wachsen, die First Impression-Leadership zu meistern.

Wir müssen dabei verstehen, wie das für unser Gegenüber sichtbare Verhalten sich immer im ersten Eindruck manifestiert.

Dabei entsteht der erste Eindruck als Wechselspiel einer Wahrnehmung der aktuell vorliegenden Situation und der Bewertung, die wir dieser Situation beimessen. Im Zusammenspiel mit anderen Menschen und ihrem Feedback dokumentiert der erste Eindruck dabei immer auch einen Status, der nach außen kommuniziert wird. Wer die First Impression-Leadership im verbundenen Prozess meistert, beschreitet den Weg zur eigenen, täglichen Bestleistung.

Jeden Tag einen exzellenten ersten Eindruck zu hinterlassen – und damit andere Menschen zu begeistern und für die eigenen Konzepte zu gewinnen! –, das erfordert eine herausragende Selbstführung. Was diese Selbstführung beinhaltet, welche Faktoren wir beachten müssen und wie dadurch Verkaufsergebnisse vervielfacht werden können, sollten wir deshalb als Smartsellerinnen und Smartseller möglichst früh verinnerlichen: Dann verstehen wir, wie die First Impression-Leadership vom Gehirn zum Gedanken über die Wahrnehmung und das Gefühl hin zum ersten Eindruck begleitet.

Mit der First Impression-Leadership-Methodik wird somit auch der Ausgangspunkt für das erfolgreiche Mindset eines Smartsellers gelegt:

Die Bedeutung des gelungenen ersten Eindrucks kann dabei gar nicht hoch genug eingeschätzt werden, wenn es um die entscheidende Basis unserer Mindsets für Smartselling-Erfolge geht.

Wer sein Potential als Smartsellerin und Smartseller in einer neuen Tiefe entdecken will, muss sich daher mit der Wirkung des ersten Eindrucks auseinandersetzen – und studieren, wie mithilfe der First Impression-Leadership der entscheidende Unterschied gemacht werden kann.

Die These ist daher so einfach wie bedeutsam:

Es ist der erste Eindruck, der letztlich für den Smartseller-Erfolg verantwortlich ist!

Warum das so ist, soll auf dem folgenden Abschnitt des Anderswegs genauer untersucht werden.

Henry sitzt grübelnd im Bus und starrt aus dem Fenster. Draußen fallen die ersten Schneeflocken des neuen Jahrs, und es ist grau in grau. Er ist auf dem Weg zum Arzt, weil er schrecklich erkältet ist und sich noch schlechter fühlt, als er aussieht.

Henry musste heute morgen nur kurz in den Spiegel schauen, um schnell zu wissen, dass sein erster Eindruck heute ganz und gar nicht überzeugen kann. Auch der Mitbewohner in seiner WG hatte ihn nur kurz mitleidig angeschaut. »Alter, sag nichts und geh zum Doktor!«

Wenn man so wollte, hat sein erster Eindruck heute etwas erreicht, weil er jetzt tatsächlich auf dem Weg zum Arzt ist.

Aber einmal ganz unabhängig davon, wie er sich gerade jetzt fühlt:

Warum fand man eigentlich zu manchen Menschen sofort einen Zugang, während bei anderen Leuten sofort die Antipathie spürbar wurde? Warum waren manche Leute ihm wirklich auf Anhieb sympathisch und schienen vertrauenwürdig zu sein, während andere von Beginn an Hater waren?

Das war am Ende wirklich eine gute Frage!

Bisher hatte Henry darüber wenig nachgedacht.

Es war jedenfalls einleuchtend, dass der erste Eindruck für das Thema Verkaufen, aber auch darüber hinaus generell wichtig sein konnte, wenn man sich die Sache recht überlegte!

Eigentlich komisch, dass er sich darüber bis jetzt keine Gedanken gemacht und sich auch nie die Frage gestellt hatte, wie das alles funktionierte.

Henry war bislang wohl einfach davon ausgegangen, dass der Zufall darüber bestimmte, wie man andere eben wahrnahm, und wie andere eben auch dich selbst erlebten.

Die Behauptung, dass der Erfolg eines Menschen gerade von der Fähigkeit im Umgang mit ersten Eindrücken abhängen sollte, war eine steile These, die ihn doch einigermaßen irritiert.

Andererseits: Wenn man auf Knopfdruck einen gewinnenden ersten Eindruck vermitteln könnte, wäre das äußerst praktisch …

Der Bus hält an der richtigen Haltestelle an, die Türe öffnet sich zischend, und Henry steigt aus.

Fünf Minuten später betritt Henry schniefend das Wartezimmer seines Hausarztes. Sobald er Platz genommen hat, holt er auch das Buch aus seiner Tasche.

Mental wird real: Der erste Eindruck zählt, der letzte bleibt … Das hatte Henry im Studium schon einmal gehört.

Doch wie entsteht er denn nun, der erste Eindruck?

Henry rutscht auf seinem Wartestuhl hin und her und wünscht sich insgeheim, dass er lange genug im Wartezimmer sitzen würde, um dem Geheimnis des ersten Eindrucks auf die Spur zu kommen!

Henrys Augen fliegen über die Seiten des Kapitels.

Alles beginnt mit dem Gehirn? Konnte das, was sich zwischen den eigenen Ohren abspielt, wirklich eine Bedienungsanleitung für Erfolg im Leben werden?

Konnte es sein, dass in der First-Impression-Leadership-Methode tatsächlich der Schlüssel zu einem neuen Mindset lag, dass dich von anderen abhebt?

Obwohl sein Kopf übel pocht, nimmt Henry sich fest vor, die Lektüre so lange fortzusetzen, bis er die Antworten kennen würde.

Alles beginnt mit dem Gehirn

Einst haben die Kerls auf den Bäumen gehockt,
behaart und mit böser Visage.
Dann hat man sie aus dem Urwald gelockt
und die Welt asphaltiert und aufgestockt,
bis zur dreißigsten Etage.

Da saßen sie nun, den Flöhen entflohn,
in zentralgeheizten Räumen.
Da sitzen sie nun am Telefon.
Und es herrscht noch genau derselbe Ton
wie seinerzeit auf den Bäumen.

Sie hören weit. Sie sehen fern.
Sie sind mit dem Weltall in Fühlung.
Sie putzen die Zähne. Sie atmen modern.
Die Erde ist ein gebildeter Stern
mit sehr viel Wasserspülung.

Sie schießen die Briefschaften durch ein Rohr.
Sie jagen und züchten Mikroben.
Sie versehn die Natur mit allem Komfort.
Sie fliegen steil in den Himmel empor
und bleiben zwei Wochen oben.

Was ihre Verdauung übrigläßt,
das verarbeiten sie zu Watte.
Sie spalten Atome. Sie heilen Inzest.
Und sie stellen durch Stiluntersuchungen fest,
daß Cäsar Plattfüße hatte.

So haben sie mit dem Kopf und dem Mund
Den Fortschritt der Menschheit geschaffen.
Doch davon mal abgesehen und
bei Lichte betrachtet sind sie im Grund
noch immer die alten Affen.

Dieses Gedicht hatte Erich Kästner unter dem Titel ›Die Entwicklung der Menschheit‹ bereits im Jahr 1932 veröffentlicht[1] – lange bevor die Wissenschaft sich mit dem Bauplan unserer Gehirne im Detail befasst hat. Tatsächlich brachte Kästner mit seinem Gedicht eine wichtige Beobachtung auf den Punkt: Wir nutzen als Menschen seit Jahrtausenden dieselbe Hard- und Software – und bis heute gibt es kein Update dazu.

Wir sind noch immer die gleichen alten Affen, weil unser Gehirn noch immer dem unserer Vorfahren entspricht!

Gleichzeitig ist wahr: Unser Gehirn hat unglaubliches Potential!

Es ist die wichtigste Schaltzentrale, mit der wir unseren persönlichen Spielplan schreiben.

Und weil unsere menschlichen Gehirne vergleichbar arbeiten, gilt auch: Wer die Wirkmechanismen des Gehirns versteht, der bekommt auch einen Plan zur Ermöglichung des Erreichens von Zielen in die Hände, bei dem es um die Wirkung beim Gegenüber geht.

Mit dem Wissen über die Funktionsweise des Gehirns können darum nicht nur Verkäuferinnen und Verkäufer ihre Arbeitsweise optimieren, sondern auch Verkaufsunternehmen schnell und erfolgreich aufgebaut werden. Es ist höchste Zeit, den Apparat zwischen unseren Ohren besser kennenzulernen!

---

[1] Erich Kästner: Die Entwicklung der Menschheit. Auf www.deutschelyrik.de/die-entwicklung-der-menschheit.html, aufgerufen Oktober 2023.

Der Hirnforscher Paul D. MacLean argumentierte in den 1950er-Jahren, dass unser Gehirn in drei Teile aufgeteilt ist, die jeweils eine evolutionsgeschichtliche Bedeutung haben.[2] MacLean ging davon aus, dass das Gehirn bei Betrachtung der neuroanatomischen Gesichtspunkte in drei Subsysteme aufgeteilt sei. Sein Konzept sprach daher vom ›Triune Brain‹, dem ›dreieinigen Gehirn‹, und hatte den Vorzug, eine Erklärung für bestimmte Abläufe und Mechanismen zu geben, die in der Strukturierung unserer Gehirne ihre Ursache haben.

Im Modell interagieren alle drei Teile des Hirns miteinander, sind mehrfach und wechselseitig miteinander verbunden und tauschen Informationen aus, doch wird jedem Teil ein ›eigenes Bewusstsein‹ beziehungsweise bestimmte autonome Denkbereiche zugestanden, sodass die Teile eigene Bedürfnisse und Erinnerungen versammeln und jeweils eine besondere Wahrnehmung besitzen.

Auch wenn die evolutionsbiologische Herleitung, von deren relativer Einfachheit MacLain noch ausging, heute komplexer begründet werden muss, können wir damit drei Areale mit ihren Systemen unterscheiden:

Subsystem 1: Das protoreptilische Gehirn oder Stammhirn

Dabei handelt es sich um den Teil des Gehirns, zu dem der Hirnstamm, das Zwischenhirn und die Amygdala gehören. Dieser Bereich ist für unsere Koordination, die Bewegungswahrnehmung, die Motorik und die räumliche Wahrnehmung zuständig. Es ist im Wesentlichen der Sitz der Instinkte, ist nur eingeschränkt lernfähig und besitzt kein Sozialverhalten.

Subsystem 2: Das paleomammalische Gehirn oder limbische System

Das limbische System sitzt über dem Stammhirn und ist mit den Aufgaben des Überlebens und der Reproduktion beschäftigt. Die vier ›F-Aufgaben‹ – Fight, Flight, Feeding, Fornication – werden vom limbischen System ausgeführt, wo auch der Sitz des vegetativen Nervensystems ist, das den Herzschlag, die Atmung, die Verdauung und den Stoffwechsel kontrolliert

---

[2] Vgl. hier und im Folgenden: Paul D. MacLean: Triune Conception of the Brain and Behaviour. Toronto 1974. Vgl. dazu auch www.biologie-seite.de/Biologie/Triune_Brain, aufgerufen Oktober 2023.

und steuert. Das limbische System ist für die Entstehung von Emotionen zuständig, auch Gedächtnisinhalte werden hier gebildet und affektiv gefärbt. Lernprozesse werden ebenfalls über das limbische System abgewickelt.

Subsystem 3: Das neomammalische Gehirn oder Neocortex

Der Neocortex gilt als Sitz der Vernunft, des freien Willens und des Verstandes. Hier werden nicht nur logische, kognitive Konzepte entwickelt, sondern auch die Affekte und Emotionen des limbischen Systems modifiziert. MacLean nannte den Neokortex die Mutter der Erfindung und den Vater der abstrakten Gedanken.[3]

In der wissenschaftlichen Diskussion wurde das Modell des Triune Brain wie erwähnt heftig kritisiert, vor allen im Hinblick auf die Behauptung, dass eine vereinfachte evolutionsgeschichtliche Entwicklung postuliert wird, derzufolge die drei Hirnbereiche tatsächlich nacheinander und ebenso klar abgrenzt voneinander entstanden seien.

Neue Forschungen zeigen, dass dies nicht der Fall ist, sodass die aktuelle Forschung die Vorstellung, dass unser Hirn tatsächlich wie der Idealtypus des Modells des Triune Brain aussieht, aufgegeben hat.

Das Schema, das MacLean etabliert hat, ist jedoch nach wie vor nützlich, wenn wir uns die Wirkweisen verschiedener Areale in unserem Kopf klarmachen möchten. Hier verdeutlicht das Modell nach wie vor: Instinkte, Emotionen und Logik entstehen in unterschiedlichen Bereichen des Gehirns – und ihr Zusammenspiel ist komplex.

Was du denkst und wie du fühlst entsteht in unterschiedlichen Bereichen des Gehirns, wobei das Fühlen dem Denken vorangestellt ist.

Besonders die Beobachtung, dass das Denken keineswegs alleine im Bereich des Neocortex geschieht, sollten wir dabei hervorgehoben beachten:

Der Neocortex wird dabei auch als kaltes System bezeichnet, oder auch als das Logikgehirn. Auf der anderen Seite wirkt unser heißes System mit dem Stammhirn und dem limbischen System: Hier sitzt der psychologische Teil unseres Gehirns, der für unsere Wahrnehmung und unser Handeln viel

3 Vgl. ebenda.

entscheidender ist als das kalte System.[4] Im heißen System sitzt auch etwa unsere Amygdala, die für starke Emotionen wie etwa die Angst sorgt und emotionale Erinnerungen schafft.

[4] Vgl. Daniel Kahneman: Schnelles Denken, langsames Denken. München 2012.

Welche Folgen hat unsere Hirnstruktur, wenn es um das Erzeugen des ersten Eindrucks geht? Die Antwort ist so weitreichend und als Schlüssel für unseren späteren Erfolg so wichtig, dass wir sie mit der nötigen Tiefe untersuchen müssen.

Tatsächlich sorgt gerade das komplexe Zusammenspiel der Teile des Gehirns und vor allem die Vorgänge im heißen System des psychologischen Teils für die Entstehung des ersten Eindrucks, der im Verkauf generell – und allgemein in allen Bereichen des Lebens – von entscheidender Bedeutung ist.

Wir müssen vor allem verstehen, dass unser Hirn dafür sorgt, dass diese Prozesse ihren Ausgang in den Regionen des Gehirns nehmen, die unsere Instinkte und Basisemotionen regeln. Genau deshalb sind sie von überragender Bedeutung – denn diese Bereiche wirken immer und durchschlagend auf der Basis von Automatismen, die unmittelbar und vor allem unbewusst angesprochen werden, gerade beim ersten Eindruck.

Untersuchungen zeigen indessen, dass der erste Eindruck, der in diesen Hirnarealen entsteht, für drei von vier Kaufentscheidungen entscheidend verantwortlich ist.[5]

Tatsächlich kann das mit dem einfachen Umstand erklärt werden, dass mit dem ersten Eindruck unmittelbar und ohne unser angestrengtes Zutun als Empfänger eines Eindrucks von unserer ureigenen Software entschieden wird, ob es zu einem Beziehungsaufbau kommt oder nicht!

Ob man nun seine Traumpartnerin oder den Traumpartner trifft, ein wichtiges Gespräch mit Geschäftspartnern führt oder jemanden zufällig bei Starbucks in der Schlange kennenlernt, stets ist es der erste Eindruck, der über das für den Fortgang der Begegnung entscheidende Beziehungsergebnis entscheidet – und damit über den Erfolg eines Zusammentreffens, bei dem ein Ziel erreicht werden soll.

---

[5] Thomas Unger: Der erste Eindruck, Artikel auf www.mehrverkaufstraining.de/verkaufsgespraech-der-erste-eindruck/, aufgerufen November 2023.

Dass unsere ersten Eindrücke dabei in sehr kurzer Zeit gebildet werden, liegt wiederum an unserer bewährten Software im Kopf:

Unser Gehirn produziert dabei innerhalb einer Zehntelsekunde einen ersten ersten Eindruck. Dieser Augenblick reicht aus, um die Aura einer Persönlichkeit als Gegenüber wahrzunehmen.

In weiteren drei bis acht Sekunden scannen unsere Gehirne unsere Körpersprache, Gestik und Mimik und gelangen zum zweiten ersten Eindruck.

Nach weiteren einhundertachtzig Sekunden, also während des unmittelbaren Beginns der Gesprächsaufnahme, haben wir uns bereits ein detailliertes Bild, den eigentlichen ersten Eindruck, über unser Gegenüber gemacht![6]

Bereits jetzt stecken wir in der Schublade des Gegenübers fest – und umgekehrt:

Ist unser Eindruck positiv besetzt, ist ein Verkauf möglich. Stecken wir jedoch in einer negativ bewerteten Schublade, dann wird ein Verkauf nahezu unmöglich.

Wir müssen daher beachten: In nur wenigen Sekunden wird über unseren Verkaufserfolg entschieden! Tatsächlich müssen wir uns gerade als Smartseller darüber bewusst sein, dass unsere Eindruckssoftware stets aktiv bleibt – sie ist Teil unserer Programmierung. Wir können nichts daran ändern, dass wir uns die ersten Eindrücke über unsere Gegenüber machen und umgekehrt – aber wohl, wie wir dabei wirken.

Darum geht es bei der First Impression-Leadership-Methodik: Wir erhöhen die Wahrscheinlichkeit, einen guten ersten Eindruck zu hinterlassen, und auch dafür, darauf unseren Verkaufserfolg im nachfolgenden Prozess aufzubauen!

Über eine erfolgreiche First Impression-Leadership als entscheidende Verkaufsfähigkeit zu verfügen, muss darum in unsere Smartseller-DNA einfließen.

Wir können tatsächlich die Fähigkeit erwerben und trainieren, erste Eindrücke zu kontrollieren. Um diesen unwiderstehlichen ersten Eindruck zu kreieren, müssen wir einige Fragen erörtern und die entsprechenden Antworten verinnerlichen:

---

[6] Vgl. Dossier Erster Eindruck, auf de.wikipedia.org/wiki/Erster_Eindruck, aufgerufen November 2023.

Frage 1: Warum sollten wir einen gewinnenden ersten Eindruck vermitteln?

Der erste Eindruck ist immer das Ergebnis eines inneren Dialogs, der sich in der äußeren Welt repräsentiert. Wir senden unmittelbar auf verschiedenen Kanälen, die unser Gegenüber wahrnehmen kann, sodass unsere rhetorisch-kommunikative Fähigkeit, überzeugende Botschaften zu senden, von enormer Bedeutung ist.

Diese vermittelte Repräsentation können wir uns erneut wie eine Radiowelle vorstellen, auf der wir empfangen werden – und das auf einer verbalen wie auch nonverbalen Art und Weise, wobei letztere größere Wirkung hat.

Für die meisten Personen stellt es bereits eine große Leistung dar, wenn sie im Laufe des Lebens erkennen, wie sie auf andere wirken; wer aber sich nicht nur der Ursachen dieser Wirkung bewusst wird, sondern auch versteht, warum eine bestimmte Wirkung erzielt wird, der versteht, sich zum Programmchef des Radiosenders zu machen, der auf der persönlichen Welle empfangen werden kann.

Wer versteht, weshalb er oder sie im Leben immer wieder bestimmte Menschen und Dinge anzieht, hat seine Persönlichkeit bereits weit entwickelt, und wer dabei lernt, seine Selbstwirkung variabel auszugestalten, der schafft es sogar, unter veränderlichen Bedingungen optimal zu senden.

Tatsächlich können wir nämlich nicht nur ein einziges Programm aussenden, wenn wir verstehen, wie wir unsere Wirkung feinjustieren können. Wer sein Erfolgsprogramm auf diese Weise bewusst gestaltet, der kann Menschen optimal überzeugen.

Nötig ist dafür stets das Erwerben der Fähigkeiten zur Selbsterkenntnis und Selbstwahrnehmung, die uns in die Lage versetzen, die wichtige Frage der rhetorischen Repräsentation zu beantworten: »Welchen Radiosender muss ich einstellen, damit ich das bekomme, was ich mir im Leben vorstelle?«

Die gute Nachricht dabei ist: In der Regel ist die Wirkung des ersten Eindrucks zwar für jedes Gegenüber individuell – aber gleichzeitig auch vergleichbar. Das bedeutet, dass wir unsere Wirkungsweise als einen geteilten ersten Eindruck verstehen sollten – und damit auch davon ausgehen können, dass nicht nur ein Gegenüber davon profitiert, wenn wir unsere Wirkung optimieren, sondern fast jedes Gegenüber entsprechend angesprochen wird, auch wenn die Nuancen der Details immer individuell sein werden.

Aus Sicht des Senders dürfen wir den ersten Eindruck nicht dem Zufall überlassen, sondern müssen bewusst unsere Wirkung steuern, damit der Empfänger unseres Eindrucks für unser Anliegen gewonnen wird.

Der gezielt gesteuerte erste Eindruck, den wir mit einer gelungenen First Impression-Leadership modellieren, bringt dann nicht nur uns selbst weiter, sondern ermöglicht es unserem Gegenüber auch, überhaupt auf uns in der gewünschten Art und Weise reagieren zu können.

Frage 2: Wie kann unser erster Eindruck die richtigen Türen öffnen?

Tatsächlich entscheidet unser gewähltes Radioprogramm darüber, ob wir einen ersten Eindruck aussenden, der die Möglichkeit einer erfolgreichen Kommunikation schafft. Uns allen sollte bewusst sein, dass der erste Eindruck einer der wichtigen Faktoren dafür ist, ob wir den Erfolg eines Zugangs zum Gegenüber erzielen – oder kläglich scheitern.

Damit ist nicht gesagt, dass die anderen Aspekte einer zielführenden Kommunikation nicht wichtig sind – aber sehr wohl sollten wir verstehen, dass dem ersten Eindruck eine wichtigere Rolle zukommt, als die meisten Leute annehmen, die sich nur oberflächlich mit dem Thema befassen.

Der Grund dafür liegt wie gesehen im Unbewussten der menschlichen Natur, also unserer natürlichen Programmierung. Der erste Eindruck und seine unmittelbare Einordnung, egal ob es um Begegnungen mit anderen Personen oder neuen Situationen geht, sind aus biologistischer Sicht eine evolutionäre Superwaffe zur Arterhaltung:

Unsere Überlebenssoftware hat mit der Reaktion auf erste Eindrücke ein Frühwarnsystem etabliert, mit der wir seit Jahrtausenden das uns Fremde und für uns Neue bewerten. Im Überlebenssinne ist es von großer Bedeutung, Freund oder Feind genauso schnell zu identifizieren wie eine Situation in Hinblick auf ihre Gefährlichkeiten oder den Nutzen für uns zu bewerten.

Unsere Basisprogrammierung weiß: »You never get a second chance for the first impression« – und überträgt diese Einordnung heute auch in die Felder, in denen es nicht mehr um Leben und Tod geht, wie etwa den Verkauf.

Die Weichen werden jedenfalls nach wie vor in kürzester Zeit gestellt.

Die Frage, ob unser Gegenüber uns in einer Doppelrolle aus Vertrauenswürdigkeit und Sympathie wahrnimmt oder uns Hinterhältigkeit und Aggression unterstellt, beantwortet unser Gehirn allgemein in nur einer Zehntelsekunde; und der erste Eindruck wird im Anschluss meist nur vertieft anstatt diametral verändert, wenn wir danach zu einem längeren Kennenlernen die Zeit und Gelegenheit erhalten.

Interessanterweise scheinen dabei die normalen Verarbeitungswege des Neocortex oft umgangen zu werden: Unser erster Eindruck entsteht zuvorderst in der Amygdala, die für schnelle emotionale Beurteilungen zuständig ist, und somit im psychologischen Gehirn!

Deshalb können die meisten Menschen ihren ersten Eindruck auch nur als intuitives Gefühl erleben, das sich rational wenig exakt begründen lässt. Das ändert allerdings nichts an der umso größeren Wirkung.[7]

Tatsächlich scheint es beim ersten Eindruck in der modernen Welt um zwei wesentliche Fragen zu gehen: Haben wir zum einen das Gefühl, dem Gegenüber vertrauen zu können? Die Bewertung der Vertrauenswürdigkeit und Sympathie ist in Folge der Frühwarnfunktion unseres Gehirns entscheidend dafür, dass wir uns auf das Gegenüber einlassen können.

Bei der zweiten Frage wird zum anderen der soziale Status des Gegenübers gescannt – und damit der Bereich, in dem wir unser Gegenüber verorten.

Bereits der erste Eindruck kann uns somit das Gefühl geben, ob eine spätere Kommunikation nützlich sein könnte und unser Gegenüber etwa als kompetenter Gesprächspartner eingeschätzt wird.

Erreichen wir mit unserem ersten Eindruck eine sympathische oder respektierte Wirkung, dann öffnet sich das Fenster der weiteren Kommunikation – und damit die Chance, andere von unseren Ideen überzeugen zu können. Das Ziel jeder Kommunikation ist letztlich, das Vertrauen einer anderen Person zu gewinnen, sodass eine Überzeugung des Gegenübers auf der Basis dieses Grundvertrauens auch in Hinblick auf neue Ideen möglich wird.

Mit einem überzeugenden ersten Eindruck kann die Kommunikation in Gang gebracht werden und somit die Grundlage für ein späteres mögliches Gelingen des Verkaufs geschaffen werden.

Der erste Eindruck zählt – und passt dieser nicht, dann wird es auch in den seltensten Fällen zu einer erfolgreichen Kommunikation und in Folge zur Umsetzung eines Deals kommen. In nur ganz wenigen Fällen wird es gelin-

---

[7] Vgl. Fanny Jiminez: Der erste Eindruck bleibt – weil er stimmt, Artikel auf ww.welt.de/gesundheit/psychologie/article114446800/Der-erste-Eindruck-bleibt-weil-er-stimmt.html aufgerufen Oktober 2023.

gen, den Eindruck beim Gegenüber nach einem fatalen Start noch einmal grundlegend zu verändern, auch wenn wir uns sehr dafür anstrengen.

Die Kommunikationskette muss daher einen guten Start hinlegen, damit später ein Verkauf gelingen kann – deshalb ist der gute Beginn essentiell und existentiell wichtig. Wem als Unternehmerin und Unternehmer oder Verkäuferin und Verkäufer der erste Eindruck missrät, der kann nichts verkaufen – und wer nichts verkauft, der wird vom Markt verschwinden, auch wenn er das beste Produkt zum besten Preis bietet.

Stimmt der erste Eindruck, öffnen sich jedoch die entscheidenden Türen – und der Smartseller wird unstoppable werden: Führt unsere First Impression-Leadership zu einem ersten Eindruck, der sympathisch, vertrauensvoll, kompetent und glaubwürdig wirkt, gewinnen wir andere Menschen für uns und können mit dem Verkaufen fortfahren.

Frage 3: Wodurch wird der gesendete erste Eindruck beim Gegenüber wirksam?

Dass der erste Eindruck eine durchschlagende Wirkung besitzt, ist – wie die vorigen Punkte bereits gezeigt haben – unbestritten: Doch welche Signale werden von unserem Gegenüber eigentlich konkret so blitzschnell entschlüsselt, sodass diese Wirkung nicht nur übermittelt, sondern auch empfangen wird?

Oder anders gesagt: Was kann unser Gegenüber von uns im Zuge eines ersten Eindrucks besonders gut wahrnehmen?

Die Antwort zu kennen hilft uns, unsere Selbstwirkung wahrnehmen und sogar beeinflussen zu können. Tatsächlich kann unser gesamtes Potential mit einem Eisberg verglichen werden, dessen sichtbare Spitze nur einen bestimmten Teil des Objektes zeigt.

Der erste Eindruck bezieht sich tatsächlich nur auf den unmittelbar sichtbaren Bereich. Natürlich wissen wir, dass unser Eisberg noch viel mehr umfasst als das, was wir über der Wasseroberfläche leuchten sehen, doch illustriert das Eisbergmodell eindrücklich, dass andere Menschen eben nur das wahrnehmen können, was auf der sichtbaren Oberfläche unseres Eisbergs stattfindet. Das an uns beobachtbare Verhalten ist dabei unsere Spitze des Eisbergs und gleichzeitig das Ergebnis unseres inneren Dialogs. Unser Gegenüber kann dabei in der Regel unser gezeigtes Verhalten, unser aktuelles Energielevel und den Status wahrnehmen, der durch Kleidung und Accessoires zur Schau getragen wird. Wir senden eine Attitude aus, die in unseren Einstellungen und Werten als Mensch wurzeln.

Außerdem wirken beim ersten Eindruck die psychologischen Mechanismen der Primär-, Rezenz- und Haloeffekte.[8]

In der Kommunikation entsteht unsere Wirkung, auch in Bezug auf den ersten Eindruck, zu 55 Prozent über die Körpersprache, zu 38 Prozent über die Gestik, Stimme und Mimik und nur zu 7 Prozent über die Inhalte, die wir vermitteln.[9]

---

[8] Vgl. Artikel auf www.karrierebibel.de/erster-eindruck/, aufgerufen Oktober 2023.

[9] Vgl. Nagesh Belludi: Albert Mehrabian's 7-38-55 Rule of Personal Communication, auf www.rightattitudes.com/2008/10/04/7-38-55-rule-personal-communication/, aufgerufen Oktober 2023.

Inwieweit die Ermittlung dieser Prozentwerte stimmt, ist umstritten; Professor Albert Mehrabian, der die ›7-38-55 Regel‹ aufgestellt hat, gibt selbst zu bedenken, dass es sehr schwer ist, die wirklichen Anteile genau zu quantifizieren, da die Werte zumeist den Schwankungen einer subjektiven Einschätzung unterliegen.

Rhetoriktheorien gehen davon aus, dass der Anteil des Inhalts sogar noch geringer ausfällt.

Entscheidend für uns als Smartseller und Smartsellerinnen ist es, zu verstehen, dass die Wirkung in der Kommunikationssituation nur zu einem sehr, sehr geringen Teil auf Inhalten basiert, dafür aber überwiegend auf den Faktoren der anderen Ebenen.

Maßgeblich ist die Ebene der Emotionen des rhetorischen Ethos, auf der Sympathie erzeugt wird und auf der die Körpersprache, Gestik und Mimik wirken. Sie wirken im heißen System des psychologischen Gehirns meist unbewusst, aber auch durchschlagend.

Aus biologistischer Sicht ist es dabei höchst einleuchtend, dass wir Menschen der Körpersprache eine sehr viel höhere Bedeutung zukommen lassen als dem gesprochenen Wort. Weil die Evolution der hochentwickelten Sprache, die auf komplexen linguistischen Zusammenhängen basiert, nicht nur jünger ist als die Basisform der Kommunikation mit der Sprache des Körpers und der Deutung der sichtbaren Emotionen, sondern auch von jeder Person bewusst erlernt werden muss, wo auf der anderen Seite Automatismen wirken, ist es von großem Vorteil, die unbewussten Signale der Kommunikation unmittelbar – und ebenfalls weitgehend unbewusst – wahrnehmen zu können. Daher wirken die nonverbalen Kommunikationsmittel wie die Körpersprache oder die Mimik so viel schneller als das gesprochene Wort.

Das bedeutet aber gerade nicht, dass es egal ist, was wir zu sagen haben. Der Erfolg stellt sich in der Kommunikation dann ein, wenn alle Ebenen gemeinsam wirken. Es kommt folglich auf das ›Was‹ in der Verbindung mit dem ›Wie‹ an! Insofern müssen wir stets beachten, dass unsere Inhalte von der richtigen Körpersprache begleitet werden – und umgekehrt.

Der entscheidende Schlüssel, um das Gegenüber erreichen zu können, ist stets das beobachtbare Verhalten in seiner Wirkung einer Unmittelbarkeit, das damit auch für das Erzeugen des ersten Eindrucks bedeutsam ist.

Frage 4: Wie wirken der Primacy-, Recency- und Halo-Effekt beim ersten Eindruck?

Smartsellerinnen und Smartseller sollten sich mit drei psychologischen Effekten vertraut machen, die dafür genutzt werden können, auf die relevanten Zielgruppen positiv einzuwirken.

Dabei nutzen wir einerseits den Primacy-Effekt aus. Beim Primäreffekt handelt es sich um ein Kurzzeitgedächtnis-Phänomen, das kurz gesagt dafür sorgt, dass wir die Wahrnehmung einer Kommunikationssituation, die an deren Anfang entsteht, als jüngere Wirkung länger als den Part wahrnehmen, der in der Mitte der Kommunikation vermittelt wird.

Sein Gegenstück mit ähnlicher Wirkung ist der Recency-Effekt, aufgrund dessen wir den Schluss prägender wahrnehmen als den Mittelteil. Der zweite psychologische Mechanismus sorgt als Rezenzeffekt also dafür, dass der letzte Eindruck bleibt – und noch lange nachhallt.

Die Kombination beider Wirkweisen spielt als Primacy-Recency-Effekt bei der Urteilsbildung eine besonders prägende und dominante Rolle – gerade bei neuen Kontakten. Deshalb müssen wir als Smartsellerin und Smartseller unbedingt beachten, dass der erste Eindruck zählt und der letzte bleibt!

Auch der Halo-Effekt spielt in diesem Zusammenhang eine wichtige Rolle. Der Halo-Effekt dreht sich um die Wahrnehmungen die besonders eklatant auffallen. Dabei geht es darum, dass einzelne Eigenschaften einer Person so dominant auf uns wirken, dass sie in dieser Dominanz den Gesamteindruck überstrahlen. Dies ist vor allem dann der Fall, wenn dabei starke Affekte ausgelöst und angesprochen werden.

Den Halo-Effekt können wir uns als Smartseller und Smartsellerinnen ebenfalls zunutze machen, vor allem wenn es darum geht, Identitäten zu betonen, die wir mit dem Gegenüber teilen. Der Halo-Effekt führt dann dazu, die eine, als gemeinsam geteilt wahrgenommene Sache dahingehend zu interpretieren, bereits auf weiteren Ebenen im selben Team zu spielen.

»Gleich und gleich gesellt sich gern«, weiß der Volksmund diese Wirkung zusammenzufassen. Anders ausgedrückt heißt das: Auf der Sympathieebene überzeugen Ähnlichkeiten. Wer sich kulturell, in seinem Kleidungsstil oder auch in weiteren kommunizierten Merkmalen des Herkunftsmilieus ähnelt, kann sich durch die Halo-Wirkung sympathischer und vertrauter empfinden, als es ohne die kommunizierten Ähnlichkeiten der Fall wäre.

Wer sich bei einer Investmentbank bewirbt, tut folglich gut daran, sich vorher zu erkundigen, welche Anzugsfarbe dort getragen wird und wie sich die Corporate Identity darstellt; und auch im Privatleben läuft es vergleichbar, wenn du abends in einen Hiphop-Club gehst und dich dabei nicht für einen Opernbesuch gekleidet hast.

Die Waschmaschine in unserem Kopf: Wo unser erster Eindruck entworfen wird

Der erste Eindruck entsteht also durch beobachtbares Verhalten, bei dem wir als Smartseller und Smartsellerin möglichst optimal überzeugen wollen.

Die Kurzversion der First Impression-Leadership lässt sich folglich darauf komprimieren, dass wir unser beobachtbares Verhalten, das durch ein komplexes Zusammenspiel der stattfindenden Situation und unseren darin gedachten Gedanken beeinflusst wird, am Ende des gesamten Prozesses beim Gegenüber zur gewünschten Wirkung bringen – wobei wir bei diesem Gegenüber Gefühle auslösen, die unser sympathisch und vertrauenserweckendes Image bei der anderen Person in möglichst positiver Weise abzuspeichern helfen.

Das Ergebnis des gesamten Prozesses der First Impression-Leadership ist eine subjektiv wahrgenommene Realität der Welt und ermöglicht die Reaktion mit einem bestimmten Verhalten!

Wir müssen dabei verstehen, dass das Verhalten, seine Wahrnehmung und eine Reaktion dabei nicht zufällig entstehen. Gerade weil die meisten der dabei ablaufenden Denk- und Verhaltensmuster auf der Seite des Empfängers unserer Botschaften – also dem Kunden und der Kundin – automatisiert, unbewusst und von ihnen nicht unmittelbar steuerbar ablaufen, können wir als Sender den Prozess beeinflussen und auf eine vorteilhafte Weise steuern. Es lohnt daher, den Prozess im Detail zu verstehen.

Die Prozesse des ersten Eindrucks laufen in unserem psychologischen Teil des Gehirns ab und werden dort in einer besonderen ›Waschmaschine‹ produziert. Diese Waschmaschine wird durch unsere genetischen Programme, also unseren Genen, und unseren Erfahrungen und Prägungen der Meme angetrieben. Wird die Waschmaschine unseres psychologischen Gehirns nun mit einer Situation konfrontiert, beginnt der Waschgang mit dem Waschmittel unserer automatisierten Denk- und Verhaltensmuster. Damit benutzen wir die Automatikprogramme des

Gehirns, das dabei in den Energiesparmodus schalten kann.[10]

Dieses energiesparende Waschprogramm ist eine tolle Erfindung unseres Gehirns, denn die Handwäsche des bewussten Denkens würde im Gegensatz dazu zwanzig Prozent unserer gesamten Körperenergie verbrauchen: Das würde unsere Ressourcen verschwenden und wäre daher wenig sinnvoll.

Das Gehirn setzt daher den Lifehack der Waschmaschine ein, wo und wann immer es kann. Es automatisiert damit die meisten gedanklichen Prozesse und spielt sie wieder und wieder in einer Endlosschleife ab.

Die Waschmaschine in unserem psychologischen Gehirn kann dabei circa 11.000.000 Bits an Informationen aus der Außenwelt pro Sekunde verarbeiten.

Aus dieser unglaublichen Menge sortiert die Waschmaschine nun ganze 30 bis 40 Bits an Informationen für uns aus, die wir uns dann in unserem Logik-Gehirn bewusst machen.[11]

Unser Gehirn ist deshalb sehr gut darin, sich und uns im Gesamten vor einer Überlastung zu schützen!

Wenn man sich allerdings nur bis zu vierzig Bits an Information pro Sekunde bewusst machen kann und damit nur einen sehr geringen Bruchteil aller elf Millionen Informationen, sollte man sich erst recht die Frage stellen, wie der Selektionsmechanismus der Waschmaschine funktioniert und wie unser psychologisches Gehirn eintretende Lebenssituationen bewertet und anderen über unseren ersten Eindruck mitteilt.

Wir tun als Smartseller und Smartsellerin gut daran, uns die Waschmaschine und deren Funktionsweise daher genauer anschauen:

---

[10] Wenn wir hier und im Folgenden eine Bildsprache etablieren, um die Vorgänge im Hirn zu beschreiben, geht es uns freilich nicht um die naturwissenschaftliche Genauigkeit oder exakte Beschreibungen der Vorgänge im Gehirn. Gleichzeitig erheben wir nicht den Anspruch, die äußerst komplexen Vorgänge in diesem Buch streng wissenschaftlich zu beschreiben. Stattdessen geht es darum, uns die Wirkweisen der Denkprozesse möglichst bildhaft auf eine Weise vorzustellen, mit der wir unsere Erkenntnisse später ebenso möglichst einfach zur Anwendung bringen können.

[11] Vgl. Michelle Kreisl: Bewusstseinsforschung. Artikel auf www.austria-forum.org/af/Sparkling_Science/Aufsatzsammlung/Bewusstseinsforschung, aufgerufen Oktober 2023.

Die große Frage bei der Beschäftigung mit unseren Waschmaschinen lautet dann, ob es möglich ist, in den Waschvorgang des psychologischen Gehirns einzugreifen, um dadurch den Prozess, der den ersten Eindruck entstehen lässt, beeinflussen zu können. Falls es zutrifft, dass wir die Ergebnisse beeinflussen können, kann das unser Leben verändern – und wir können das Mentale zum Realen formen.

Die gute Nachricht lautet, dass eine Einflussnahme tatsächlich möglich ist, wenn wir die detaillierte Bedienungsanleitung unserer Waschmaschinen lesen lernen.

Es wird darum höchste Zeit, sich beim Studium der First Impression-Leadership-Methodik mit dieser Bedienungsanleitung Kapitel für Kapitel auseinanderzusetzen:

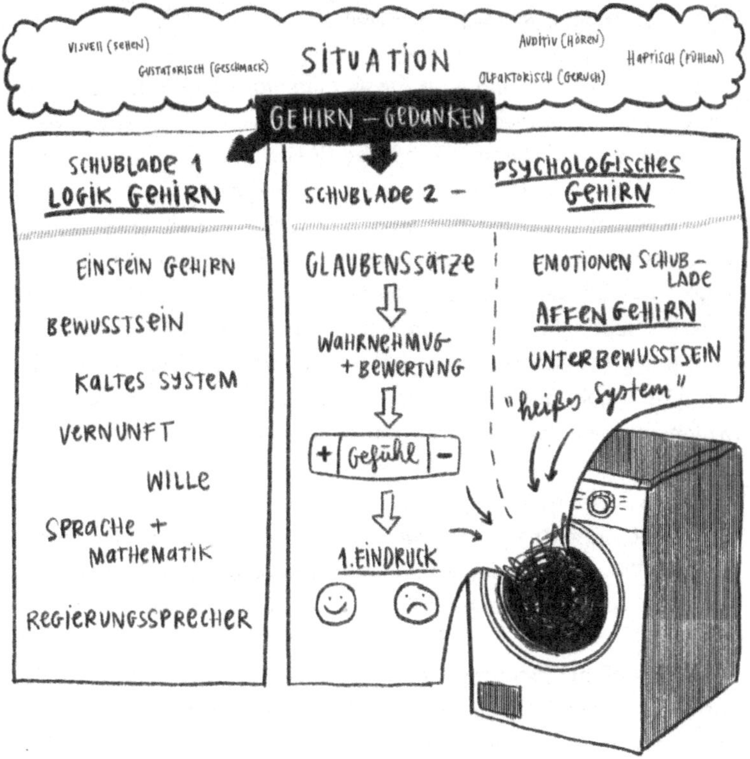

VISUELL (SEHEN)
GUSTATORISCH (GESCHMACK)
SITUATION
AUDITIV (HÖREN)
OLFAKTORISCH (GERUCH)
HAPTISCH (FÜHLEN)
GEHIRN – GEDANKEN
SCHUBLADE 1
LOGIK GEHIRN
EINSTEIN GEHIRN
BEWUSSTSEIN
KALTES SYSTEM
VERNUNFT
WILLE
SPRACHE + MATHEMATIK
REGIERUNGSSPRECHER
SCHUBLADE 2 – PSYCHOLOGISCHES GEHIRN
GLAUBENSSÄTZE
WAHRNEHMUG + BEWERTUNG
+ Gefühl –
1. EINDRUCK
EMOTIONEN SCHUB-LADE
AFFEN GEHIRN
UNTERBEWUSSTSEIN
"heißes System"

Schritt 1: Attention, we have a situation

Alles beginnt am Anfang, und am Anfang war das Wort: Am Anfang steht deshalb immer die Idee. Der Input zur Idee wird uns immer von der Außenwelt gegeben und ist immer kontextbezogen.

Ein Gedanke entsteht somit aus einer Situation, die wir durch die fünf Sinne wahrnehmen: Unsere Umwelt, ob vertraut oder fremd, sendet dabei die ganze Zeit Informationen aus, die wir über die Sinneseindrücke – unsere Augen, die Ohren, die Nase, den Geschmack und die Haptik – wahrnehmen. Wir sehen, hören, riechen, schmecken und fühlen die Welt!

Die Sinneseindrücke, die wir dabei sammeln, treffen nun auf unser Gehirn. Die visuell, auditiv, haptisch, olfaktorisch und gustatorisch aufgenommenen Reize werden im Gehirn verarbeitet und bewusst gemacht.

Damit unser Gehirn uns diese Informationen auch im Neocortex bewusst macht, müssen sie dabei hinreichend wichtig oder neu sein; sind die Informationen dagegen für unser Logikgehirn in erster Linie irrelevant, werden sie im Unterbewusstsein gespeichert, zu dem wir keinen unmittelbaren Zugang haben.

Der Wahrnehmungsprozess besteht also darin, dass wir eine Situation über unsere Sinne auschecken, und in der Folge Gedanken entstehen, die wiederum unsere ganz subjektive Wahrnehmung der Situation abbilden. Diese subjektive Wahrnehmung erzeugt Bewertungsmuster in unserem Gehirn, die wir selbst an der Schwelle zum Bewusstsein über unsere Gefühle wahrnehmen.

Unser Gegenüber nimmt wiederum über die Beobachtung unseres Verhaltens, das sich über Körpersprache, Gestik, Mimik und Worte kommuniziert, unsere Einstellung, unsere Werte, unsere ganze Attitude in und zu einer gegebenen Situation wahr.

Das geschieht nicht nur, wenn es um den ersten Eindruck geht, sondern in jedem einzelnen Moment unseres Lebens auf genau diese Art und Weise! Wenn wir Kommunikation in diesem ganzheitlichen Licht sehen[12], wird deut-

---

[12] Die überlegte Kommunikation, in der wir bewusst die Überzeugung zu steuern versuchen, bezeichnen wir daher auch in Abgrenzung als rhetorische Kommunikation, als Rhetorik.

lich: Man kann nicht nicht kommunizieren![13] Unser Körper ist der größte Schwätzer – und verrät durch sein Geschwätz letztlich unsere Gedanken.

Deshalb stimmt auch: Das, was wir denken, ziehen wir an – und es tendiert außerdem dazu, in unserer Welt zur Realität zu werden.

[13] Vgl. Paul Watzlawick: Man kann nicht nicht kommunizieren. Göttingen 2016. Vgl. auch: Die Axiome von Paul Watzlawick, Artikel auf www.paulwatzlawick.de/axiome.html.

Schritt 2: Das Gehirn und seine Schubladen

Die Informationen der Außenwelt prallen auf unsere Wahrnehmung ein, werden von uns über die Sinne wahrgenommen und dann im Gehirn in Form von Gedanken verarbeitet.

Um zu verstehen, wie wir uns diesen Prozess vorstellen sollen, der letztlich dazu führt, dass wir erste Eindrücke abspeichern, können wir uns die Funktionsweise des Gehirns klarmachen, indem wir uns das Bild eines Hirns vorstellen, das zwei Schubladen besitzt.

Diese Unterteilung lehnt sich an das kalte und heiße System des Gehirns an, die auch von Daniel Kahnemanns, der als Psychologe den Nobelpreis für Ökonomie erhielt, herangezogen wird.[14]

---

[14] Vgl. Daniel Kahneman: Schnelles Denken, langsames Denken. München 2012.

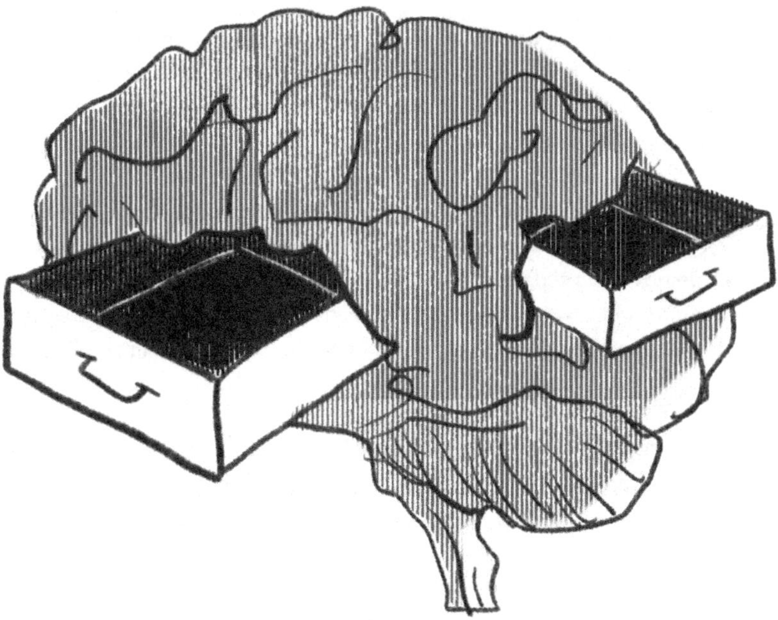

Schublade 1 und das Logik-Gehirn

In Schublade eins, die wir auch als unsere ›Einstein-Schublade‹ charakterisieren können, findet sich das kalte System wieder, das Logikgehirn. Diese Schublade beinhaltet unser Bewusstsein und macht damit die so genannte kalte, berechenbare Kopfdominanz aus.

Das Bewusstsein sorgt dafür, dass du dieses Buch lesen, Ideen entwickeln und daraus Modelle über die Realität erstellen kannst. Dein Bewusstsein ist der Sitz deines IQ und deiner Vernunft; es lässt dich fragen, woher wir eigentlich wissen können, was wir wissen. Es ist dein Bewusstsein, das Theorien über die Welt und deren Funktionsweisen entwirft, und es ist dein Logikgehirn, das Innovationen voranbringt.

Das Logikgehirn ist zudem der Regierungssprecher, der deine Entscheidungen rationalisiert, die in deiner persönlichen Waschmaschine des psychologischen Gehirns in Schublade zwei getroffenen worden sind, und sie legitimiert und anderen erklärt.

Bis heute bleibt allerdings die spannende Frage, wie man sich dabei seiner selbst bewusst werden kann: Die Entstehung des Bewusstseins und wie und wozu genau es sich beim Menschen entwickelt hat, gilt als eines der großen Rätsel der Menschheit.

David Gräber, der Autor des Buches ›Schulden‹[15], stellt die These auf, dass Menschen ein Bewusstsein entwickelt haben, um miteinander Handel treiben zu können. Mit den frühen Tagen des modernen Menschen, so wie wir ihn kennen, entstanden der These zufolge die Mathematik, die Musik – und der Umstand, dass Menschen damit begannen, miteinander Geschäfte zu machen. Der moderne Mensch kaufte und verkaufte also von Beginn an Güter: Um das tun zu können, stellte das Logikgehirn daher die Option bereit, Güter einteilen, aufteilen und messen zu können. Nur durch diese Fähigkeiten wurde Handel ermöglicht. Erst die Arbeitsteilung und die Kooperation untereinander schufen damit die Voraussetzung dafür, in großen Sozialverbänden überleben zu können.

---

[15] Vgl. David Graeber: Schulden: Die ersten 5000 Jahre. Stuttgart 2022.

Anderen Wissenschaftlern zufolge entstand das Logikgehirn dagegen als ein unbeabsichtigtes Produkt anderer Gehirnprozesse und ist in seinem jetzigen Zustand eine nicht absehbare Entwicklung.

Auch wenn die Entstehung des Logikgehirns umstritten bleibt, sind die Menschen unserer modernen Zivilisation jedenfalls sehr stolz auf diese gut funktionierende Maschine. Der Besitz auch des besten Logikgehirns sagt dabei jedoch nur wenig über unseren späteren Erfolg im Leben aus.

Wenn allein das Logikgehirn über Erfolg entscheiden würde, dann müssten doch immerhin die Professorinnen und Professoren dieser Welt die reichsten und glücklichsten Menschen auf dem Planeten sein – das wäre einfach deshalb der Fall, weil es logisch und rational wäre, reich und glücklich zu werden, wenn die Ratio gut funktioniert, und die Personen mit den leistungsfähigsten Logikgehirnen müssten dann logischerweise auch die besten Erfolge vorweisen können.

Wenn unser Logikhirn über unseren Erfolg entscheiden könnte, könnten wir doch wohl bewusst rational vorgehen und sagen: »Hey, heute ist logisch gesehen ein toller Tag: Ich möchte jetzt gut drauf sein!«

Doch hat das schon einmal wirklich funktioniert?

Da es weder sinnvoll und rational vernünftig ist, sich schlecht zu fühlen, müsste unser Logikgehirn doch dafür sorgen, uns zu glücklichen Menschen zu machen?

Obwohl wir vielleicht schlau sind und uns deswegen logisch erklären können, warum wir gerade jetzt echt happy und erfolgreich sein könnten, bleibt vielmehr ein komisches Gefühl bestehen, dass unsere Logik an Grenzen stößt.

Die gelebte Praxis sieht sogar noch schlimmer aus:

Wenn unser Logikgehirn wirklich für unseren Erfolg und unser Glück im Leben entscheidend wäre, dann wäre es doch wohl kaum zutreffend, dass dennoch um die fünfzehn Prozent der Deutschen an psychischen Erkrankungen wie etwa Depressionen leiden.[16]

---

[16] Vgl. das Dossier Anteile der zehn wichtigsten Krankheitsarten an den Arbeitsunfähigkeitstagen in Deutschland im Jahr 2022, auf de.statista.com/statistik/daten/studie/77239/umfrage/krankheit-hauptursachen-fuer-arbeitsunfaehigkeit/, aufgerufen November 2023.

Obwohl uns die Umstände, die ein verfrühtes Ableben befördern, rational gesehen klar sind, wird in unseren Gesellschaften Tabak genossen, Alkohol konsumiert, bis zur Übergewichtigkeit Völlerei betrieben und sich zu wenig bewegt, als gäbe es kein Morgen!

Obwohl wir es alle besser wissen, können wir durch eigene Beobachtungen feststellen, dass Menschen rauchen, trinken, übergewichtig sind und die meisten nach dem Grundsatz leben, dass Sport Mord sei.

Rationales logisches Handeln sieht anders aus!

Obwohl wir über ein Logikgehirn verfügen, scheinen wir faktisch nicht in der Lage zu sein, eine logische Zukunft über lange Zeit vorausschauend planen zu können, selbst wenn wir uns das immer noch gerne einreden möchten.

Unser Gehirn ist immer noch dafür wie gemacht, die Befriedigung der Bedürfnisse, die wir gerade jetzt verspüren, zum obersten Ziel des Verhaltens zu machen – und interessiert sich wenig für die Konsequenzen, die dieses Verhalten für unsere persönliche Zukunft hat.

Das liegt ganz einfach daran, dass unsere Logik und unsere Vernunft unser Verhalten eben nicht maßgeblich steuern können – sondern ein anderer Teil des Gehirns dafür verantwortlich zeichnet und für unser Verhalten ausschlaggebend ist!

Mit Vernunft hat das sehr wenig zu tun, aber sehr viel mit dem Teil des Gehirns, das in Schublade zwei steckt:

Schublade 2 und das psychologische Gehirn

Der psychologische Teil unseres Gehirns, der in Schublade 2 steckt, wird auch heißes System genannt. Im psychologischen Gehirn steckt unser Unterbewusstsein mit all den zahllosen Gehirnvorgängen, die uns tatsächlich maßgeblich am Leben halten.

Vera F. Birkenbihl setzt die Größe unseres Logikgehirns in einem vergleichenden Bild mit einer Strecke von gerade einmal fünfzehn Millimetern gleich. Dagegen hat das Unterbewusstsein, das psychologische Gehirn, im Bild eine Länge von elf Kilometern!

Das macht uns eine wichtige Dimension klar: Der Wirkungsbereich des Unterbewussten ist riesig und ist dabei das Spielfeld unserer zahlreichen Autopiloten im eigenen Kopf. Unser Logikgehirn ist im Vergleich nur der Lichtstrahl einer kleinen Taschenlampe, mit der in den riesigen, elf Kilometer langen Tunnel hineingeleuchtet wird.[17]

Unser psychologisches Gehirn nimmt alles wahr und verarbeitet jede Information. Dagegen ist unser Logikgehirn darauf programmiert, diese Fülle an Informationen zu filtern und uns nur eine äußerst begrenzte Auswahl davon logisch aufzubereiten.

Heute weiß man, dass unser Unterbewusstsein wie bereits gesehen bis zu 11 Millionen Sinneseindrücke pro Sekunde verarbeitet, von denen wir nur etwa 40 bewusst wahrnehmen; wie ebenfalls bereits gesehen schützt uns unser Bewusstsein damit vor einer Überlastung des Logikbereichs.[18]

Daher verarbeiten wir nur dasjenige logisch, was unser Gehirn dabei als relevant herausfiltert. Zuvor nutzen wir einen Algorithmus im Kopf, der die Relevanz unserer Erfahrungen, Neigungen und Interessen abprüft und aufgrund der früheren Erfahrungen in diesen Feldern einordnet – ganz ähnlich den Werbe-Algorithmen von Facebook und Konsorten.

---

[17] Vgl. Vera F. Birkenbihl: Unbewußt/bewußt? Das Denk-Modell: 11 km vs. 15 mm? Artikel auf www.birkenbihldenkt.wordpress.com/2009/08/16/unbewustbewust/, aufgerufen Oktober 2023.

[18] Vgl. Michelle Kreisl: Bewusstseinsforschung. Artikel auf www.austria-forum.org/af/Sparkling_Science/Aufsatzsammlung/Bewusstseinsforschung, aufgerufen Oktober 2023.

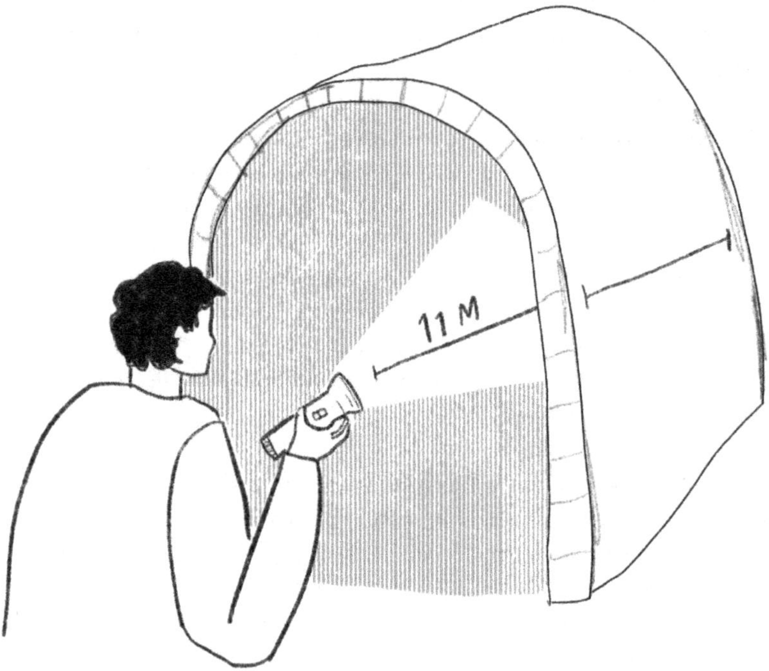
11 M

Die allermeisten Prozesse unseres Daseins verarbeitet und speichert folglich nicht unser Bewusstsein, sondern unser psychologisches Gehirn:

Es macht uns zu dem- und derjenigen, die wir sind. Hier wird unsere ureigene Biographie festgeschrieben, unser Ego; und hier ist auch das gesamte evolutionäre Erbe unserer Gene abgespeichert, ebenso unsere Meme, unsere erworbenen Verhaltensweisen, Erfahrungen, Meinungen und Präferenzen.

Unser psychologisches Gehirn markiert für uns zudem all das, was für unser Überleben und die Fortpflanzung wichtig sein könnte. Dabei wird unser psychologisches Gehirn von unseren persönlichen Autopiloten betrieben.

Einfach ausgedrückt sind diese Autopiloten dafür da, stets unser Überleben zu sichern, unseren genetischen Code umzusetzen und unsere Programmierungen auszuführen. Niemand kann uns exakt sagen, was in den unendlichen Weiten schlummert, die unsere Autopiloten durchqueren: Sie bringen dabei jedenfalls unsere Erfahrungen, unsere Prägungen und unser evolutionäres Erbe zur Geltung, um unser Überleben zu sichern, was im Ergebnis zu dem Verhalten führt, das unser Leben kennzeichnet – und das andere beobachten können.

Ist unser psychologisches Gehirn in Schublade 2 gestört, entgleitet uns unser Leben in durchschlagender Art und Weise. Der Gehirnforscher Antonio Damasio geht in seinem Buch ›Descartes Irrtum‹ der Geschichte von Phineas P. Gage nach, um einen solchen Prozess zu beschreiben:

Gage arbeitete als Vorarbeiter bei der amerikanischen Eisenbahngesellschaft ›Rutland & Burlington Railroad‹ in Vermont und hatte am 13. September 1848 einen schweren Unfall. Bei einer Sprengung, die Gage vorgenommen hatte, schoss eine etwa ein Meter und zehn lange und drei Zentimeter dicke Eisenstange von unten nach oben durch seinen Schädel und verursachte dabei einen großen Wundkanal. Die Stange trat unterhalb des linken Wangenknochens in den Kopf ein – und oben am Kopf wieder aus.

Während des Unfalls blieb Gage bei Bewusstsein und war auch später in der Lage, über den gesamten Hergang des Unfalls zu berichten. Er überlebte den Unfall und die Wunden heilten, wobei lediglich sein linkes Auge durch den Unfall irreversibel zerstört worden war. Nach Angaben seines Arztes John D. Harlow war Gage nach wenigen Wochen körperlich wiederhergestellt, wobei auch seine intellektuellen Fähigkeiten einschließlich der Wahrnehmung, Gedächtnisleistung, Intelligenz und Sprachfähigkeit sowie seine Motorik scheinbar völlig intakt waren.

In der Zeit nach dem Unfall kam es jedoch bei Gage zu auffälligen Persönlichkeitsveränderungen: Aus dem besonnenen, freundlichen und ausgeglichenen Gage wurde ein kindischer, impulsiver und unzuverlässiger Mensch!

Der Unfall des Phineas P. Gage wurde genau deshalb für die neurowissenschaftliche Forschung von großer Bedeutung: Das Krankheitsbild, an dem Gage offenbar doch nach dem Unfall zu leiden hatte, ist heute in der Neurologie als Frontalhirnsyndrom bekannt. Beim Unfall wurde offenbar der Teil des Gehirns von Gage verletzt, in dem das Unterbewusstsein beheimatet ist.

Die Persönlichkeitsveränderung des Patienten zeigte in aller Deutlichkeit auf, dass die Persönlichkeit im psychologischen Gehirn geprägt wird – und eine Verletzung des entsprechenden Teils des Gehirns zu massiven Persönlichkeitsstörungen führt.

Auch gewollte Veränderungen unserer Persönlichkeit können daher nur dann gelingen, wenn wir sie in unser psychologisches Gehirn implementieren können!

Dafür müssen wir die Bedienungsanleitung des Unterbewusstseins verstehen – worauf später noch eingegangen werden muss – und können dann erstaunliche Ergebnisse erzielen:

Mit dem Konzept der Hypnose kann man etwa in die persönliche Vergangenheit zurückkehren und in den Tiefen unseres elf Kilometer langen Tunnels lange Verborgenes und Unbewusstes ausgraben und erneut an die Oberfläche bringen.

Um die Möglichkeit zu Veränderungen zu verstehen, müssen wir dabei nicht nur die Wirkweisen des Unterbewusstseins ergründen, sondern auch dessen gleichzeitiges Zusammenspiel mit dem Logikgehirn.

Das psychologische Gehirn ist stets der Ausgangspunkt und unsere ursächliche Entscheidungsinstanz: Es ist die ›Judikative‹, die eigentliche gesetzgebende Gewalt in jedem menschlichen Gehirn, und beheimatet zugleich unsere Intuition. In Schublade zwei also wird unser Leben verhandelt – doch wird es vom Logikgehirn als unserem ›Regierungssprecher‹ legitimiert.

»Alles, was wir sind, ist das Ergebnis unserer Gedanken«, überlegte der Dichter Herrmann Hesse. »Was wir denken, dazu werden wir.«[19] So weit, so gut: Aus unserer subjektiven Wahrnehmung der Welt entstehen tatsächlich durch die Verarbeitung von Informationen in den beiden Schubladen des Gehirns unsere Gedanken.

Dabei müssen wir jedoch grundsätzlich zwischen den bewussten und unbewussten Gedanken unterscheiden: Laut wissenschaftlichen Studien denken wir Menschen sechzigtausend Gedanken am Tag, wobei fünfundneunzig Prozent dieser Gedanken unbewusst entstehen.[20]

Es ist deswegen ohne Zweifel richtig, dass unser psychologisches Gehirn den Ton angibt, wenn es um unser Werden und Sein geht – auch wenn wir (nur) den Teil unserer logischen Gedanken bewusst wahrnehmen können und deshalb gerne subjektiv glauben, dass dieser Anteil überwiegt. »Der Geist ist alles«, mit diesem Mittelsatz hatte Hesse einst die beiden Zitate von oben verbunden – doch da irrte er gewaltig.

Auch wenn unser Logikgehirn natürlich permanent im Austausch mit dem psychologischen Gehirn steht, so ist unser Denken doch nicht so frei, wie wir wohl gerne hätten: Vielmehr ist es determiniert durch den Vorgang unserer Wahrnehmung im Unbewussten des psychologischen Gehirns.

Wir nehmen zunächst alles über unsere Sinne wahr, sei es nun eine Situation oder eine Idee – und unsere Waschmaschine regelt zunächst im Schleudergang, wie die Informationen zu bewerten sind. Dabei werden automatische Verarbeitungsprozesse gestartet und Gefühle erzeugt, und unser Logikgehirn erhält sein Quäntchen an Information, das es auf der Sachebene verarbeiten darf.

---

[19] Zitiert nach www.zitatezumnachdenken.com/buddha/385, aufgerufen November 2023.

[20] Vgl. Markus Schubert: 95% unserer Entscheidungen trifft unser Unterbewusstsein. Artikle auf www.conoscope.de/95-unserer-entscheidungen-trifft-unser-unterbewusstsein/#:~:text=Neurowissenschaftliche Erkenntnisse zeigen%2C dass ca,Denkleistungen und Entscheidungen unbewusst ablaufen aufgerufen November 2023. Vgl. auch: Artikel Denken und Neuroplastizität, auf www.neuromentaltraining.com/neuro-blog/denken-neuroplastizitaet/#:~:text=Dabei laufen im Gehirn und,60.000 bis 80.000 Gedanken denkt aufgerufen November 2023.

Beobachtbar ist dabei nicht das, was die Ratio entscheidet – sondern unser unmittelbares Verhalten, dass direkt dem psychologischen Gehirn entspringt.

Unser Verhalten – und damit auch die Reaktionen auf emotionaler Ebene! – kann unser Gegenüber wiederum in seine eigene Waschmaschine hineinschleudern – und dann auf unser Verhalten, das unsere Idee oder die Reaktion auf eine Situation spiegelt, selbst reagieren. Dabei werden die feinen Antennen genutzt, mit denen wir auch die Emotionen wahrnehmen können, die nicht auf der Sachebene verhandelt werden.

Unser Gespür für die Gefühle ist deswegen das Navigationsgerät, mit dem wir angemessen reagieren und wiederum in passendes Handeln kommen.

Unsere First Impression-Leadership-Methode muss sich deshalb damit befassen, das psychologische Gehirn effektiv einzusetzen und das Unbewusste bewusst anzusprechen, damit wir auf das Gegenüber auf eine Weise wirken, die uns den Erfolg im Verkauf ermöglicht.

Wie gelingt uns das so gut, dass wir in der Folge in den Kreis des einen Prozents der Topverkäufer aufsteigen können? Die Antwort finden wir in den verschiedenen Programmen der inneren Waschmaschine, die wir in der Folge nutzen und beeinflussen:

Die Programme der inneren Waschmaschine

Stellen wir uns vor, wie wir im Januar 2020 eines schönen Morgens aufwachen, die Zeitung aufschlagen – und damit beginnen, etwas wahrzunehmen, als wir den Leitartikel lesen, der von einem neuartigen Virus handelt. Über dieses ›Corona-Virus‹ lesen wir heute zum ersten Mal:

Über das Virus sei noch wenig bekannt, und noch weniger wussten wir davon. Unser Logikgehirn erhält jetzt, durch die Lektüre des Zeitungsartikels, Informationen über das Virus; und weil wir Freunde in Bayern haben, wo das Virus aufgetreten ist, fühlen wir uns direkt mit der Corona-Situation konfrontiert.

Wir erhalten Zahlen, Daten und Fakten zum Thema: Sie sind zunächst nichts weiter als neutrale, unbewertete Informationen, und würden wir unsere Zeit abgeschottet auf dem Mond verbringen und niemals auf die Erde zurückkehren, dann bliebe Corona wohl eine Sache, der wir keine Empfindung entgegenbringen, weil wir weder davon gehört hätten noch einen Bezug dazu entwickeln würden.

Wir leben allerdings nicht wirklich auf dem Mond und sind deshalb in noch unbestimmter Weise betroffen – und bald werden wir feststellen, dass es einerseits Personen auf dieser Welt gibt, die denken, dass es Corona gar nicht gäbe, anderseits aber auch diejenigen, die Corona schlimmer als Ebola einstufen.

Wie finden wir zu unserer eigenen Meinung zum Sujet? Woher kommt es, dass verschiedene Menschen und Gruppen zu verschiedenen Meinungen finden? Wie entstehen die Denk- und Verhaltensmuster und wie finden die Menschen ihre Einstellungen zu verschiedenen Sachverhalten – gerade, wenn theoretisch dieselben Informationen vorliegen und wir im Beispiel davon ausgehen wollen, dass alle denselben Leitartikel lesen?

Die Antworten beginnen damit: Alle Leserinnen und Leser werfen ihre Wahrnehmung in ihre persönliche Waschmaschine im Kopf. Die Reize werden dabei über die Sinne im Gehirn wahrgenommen. Im psychologischen Gehirn wird der zunächst neutrale Reiz in das Spülprogramm der angeborenen Temperamente, der programmierten Verhaltensweisen, der gemachten Erfahrungen und der persönlichen Präferenzen, der Denk- und Verhaltensmuster des Überlebens und der Fortpflanzung gesteckt und einmal kräftig durchgeschleudert.

Das Ergebnis des Waschvorgangs verändert den Reiz: Aus dem Schleuderprogramm geht ein bewerteter Reiz hervor, der Gefühle hervorruft, die wiederum ein Verhalten auslösen.

Je nachdem, wie der persönliche Waschvorgang abgelaufen ist, wird der ursprünglich identische neutrale Reiz nach dem Schleuderprogramm verschiedenartige Reaktionen auslösen, deren Bandbreite enorm ist, und die ebenfalls extrem unterschiedliches Verhalten in den unterschiedlichen Menschen auslösen!

Das betrifft natürlich nicht nur das kontroverse Thema Corona. Die Waschmaschine des psychologischen Gehirns verändert die neutralen Informationsreize und sorgt im Ergebnis für unterschiedliche Filterblasen jeder Variation in allen relevanten Themenbereichen, derer wir uns bewusst werden können.

Ob zu den Themen Familie, Finanzen, Beruf, Politik, Fitness oder Freizeit, stets machen wir uns Gedanken, die so unterschiedlich (oder auch ähnlich) sind wie die Menschen selbst, und die vornehmlich in den Waschmaschinen unserer psychologischen Gehirne geboren werden.

Das bewusste Denken spielt bei der Genese der Gedanken eine marginale Rolle, weil jedes unserer Gehirne beim bewussten Denken mit dem Logikgehirn fast zwanzig Prozent der gesamten Körperenergie verbrauchen würde, was wiederum evolutionär gesehen nicht sinnvoll sein kann und deshalb nicht stattfindet.

Dass das bewusste Denken evolutionär betrachtet keine sinnvolle Strategie ist, weil dafür viel Energie aufgewendet wird, zeigt sich dann, wenn uns dieses Denken Stress bereitet:

Viele Menschen erleben diesen Denkstress etwa beim Lernen auf eine Prüfung. Bereits nach kurzer Zeit des Paukens fühlen sie sich absolut erschöpft; der Körper beginnt, nach Schokolade und Cola zu schreien, weil er nach Energie für das anstrengende Denken verlangt.

Um genau diesen Energiemangel zu vermeiden, versucht unser Gehirn im Alltag, unsere Denkprozesse wo immer es geht zu automatisieren und in unser Unterbewusstsein auszulagern.

Das hilft dem System dabei, sehr viel Energie zu sparen.

Dass darum die meisten Vorgänge des Denkens energieeffizient im Unterbewusstsein des psychologischen Gehirns als Denkautomatismus erfolgen, führt dazu, dass die Menschen die Welt unterschiedlich bewerten, wird die Wahrnehmung doch dort in die persönliche Waschmaschine geworfen. Aus diesen Bewertungen heraus gelangen wir zu den Ergebnissen, die wir dann mit unserem Logikgehirn rationalisieren und nun zum Teil unserer Lebenswirklichkeit machen.

Unsere Waschmaschine besitzt dabei unterschiedliche Waschprogramme:

Das erste Programm bedient den Schleudergang der angeborenen Temperamente und der Arterhaltung. Es wird ab Werk geliefert – denn als wir geboren worden sind, haben wir es schon mit auf diese Welt gebracht. Jedes Kind hat das grundsätzliche Programm in seinen Genen, wobei eine spezifische, einzigartige Variante des Programms determiniert ist: Befragt man Eltern mit zwei oder mehreren Kindern, werden sie meist berichten, wie unterschiedlich ihre Kinder im Detail auf ein und dieselbe Situation reagieren, sodass deutlich wird, wie unterschiedlich die Ergebnisse ausfallen, die auf einer unterschiedlichen Programmierung basieren.

Zum genetisch bedingten Temperament gesellen sich zudem die vererbten Denk- und Verhaltensprogramme, die im Dienste der Arterhaltung stehen. Sie haben zur Folge, dass man sich nicht erst Gedanken über den Sinn des Lebens machen braucht, um eine Existenz zu haben: Das Überleben und die Erhaltung der Spezies erfüllt den ersten Zweck einer Existenz.

Wenn wir dies gewährleisten, ist unsere Existenz aus Sicht des psychologischen Gehirns zunächst einmal in Ordnung, da wir diese Existenz bis heute fortführen, indem wir bis heute überlebt haben und somit am Erhalt der Spezies mitwirken; unsere Persönlichkeit ist aus dieser Perspektive vollkommen in Ordnung, wenn uns dieses Verhalten glückt und gelingt.

Daher sollten wir die Bewertung der Persönlichkeit auch stets vom beobachtbaren Verhalten einer Person trennen, um der Person gerecht zu werden.

Um das beobachtbare Verhalten der Person geht es jedoch, wenn danach gefragt wird, ob und wie wir die beruflichen Ziele erreichen und Ergebnisse im Verkauf produzieren.

Eine Person kann ein wunderbarer Mensch sein, doch wenn es ihr nicht gelingt, ein bestimmtes Verhalten auszuführen, entsteht ein Problem: Wenn wir auf diese Weise im Verkauf nicht ins passende Handeln kommen, werden wir nichts verkaufen; wir sind dann zwar persönlich nach wie vor toll, aber eben kein Verkäufer und keine Verkäuferin.

Wenn wir diese Unterscheidung ernst nehmen, müssen wir übrigens zum Schluss gelangen, dass die meisten Menschen kein Persönlichkeitstraining benötigen, aber vielmehr ein Verhaltenscoaching!

Der erste Waschgang der Temperamente und Denkmuster des Überlebens und der Fortpflanzung wird vom zweiten Programm der Waschmaschine ergänzt: In dessen Schleudergang wirken unsere erworbenen Präferenzen, Prägungen und Erfahrungen und der Bereich der Meme.

Sind unsere Waschprogramme durchgelaufen, entsteht im Ergebnis das, was unsere persönliche Attitude ausmacht. Unsere Attitude definiert im Folgenden unsere mentalen Einstellungen und Werte gegenüber bestimmten Kontexten – und kann uns danach im Logikgehirn bewusst gemacht werden.

Unsere Waschmaschine produziert dabei aus den permanenten Reizen ebenso permanent Gedanken, um sie durch die Programme gleichsam zu bewerten und mit einem Gefühl zu verbinden, das uns auf diese Art und Weise ins Bewusstsein gebracht wird.

Je nachdem, wie weit wir unser Bewusstsein entwickelt haben, bekommen wir nun die Gelegenheit, uns bewusst zu machen, worum es gerade geht – und zu fragen, warum wir über einen Sachverhalt so denken, wie wir denken.

Ist unser Denkprozess so weit fortgeschritten, bekommen wir sogar die Chance, uns selbst bewusst zu hinterfragen: Können wir einen Sachverhalt nicht auch anders sehen?

Sind wir dazu in der Lage, können wir uns auch schließlich fragen, warum unsere Gegenüber einen speziellen Sachverhalt anders sehen als wir es selbst tun.

Indem wir uns somit unseres Denkens bewusst werden und dabei gleichzeitig verstehen, wie die Prozesse des Denkens aufgebaut sind, werden wir zum ›Programmdirektor‹ unserer eigenen Wahrnehmung.

Es ist uns dann sogar möglich, die Ergebnisse der Waschmaschinenprogramme im psychologischen Gehirn als Sachverhalte neu zu bewerten, wobei eine Wechselwirkung entsteht:

Der Input des Logikgehirns kann im Ergebnis andere Emotionen erzeugen, die wiederum im psychologischen Gehirn entsprechend verarbeitet werden, um im Anschluss in die Waschmaschinenprogramme einzufließen! Dies führt letztlich dazu, dass wir anders über eine Sache denken, fühlen und handeln als zuvor.

Mit unserem Logikgehirn ist es uns möglich, über den Prozess der Reflexion und Achtsamkeit Denkweisen – und in der Folge auch Verhaltensweisen! – zu hinterfragen und sie mit ein wenig Übung zu unseren Gunsten zu verändern. Wir sind damit kein hilfloses Opfer unserer Genetik oder schlechter Rahmenbedingungen während unseres Heranreifens zum Erwachsenen; wir sind kein einfaches Ergebnis unserer Umstände, weil wir die Fähigkeit entwickeln können, uns in gewisser Weise neu zu erfinden. Weil wir diese Fähigkeit erlernen können, bleiben wir nicht das Ergebnis der Umstände – sondern machen die Umstände zu einem Ergebnis unserer selbst![21] Dafür bedarf es jedoch des ständigen mentalen Trainings und des Vorgangs der Bewusstmachung seiner selbst.

In dem Maß, in dem wir uns dabei selbst reflektieren können und achtsam werden, werden wir uns auch in unserer Persönlichkeit entwickeln.

Je bewusster du dir deiner selbst wirst, desto größer ist deine Persönlichkeit!

Um ein entsprechendes Persönlichkeitswachstum zu ermöglichen, müssen wir dabei lernen und verstehen, unter die Wasseroberfläche unseres eigenen Eisbergs zu blicken und all die versteckten Verhaltensmechanismen zu studieren, die uns und andere ausmachen. Wenn wir dabei lernen, wie wir sie verändern können, werden wir uns selbst und andere so führen, dass am Ende das von uns gewünschte Ergebnis eintritt.

Es wird Zeit, uns mit der spezifischen Neuprogrammierung der First Impression-Leadership zu befassen, die auf dieser Reflexion basiert, und dabei noch weiter in unseren eigenen Kopf einzutauchen:

---

[21] Vgl. Benjamin Disraeli: »Der Mensch ist nicht ein Werk der Umstände, sondern die Umstände sind ein Werk des Menschen.« Zitiert nach www.aphorismen.de/suche?f_autor=1088_Benjamin+Disraeli, aufgerufen November 2023.

Grundsätzlich können wir uns unser Gehirn wie eine große Suchmaschine vorstellen, in der wir die Faktoren suchen, die uns zu einem Ziel führen.

Wenn wir bei Google etwas eingeben, liefert uns die Suchmaschine sofort das gewünschte Suchergebnis.

Bei uns Menschen ist es ähnlich: Mit einer Information konfrontiert, wird die Waschmaschine angeworfen und bringt mit den genetischen und erworbenen Programmen der Schleudergänge die Gedanken hervor, von denen uns allerdings die wenigsten bewusst zugänglich sind.

Das ist bei Google aber auch nicht anders, wo uns ebenfalls nur die relevanten Treffer angezeigt werden: Dementsprechend können wir nunmehr auch die relevanten Ergebnisse der Waschmaschine betrachten und feststellen, ob die Gedanken uns unseren Zielen näher bringen oder nicht.

Den Algorithmus, mit dem Google die Ergebnisse auswählt, sehen wir auf der Google-Seite nicht; genauso wenig hat unser Gehirn die Waschmaschine so gebaut, dass wir hinter die Programmierung blicken können.

Weil unser Gehirn stattdessen möglichst viel Energie sparen möchte, sehen wir nur auf der Benutzeroberfläche – nämlich den Ergebnissen in unserem Leben –, was die Suche uns empfohlen hat, so wie wir auch in der Google-App nicht die Programmierung, sondern die Ergebnisse betrachten können.

Die Programme, die im Hintergrund arbeiten und automatisch ablaufen, können wir nicht direkt sehen, sondern nur anhand der Ergebnisse auf ihre Funktionsweise schließen.

Was also passiert im psychologischen Gehirn, während die Waschmaschine ihre Schleuderprogamme ausführt, damit am Ende des Prozesses unser für andere Menschen beobachtbares Verhalten entsteht, und damit unser erster Eindruck wirkt?

In einer Analyse, in der wir den Prozess vorwärts wie rückwärts betrachten und dabei Schlüsse ziehen, kommen wir den Programmteilen auf die Spur, die den ersten Eindruck erzeugen.

Dabei verfolgen wir, dass unser Gehirn zunächst eine aktive Beobachtung macht und damit eine Information erhält, die über die Sinne aufgenommen wird, und diese Information durch die Waschmaschine schleudert, bis sie im Logikgehirn landet, wo wir sie uns bewusst machen können.

Auf der Sachebene fragt das Logikgehirn immer zuerst, wie die Sache einzuordnen ist.

In der Auseinandersetzung der Sache können wir unser Denken wiederum beeinflussen: Von der Sachebene wird die Information dann wieder zurück zum psychologischen Gehirn geleitet und kommt dort in die Waschmaschine, in der jetzt die Programme der First Impression-Leadership-Programmierung ablaufen.

Folgende Programme können wir uns bewusst machen und später als Programmierung auch unbewusst verinnerlichen:

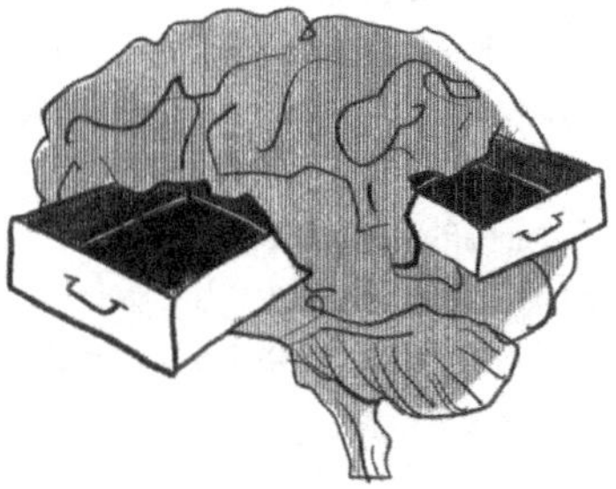

Programm 1: Glaubenssätze und das Shaping der Attitude

Im ersten Programm der First Impression-Leadership, das wir in unsere Waschmaschinen einspeisen müssen, geht es um die Ausgestaltung der richtigen Attitude. Dieses Shaping beachtet bestimmte Werte, die die Einstellungen gegenüber einer Sache prägen, egal ob es dabei um Urteile, Präferenzen oder Meinungen geht.

Letztlich heißt das, uns mit den so genannten Glaubensätzen auseinanderzusetzen.

Glaubenssätze sind automatisierte Denkmuster, die mit tiefenwirksamer Bedeutung in unser psychologisches Gehirn eingebrannt sind und werden. Glaubenssätze enthalten und sind dabei die Essenz, die wir aus Erfahrungen, Meinungen und Überzeugungen gewonnen haben.

Die Glaubenssätze sind wirkungsmächtig, aber nicht etwa, weil sie richtig oder falsch, gut oder schlecht oder besonders wahr sind – sondern deshalb, weil unsere Gehirne davon ausgehen, dass sie stets die richtige Medizin für ein gedankliches Problem enthalten.

Da die Glaubenssätze dabei nicht durch ihre Substanz wirken, sondern allein durch die Kraft des Glaubens, wirkungsmächtig zu sein, handelt es sich um die Placebos unserer Gedanken.

Der Placebo-Effekt tritt auf, wenn man jemandem, der glaubt, ein Medikament einzunehmen, in Wirklichkeit eine Pille ohne jeden Wirkstoff verabreicht, der Patient nach der Einnahme des Placebos aber trotzdem gesund wird.[22]

Dasselbe passiert mit den Placebos im Gehirn und dokumentiert letztlich die Macht von Glaubenssätzen – die auch in unserem Denken wirksam sind.

Ein Gehirn-Placebo könnte lauten, dass gerade du es verdient hast, viel Geld zu verdienen! Das Placebo deiner Gedanken wird dann mit großer Wahrscheinlichkeit dazu führen, dass du mehr Geld haben wirst als die Mehrheit der Bevölkerung – wenn du wirklich daran glaubst.

[22] Vgl. Robert B. Dilts: Die Veränderung von Glaubenssystemen: NLP Glaubensarbeit. Paderborn 1994, S.27.

Glaubst du wirklich, etwas zu erreichen, dann wirst du viel weiter kommen als jemand, der nicht daran glaubt. Weshalb das so ist, bleibt aus wissenschaftlicher Sicht ein Phänomen, gilt jedoch als gut belegt.

Die Funktion des Glaubens schließt die Aktivierung von Fähigkeiten und Verhaltensweisen ein[23], doch haben die Glaubenssätze ausdrücklich nicht zum Ziel, der Realität zu entsprechen.

Was das heißt, zeigt folgende Beispiel:

Ein Patient glaubt, er sei eine Leiche. Er isst daher nicht und geht nicht zur Arbeit; er sitzt einfach nur die ganze Zeit über da – und behauptet, er sei eine Leiche. Sein Psychiater versucht, den Mann davon zu überzeugen, dass er nicht wirklich tot ist. Beide streiten sich lange über diese Frage.

Schließlich fragt der Psychiater den Mann, ob Leichen bluten. Der Mann denkt einen Augenblick lang nach und antwortet dann: »Nein, das glaube ich nicht.« »Also gut, dann wollen wir jetzt einmal ein Experiment machen«, antwortet der Psychiater. »Ich werde eine Nadel nehmen, ihnen damit in den Finger stechen und schauen, ob es blutet!«

Da der Patient eine Leiche ist, kann er nicht viel dagegen einwenden. Der Psychiater sticht ihm also eine Nadel in den Finger, und der Finger des Mannes fängt an zu bluten. Nun schaut der Patient sich mit völliger Verblüffung an, wie Blut aus der Wunde tropft. »Verdammt! Leichen bluten tatsächlich!«[24]

Die Geschichte illustriert uns den Punkt, um den es hier geht: Glaubenssätze formen ihre eigene Realität im Menschen. Selbst Beweise oder gute Argumente des Logikgehirns sind nicht automatisch in der Lage, Glaubenssätze zu ändern, wenn sie tief im psychologischen Gehirn verwurzelt sind![25]

Das ist wohl deshalb der Fall, weil die Glaubenssätze im Unterbewusstsein zu Faktoren erhoben werden, die das Überleben sichern sollen: Weil wir bis heute überlebt haben und eben dieses Überleben der Zweck der biologischen Existenz ist, hat unser psychologisches Gehirn allen Grund dazu anzunehmen, dass das, was wir glauben, auch richtig ist – der Beweis dafür

---

[23] Vgl. ebenda, S.28.

[24] Vgl. ebenda, S.23.

[25] Vgl. ebenda.

liegt ja darin, dass wir mit den entsprechenden Glaubenssätzen faktisch bis hierher überlebt haben!

Der Zweck von Glaubenssätzen besteht dann darin, eine Motivation und eine Vision zu begründen, die für die Zukunft wirken.

Auf deren Basis kann sich tatsächliches Verhalten entwickeln und optimiert werden, sodass es schließlich auch unseren Erwartungen an ein Ergebnis entspricht.[26]

[26] Vgl. ebenda, S.31.

Grundsätzlich gilt dann für alle Arten von Glaubenssätzen, dass man nicht an sie im vermeintlichen Wortsinn glaubt oder glauben muss, sondern vielmehr die eigene Realität durch sie beschreibt.

Die Glaubenssätze sind dann eine Sammlung von Prinzipien, mit der eine Person oder eine Sache eingeordnet werden kann, indem sie diese Person oder Sache so definieren, dass damit umgegangen werden kann.

Unsere ersten Glaubenssätze verinnerlichen wir deshalb bereits im frühen Alter, nämlich in unseren ersten sechs bis acht Kinderjahren.

Unsere frühen Gehirnplacebos erwerben wir somit in einer Lebensphase, in der unser Gehirn wie ein Schwamm alles noch weitgehend ungefiltert aufnimmt. Gleichzeitig wird unsere Software im Kopf in diesen Jahren ausprogrammiert.

Dabei werden unsere Denk- und Verhaltensmuster durch ständiges Imitieren und Wiederholen des Verhaltens der Eltern und anderer wichtiger Personen unseres Umfelds geformt.

Nicht zuletzt erwerben wir dabei die so genannte Muttersprache, die wir zuvorderst durch die Kommunikation und Imitation von und mit den Personen übernehmen, mit denen wir als Kind die meiste Zeit verbringen.

Durch das prototypische Lernen, das in der Wechselwirkung mit einem konkreten Gegenüber erfolgt, übernehmen wir dabei auch negative oder positive Sprachmuster des Gegenübers, das somit unseren Spracherwerb prägt. Dabei erlernen wir auch die Nuancen der Kommunikation, die die Persönlichkeit des Sprachpartners prägen, bis hin zu den Denkmustern, da unsere Sprache stets auch Gedanken und Gefühle ausdrückt.

Je nachdem, ob wir eine optimistische, fröhliche und begeisterte Person um uns hatten oder einen pessimistischen Menschen, eignen wir uns dabei auch den Optimismus und Pessimismus, oder allgemeiner gesagt, eine bestimmte Wahrnehmung der Welt an, mit der wir in keinem Fall genetisch geboren worden sind.[27]

»Zeige mir die fünf Menschen, mit denen du die meiste Zeit verbringst, und ich sage dir, wer du bist!«, das gilt besonders für die Zeit, in der unsere Glaubenssätze geprägt werden.

---

[27] Vgl. Martin E.P. Seligmann: Pessimisten küßt man nicht. Optimismus kann man lernen. München 1991, auf www.docplayer.org/9682297-Pessimisten-kuesst-man-nicht.html, aufgerufen Oktober 2023.

Die Lernphase, in der wir besonders leicht lernen, dauert dann noch eine Weile an: Das Gehirn befindet sich während dieser Zeit in seinem Super-Lernmodus, in dem Kinder leicht zwei, drei oder sogar vier Sprachen gleichzeitig lernen können.

Doch je länger wir lernen, desto mehr Glaubenssätze eignen wir uns dabei ebenfalls an.

In unseren späteren Jahren werden die Glaubenssätze dann in einer Feedbackschleife erhitzt, erprobt und mit emotionaler Wirksamkeit versehen.

Sprichst du etwa in dieser Zeit vor anderen Menschen auf einer Bühne, machst du etwa die Erfahrung, dass das Publikum lacht. Diese zunächst neutrale Information nimmst du dabei bewusst wahr: Nun denkst du darüber nach, wobei deine Glaubenssätze dieses Denken lenken und dazu führen, dass du deine Erfahrung bewertest.

Diese Bewertung fällt entweder positiv aus – »Die anderen lachen, weil sie mich lustig finden, das ist schön!« oder negativ – »Die anderen lachen mich aus, weil ich schlecht bin! Das ist schrecklich!«.

Deine subjektive Bewertung, die unabhängig von der tatsächlichen Realität vorgenommen wird, löst eine Emotion aus: Ist diese Emotion negativ, wird dein Glaubenssatz negativ konnotiert und lässt dich annehmen, dass du nicht vor anderen sprechen kannst. Ist die Emotion positiv, dann wirst du aufgrund eines positiven Glaubenssatzes überzeugt davon sein, dass dir das Sprechen vor Publikum Spaß macht und andere dich gut finden; in der Folge wirst du davon mehr haben wollen und dich gerne vor anderen präsentieren, während du im umgekehrten Fall eine Aversion gegen das Sprechen vor Publikum entwickelst.

Über die Glaubenssätze bilden sich über die Zeit auf diese Weise unsere spezifischen persönlichen Meinungen und Urteile heraus, die unser Denken prägen.

Letztlich liegt es dann an den Gehirnplacebos unseres Denkens, wie wir die Welt sehen und einordnen. Das Umfeld, in dem wir aufgewachsen sind, und die Menschen, mit denen wir uns darin umgeben haben, sind dabei entscheidend wichtig. Sie haben unsere Glaubenssätze beeinflusst und prägen heute immer noch unsere zukünftigen Resultate.

Wir sollten verstehen, dass die Glaubenssätze, egal ob sie nun positiv oder negativ sind, dabei letztlich immer von einem Prinzip der Einschränkung gekennzeichnet sind. Wer in seinem Denken von Glaubenssätzen bestimmt wird, kann sich ja nicht mehr frei entscheiden, wenn ein neuer Gedanke eingeordnet werden muss!

Glaubenssätze sagen uns daher letztlich immer, was sein kann und was nicht – und weil sie dabei bereits ausformuliert sind, teilen sie unsere Welt in eine binäre Wahrnehmung auf.

In den Situationen, in denen es um unser Leben geht, ist es sehr nützlich, zu dieser schnellen binären Entscheidung fähig zu sein – allein, in den wenigsten Situationen, die uns heute begegnen, geht es um dieses Überleben.

Die Überzeugungen der Glaubenssätze beschränken daher die Art und Weise, wie die Dinge sind, die wir wahrnehmen. Sie können uns damit auch dabei lähmen, Veränderungen als solche wahrnehmen zu können.

Glaubenssätze sorgen nicht nur dafür, dass wir letztlich binäre Gedanken denken, sondern sind gleichzeitig auch Denkabkürzer.

Das ist evolutionär gesehen ebenfalls sinnvoll, weil die Abkürzungen dafür sorgen, dass weniger Körperenergie verbraucht wird. Deshalb hat unser Gehirn bereits im frühen Kindesalter damit begonnen, unsere Denk- und Verhaltensgewohnheiten abzuspeichern, um die Muster als Blaupausen jederzeit mit geringstem Aufwand für eine Interpretation der Wirklichkeit heranzuziehen.

Es ist evolutionär betrachtet schlau von unserem Gehirn, das zu tun, doch wenn die Placebos in uns wirken und dadurch folgenschwere Entscheidungen treffen, ohne dass wir diese Entscheidungen als Folge der unerkannten Placebos wahrnehmen, denkt einzig der Teil von uns, der unbewusst funktioniert: Wir werden dann von dem Teil unseres Ichs gesteuert, das nicht daran interessiert ist, die Wirklichkeit neutral zu betrachten, sondern bereits eine möglicherweise fatale Vorauswahl der Interpretationen getroffen hat.

Dann wirken Meinungen, Glaubenssätze und Urteile aus den unergründlichen Tiefen unseres psychologischen Gehirns – und was wir dabei glauben wird uns auch begegnen!

Ein Laborexperiment zeigte auf, zu welchen Abweichungen die Anwendung der Glaubenssätze in der Wahrnehmung der Realität führen kann. Dabei wurden zwölf Studierenden jeweils fünf Laborratten anvertraut, die wiederum alle aus derselben Rattenfamilie abstammten.

Der einen Hälfte der Studierenden wurde nun mitgeteilt, ihre Ratten seien speziell dafür gezüchtet worden, einen Irrgarten besonders schnell zu durchlaufen; der anderen Hälfte wurde gesagt, ihre Ratten seien so gezüchtet worden, dass sie als dumme Tiere Probleme haben würden, den Irrgarten zu durchqueren.

Obwohl die Ratten in der Realität alle vom gleichen genetischen Stamm abstammten, zeigten jene Ratten, deren Versuchsleitern mitgeteilt worden war, sie seien besonders intelligent, deutlich bessere Leistungen als die Ratten in der anderen Gruppe!

Dafür konnte es nur eine Erklärung geben: Die Projektionen der studentischen Versuchsleiterinnen und Versuchsleiter, also die verinnerlichten Glaubenssätze, hatten die Leistung der Ratten beeinflusst![28]

Die Erwartung und Überzeugung verändert also Ergebnisse – selbst dann, wenn es gar nicht um uns selbst geht! Mit unseren Glaubenssätzen beeinflussen wir uns und andere messbar – und weil das so ist, wird unser Gehirn gleichzeitig darin bestärkt, dass es schlau vorgeht.

Damit sind Glaubenssätze dennoch immer nur wirkungsmächtige Meinungen, die letztlich aus dem Wunsch des Menschen heraus entstanden sind, seinen Status zu erhalten und sein Streben nach sozialer Erwünschtheit zu ermöglichen. Soziale Erwünschtheit führt dazu, unbedingt dazugehören zu wollen. Unsere Meinungen sollen sicherstellen, dass dies funktioniert, und eine entsprechende Haltung, eine Attitude, ermöglichen.

---

[28] Dieser nach dem Vater des Experiments Rosenthal-Effekt genannte Vorgang wird gerne als Beweis für die Wirkung von Glaubenssätzen herangezogen. Vgl. www.wikipedia.org/wiki/Rosenthal-Effekt, aufgerufen Oktober 2023.

Im Vorgang des Austausches übernehmen wir dabei auch Meinungen des Gegenübers und machen sie zur eigenen, wenn wir den Eindruck gewinnen, dass dies der sozialen Erwünschtheit dient.

Diese fremden Meinungen sind für unser psychologisches Hirn problematisch, weil sie für uns im Kern unecht sind: Sie wurden nicht wirklich intern entwickelt und wurden tatsächlich mit der Krücke der Bestätigung von außen aufgebaut. Deswegen ist ihre Halbwertzeit mittelbar und hält nur so lange, wie damit der sozialen Erwünschtheit entsprochen wird.

Werden wir mit Ablehnung konfrontiert, weil jemanden nicht gefällt, was wir tun, wofür wir stehen, wer wir sind, kollabiert in der Folge unser Selbstwertgefühl.

Unser Verstand schaltet nun in den Krisenmodus, weil unsere Wahrnehmung des Reizes im psychologischen Gehirn durch die Waschmaschine geschleudert wird und beim Schleudergang, der mit unseren Glaubenssätzen programmiert ist, jetzt ein Zerrbild der Realität geformt wird, das uns in einen unangenehmen Zustand versetzt. Wir sehen die Welt durch die Brille der Glaubenssätze, die unsere Sicht verzerrt.

Die Entwicklung, die für solche Siuationen sorgt, korreliert mit unserem Lebensalter.

Während wir als Kind einfach an einem Fluss sitzen und offen betrachten konnten, wie er fließt, und dabei ohne Hintergedanken hörten, wie das Wasser plätscherte, wird uns mit den Jahren eine Brille aufgesetzt, deren Optik programmiert wird, bis sie unsere Sicht mit unseren Glaubenssätzen einschränkt und verzerrt[29]: Als Kind konnten wir den Fluss sehen, wie er ist, doch nun sieht der Fluss über die Zeit unseres Erwachsenwerdens nicht nur anders aus, als wir ihn als Kind betrachtet haben, er sieht auch anders aus, als ihn andere Menschen wahrnehmen. Auch das, was wir über und vom Fluss hören, hat nun eine andere Melodie angenommen.

Die Brille unserer Programmierung verändert unsere Wahrnehmung der Realität, was Paul Watzlawick fragen lässt: »Wie wirklich ist die Wirklichkeit?«[30]

---

[29] Vgl. Dieter Lange: Sieger erkennt man am Start – Verlierer auch: Die Schule des Lebens. Berlin 2023.

[30] Vgl. Paul Watzlawick: Wie wirklich ist die Wirklichkeit?: Wahn, Täuschung, Verste-

Die Wirklichkeit existiert – und zwar unabhängig von unserer Wahrnehmung!

Ob wir uns aber der Realität auf eine sinnvolle Weise nähern können, wird durch unser Denken bestimmt.

Erfolg ist in der Realität zu erreichen, wenn unser Denken Erfolg in dieser wahren Realität möglich macht. Dafür gilt es das Ego und die Blind Spots in der eigenen Persönlichkeit zu überwinden!

Wenn aber unsere persönliche Realität am Ende nicht mehr von vorhandenen Fakten abhängt, sondern vielmehr davon, wie diese Fakten durch unsere Gehirnplacebos gefiltert und interpretiert werden, hängt der Erfolg davon ab, ob unsere Glaubenssätze den Erfolg zulassen oder nicht!

Damit haben wir nur dann Erfolg, wenn wir richtig denken!

Wir müssen deshalb einerseits verstehen, wie unsere Glaubenssätze wirken – und sie andererseits als solche identifizieren, wo immer es geht.

Unsere Überzeugungen formen unser Erleben der Welt, und je mehr wir davon haben, desto enger werden die Grenzen dieses Erlebens sein.

Unsere eigene Realität wird sich so verhalten, dass sie zu unseren Überzeugungen passt, zu Überzeugungen, die unser psychologisches Gehirn innerhalb einer Atmosphäre der Angst geschaffen hat, um sich für die Bedrohung zu wappnen.

Unser persönliches Leben ist durch das, was wir in diesem Sinne unterbewusst glauben, in erheblichem Ausmaß beschränkt.

---

hen. München 2003.

Die Wahrheit der wirklichen Welt und ihrer Realitäten steht aber immer für sich alleine. Sie bedarf für sich genommen keiner Stütze. Diese Wahrheit ist nicht das, was wir glauben, sondern das, was wir ungefiltert und direkt erleben.

Weil und wenn wir dies mit unserem Logikgehirn erkennen können, können wir dazulernen und unsere Glaubenssätze nicht nur kritisch sehen lernen, sondern auch verändern.

Denn die gute Nachricht lautet:

Unser psychologisches Gehirn lernt nicht nur ohne unser Zutun in der Verarbeitung der Reize, es kann auch unsere bewusst verarbeiteten Gedanken in einer Feedbackschleife aufnehmen!

Da Glaubenssätze tatsächlich erlernte Denk- und Verhaltensmuster sind, können sie verändert werden, indem das Lernen bewusst fortgesetzt wird. Dabei gilt: »Because mindsets are beliefs, mindsets can be changed; they are not set in stone!«[31]

Sinnvolle Veränderungen treten dann trotz unserer Überzeugungen auf – und nicht ihretwegen!

Wir können lernen, diese Veränderungen zu denken!

Dies tun wir, wenn wir neue Denkmuster einüben und ständig wiederholen. Tatsächlich ist dabei unser innerer Dialog entscheidend, den wir bewusst führen.

Gerade das Erlernen neuer Sprachmuster führt dazu, dass wir unser richtiges Denken zu prägen lernen und üben. Dahinter steht die Erkenntnis, dass sich über die neuen Sprachmuster auch unsere Denkmuster verändern – und damit auch unsere Glaubenssätze.

Dabei setzen wir etwa auf die Technik der Affirmationen: Affirmationen sind sich wiederholende Sätze, die positiv bejahend eine Verhaltensänderung bewirken, also ein anderes Ergebnis unseres Lebens vorwegnehmen.

---

[31] Vgl. Artikel Growth Mindset vs Fixed Mindset: Can Mindset be Changed?, auf https://aventislearning.com/growth-mindset-for-individual-success/#:~:text=The%20good%20news%20is%20that,you%20can%20change%20your%20mind.%E2%80%9D, aufgerufen November 2023.

Fragetechniken und die Beschäftigung mit den Antworten zu den Themenfeldern des Business helfen uns ebenfalls, unsere Glaubenssätze zu ändern:

Was denke ich über Geld?
Was denke ich über dies oder das?
Warum denke ich das?
Denken alle Menschen so?
Kann man es auch anders sehen?
Was bedeutet das?
Warum denke ich so, wie ich denke?
Warum fühle ich so, wie ich fühle?
Warum handele ich so, wie ich handele?

Im Grunde geht es bei all diesen Fragen darum, sich durch und mit einer tiefreichenden Auseinandersetzung sowohl mit den Fragestellungen als auch mit den Antworten selbst immer besser auf die Spur zu kommen und sich seiner selbst immer besser bewusst zu werden, sodass wir immer weniger auf unsere alten, problematischen Glaubenssätze hereinfallen.

Eine weitere Möglichkeit besteht darin, durch Meditation an seinen Denkmustern zu arbeiten.

Tatsächlich wurde herausgefunden, dass etwa buddhistische Mönche einen viel ausgeprägteren rechten Hirnlappen haben, der das Areal im Gehirn ist, das für Happiness zuständig ist[32]: Meditieren verändert offensichtlich das Gehirn und macht es über die Zeit möglich, unsere Glaubenssätze zu erkennen und zu verändern.

---

[32] Vgl. Ulrich Kraft; Mönche in der Magnetröhre, Artikel auf www.sueddeutsche.de/wissen/neuro-experiment-moenche-in-der-magnetroehre-1.912829, aufgerufen November 2023.

Je besser es uns gelingt, unsere Glaubenssätze zu verstehen und zu beeinflussen, desto besser wird es uns gelingen, die Wirklichkeit als solche wahrzunehmen und zu durchschauen. Wir wachsen als Persönlichkeit, wenn wir herausfinden, welche Glaubenssätze uns prägen und unser Verhalten steuern.

Gleichzeitig werden wir dann in die Lage versetzt, dieses Verhalten zu verändern und damit eine veränderte Wirkung unserer selbst zu erzielen. Damit werden wir auch das Gegenüber auf eine bewusste Weise mit unserem Verhalten ansprechen.

Unsere Glaubenssätze werden dabei von den Menschen, die wir im direkten Umfeld haben, und unserer Umgebung maßgeblich beeinflusst. Umgeben wir uns dabei mit Menschen, die uns guttun, prägen sie auch unsere guten Glaubenssätze, wie das bereits in unserer Kindheit in einem verstärkten Maß der Fall war.

Weil wir am Ende immer zu demjenigen werden, womit wir uns die meiste Zeit beschäftigen, können wir das Ergebnis beeinflussen, indem wir uns mit den entsprechenden Menschen beschäftigen – oder ihren Botschaften und den Dingen, die unseren Zielen dienen, sodass eine Wechselwirkung zwischen unserem psychologischen Gehirn und einem überlegten Input entsteht, in der Erfolge gedeihen können.

Du wirst am Ende so sein, wie die fünf Menschen, mit denen du die meiste Zeit verbringst: Du wirst glauben, was sie glauben, und damit im Leben dasjenige als Realität erleben, was diese fünf Personen auch als ihre Realität betrachten.

Die Learnings, die du dir bewusst und immer wieder aneignest, werden dich ebenso beeinflussen und verändern, weil dein Denken ganz automatisch dadurch geshaped wird.

Unsere Smartseller-Persönlichkeit entwickeln wir deshalb automatisch und entscheidend weiter, wenn wir uns bewusst mit unseren Glaubenssätzen und ihrer Wirkung auseinandersetzen. Tatsächlich ist die Beschäftigung mit ihnen zwingend, wenn wir zu einer Persönlichkeit werden wollen, die im Verkauf funktioniert und überzeugen kann.

Gleichzeitig werden wir bei der Beschäftigung mit unseren persönlichen Glaubenssätzen zu dem Punkt gelangen, bei dem wir empathisch auch die

Glaubenssätze des Gegenübers erkennen können, die das Gegenüber durch sein Verhalten lebt, indem wir uns dafür sensibel machen.[33]

Wir können das Gegenüber dann an einem Punkt ansprechen, an dem wir um die Prägung des Glaubenssatzes wissen, und gleichzeitig eine Veränderung ermöglichen.

Unsere First Impression-Leadership werden wir maßgeblich beeinflussen, wenn unsere Glaubenssätze uns nicht mehr vollständig kontrollieren, sondern wir umgekehrt unsere Glaubenssätze! Unser Verhalten wird unser Gegenüber dann unmittelbar in seinem psychologischen Gehirn wahrnehmen, sodass wir als Smartseller und Smartsellerin erste Eindrücke erzielen, die nachhaltig wirken.

---

[33] Vgl. Svenja Flaßpöhler: Sensibel: Über moderne Empfindlichkeit und die Grenzen des Zumutbaren. Stuttgart 2021.

Programm 2: Die selektive Wahrnehmung

Ist unser Glas im Leben halb voll oder halb leer, oder muss die Frage nach dem Glas gar mit einer dritten Realität beantwortet werden? Ist das Glas am Ende immer ganz voll, weil die eine Hälfte mit Wasser und die andere Hälfte mit Luft gefüllt ist? Handelt es sich überhaupt um ein Glas, und gehört es uns überhaupt? All das ist letztlich eine Frage der Wahrnehmung – und je nachdem, wie wir diese Wahrnehmung denken, wird sie zu unserer persönlichen Selektion.

Das Phänomen der selektiven Wahrnehmung kann in diversen psychologischen Experimenten vorgeführt werden.

Sehr bekannt ist das Experiment, das als Monkey Business Illusion bekannt wurde[34]: Darin bekommt man einen kurzen Film gezeigt, in dem sich sechs Personen zwei Bälle zuspielen, und die Aufgabe gestellt, zu zählen, wie oft es den drei Personen mit dem weißen Oberteil gelingt, sich den Ball zuzuspielen. Unser Gehirn beschäftigt sich beim Zuschauen dann derart mit dem Zählen, dass uns nicht auffällt, wie in dem kurzen Clip eigentlich etwas für sich betrachtet ziemlich Unglaubliches und Auffälliges zu sehen ist: Ein Mensch im Affenkostüm geht durch die Gruppe der Spielerinnen, trommelt sich auf die Brust und verschwindet wieder!

Tatsächlich sehen die Personen, die den Clip zum ersten Mal anschauen und mit dem Zählen beschäftigt sind, nicht, dass der Affe auftaucht!

Wir wurden auf simple Weise ausgetrickst, indem unsere selektive Wahrnehmung durch eine Aufgabe aktiviert wurde, die unser Gehirn entsprechend beschäftigt hat, sodass die restlichen visuellen Reize nicht verarbeitet wurden. Wird unsere Wahrnehmung geschickt manipuliert, entgehen uns zahlreiche Informationen.[35]

---

[34] Es lohnt sich, dieses Experiment selbst zu machen: Der entsprechende Filmclip findet sich auf www.youtube.com/watch?v=IGQmdoK_ZfY, aufgerufen Oktober 2023.

[35] Vgl. als gutes Beispiel dafür den Clip ›Test Your Awareness: Whodunnit?‹, in dem unsere Wahrnehmung so manipuliert wird, dass uns 21 Veränderungen, die während einer Minute vorgenommen werden, nicht auffallen, auf www.youtube.com/watch?v=ubNF9QNEQLA, aufgerufen Oktober 2023.

Ein weiterer Klassiker, der uns das Phänomen der selektiven Wahrnehmung näherbringt, ist die Betrachtung von Kippfiguren.

Das älteste Motiv der Kippfigur ist wohl das Motiv ›Junge Frau – alte Frau‹, das bereits im Jahr 1888 auf einer Postkarte abgedruckt wurde und seither von verschiedenen Künstlern variiert worden ist.[36] Hier können in einem Bild durch die selektive Betrachtung jeweils unterschiedliche Motive wahrgenommen werden – in diesem Fall zwei ganz unterschiedliche Frauen.

Eine Geschichte, die uns ebenfalls das Phänomen der selektiven Wahrnehmung illustriert, erzählt vom Vater, der mit seinem Sohn und einem Esel unterwegs ist. Der Sohn sitzt während der Reise auf dem Esel, während der Vater zu Fuß neben dem Esel herläuft.

Als das Paar in einem Dorf ankommt, sind die Dorfbewohner entsetzt. »Wie kann der Sohn nur auf dem Esel sitzen und den armen alten Vater gehen lassen!«, empören sich die Menschen. Also setzt sich der Vater auf den Esel und lässt den Jungen neben sich hergehen.

Nachdem sie das erste Dorf hinter sich gelassen haben, kommen beide im nächsten Dorf an. Auch dessen Bewohner entsetzen sich: »Wie kann der Vater den kleinen Jungen nur zu Fuß marschieren lassen und selber auf dem Esel sitzen!«, lamentieren sie.

Nachdem sie das zweite Dorf hinter sich gelassen haben, setzen sich der Vater und sein Sohn gemeinsam auf den Esel, und beide reiten auf diese Weise in das dritte Dorf. »Wie kann es sein«, schreien dort die Dorfbewohnerinnen, »dass der Sohn und der Vater beide auf dem armen Esel sitzen!«

Offenbar trifft es zu, dass sich jeder, ganz nach persönlichem Belieben, seinen eigenen Reim auf die Welt macht – und dabei auch seine ganz eigene Sicht auf das Wesen der Dinge und wie sie sein sollten wirft.

Auch die Geschichte von den Fröschen, die in Paris einen Wettlauf zum Eiffelturm unternehmen wollen, verrät uns, welche Auswirkung eine selektive Wahrnehmung hat:

---

[36] Vgl. de.wikipedia.org/wiki/Meine_Frau_und_meine_Schwiegermutter, aufgerufen Oktober 2023. Auf der vorangegangenen Seite bilden wir die Zeichnung ›Meine Frau und meine Schwiegermutter‹ aus der Internetquelle ab, die 1915 im Puck-Magazin erschienen ist.

Die Frösche von Paris beschlossen, ein großes Wettrennen zu veranstalten. Dabei sollte der Frosch, der als Erster auf der Spitze des Wahrzeichens der Stadt ankommen würde, einen großen Sieg erringen.

Ein solcher Wettlauf erregte natürlich eine große Aufmerksamkeit, sodass die ganze Stadt auf das Ereignis hinfieberte.

Am Tag des Wettlaufs sitzen daher nicht nur unzählige Frösche auf der Startlinie, es säumen auch neugierige Zuschauer und Zuschauerinnen überall die Wegstrecke. Noch bevor der Startschuss ertönt, beginnen die Zuschauer zu reden – und alle Frösche hören zu: »Kein Frosch wird es jemals auf den Eiffelturm schaffen! Sie werden alle vorher sterben!«

Als der Startschuss ertönt, haben bereits die ersten Frösche entmutigt aufgegeben.

Und als das Rennen seinen Lauf nimmt, brechen immer mehr Frösche ihren Versuch ab, den Turm nach oben zu hüpfen, nachdem die Kommentare und Zurufe der Zuschauerinnen und Zuschauer sie verängstigt haben.

So kommt es, dass am Ende nur ein einziger Frosch auf der Spitze des Eiffelturms ankommt.

»Was ist dein Geheimnis, Du einzigartiger Frosch?«, will man vom Sieger wissen. »Ich kann sie leider nicht verstehen, antwortet der Frosch, ich bin nämlich taub!«

Der siegreiche Frosch hörte nicht, was das Publikum von sich gab, und war deshalb in der Lage, seinem Glauben zu folgen, der darin bestand, es bis auf den Eiffelturm schaffen zu können!

Beide Geschichten lehren uns auf unterschiedliche Weise, wie Glaubenssätze wirken, wenn sie auf eine selektive Wahrnehmung treffen.

Die Geschichte des Frosches zeigt, wie dabei die Wahrnehmung unserer Gedanken hin zu unserem Ziel führen kann – und dabei eine subjektive Bewertung der Situation beinhaltet. Wenn unsere Glaubenssätze produktiv genutzt werden können, werden auch beobachtbare Ergebnisse erzielt.

»Es ist unmöglich, nur beobachtbare Größen in eine Theorie aufzunehmen. Es ist vielmehr die Theorie, die entscheidet, was man beobachten kann!« Das sagte Albert Einstein in einem Gespräch zu Werner Heisenberg, dem Entdecker der Unschärferelation, und brachte damit auf den Punkt: Was wir glauben, sehen zu können, entscheidet darüber, was wir wirklich von der Welt sehen können![37]

Unsere Selektionsmechanismen entscheiden also über das eingeschränkte Feld, auf dem wir das Spiel des Lebens überhaupt wahrnehmen können.

»Wir müssen uns daran erinnern, dass was wir beobachten, nicht die Natur selbst ist, sondern Natur, die unserer Art der Fragestellung ausgesetzt ist«, schreibt der Nobelpreisträger Heisenberg dann selbst. »Die Wirklichkeit, von der wir sprechen können, ist nie die Wirklichkeit an sich, sondern eine gewusste Wirklichkeit, oder in vielen Fällen eine von uns gestaltete Wirklichkeit.« Die Wahrnehmung hängt somit von unseren Glaubenssätzen ab, die stets einen Selektionsmechanismus mit sich bringen. Diese Selektionen bestimmen unsere Wahrnehmung – und damit auch unsere Realität und unser persönliches Erleben: Unsere Selbstwirksamkeit entsteht in diesem besonderen Feld der Wahrnehmung.

Lange bevor uns die Neurowissenschaften die Funktionen des Gehirns näherbrachten, hatten Kulturphilosophen wie Johann Gottfried Herder diese Selbstwirksamkeit zum Gegenstand ihrer Überlegungen gemacht:

»Wie du im Herzen glaubst, so wird dir das Schicksal begegnen; was du an andern tust, wird dir von andern geschehn«[38], fasste er seine Erkenntnisse zusammen.

Er bringt damit ziemlich gut auf den Punkt, was wir als Smartseller und Smartsellerin mit einer guten First Impression-Leadership erreichen wollen:

Unsere Selbstwirksamkeit wollen wir auf das Gegenüber übertragen und mit diesem Verhalten das psychologische Gehirn ansprechen, damit wir die Sympathie und das Vertrauen des Gegenübers gewinnen – im besten Fall mit einer Emotionalität, die zu Herzen geht.

---

[37] Vgl. hier und im Folgenden: Paul Watzlawick: Wie wirklich ist die Wirklichkeit? Wahn, Täuschung, Verstehen. Hörbuch, Berlin 2019.

[38] Johann Gottfried Herder, zitiert nach gutezitate.com/zitat/237782, aufgerufen Oktober 2023.

Dabei kommt es darauf an, die positiven selektiven Wahrnehmungen positiv zu teilen und den Prozess so zu gestalten, dass die Wahrnehmungen auf einer gemeinsamen Basis vonstatten gehen.

Erfolgreiches Unternehmertum basiert daher auf einem schöpferischen Akt selektiver Wahrnehmung, wenn wir dasjenige sehen, das für andere Menschen ein Problem auf eine Weise löst, das andere zuvor weder so identifiziert noch gelöst haben!

Unsere differenzierte Wahrnehmung der Realität unterscheidet uns als erfolgreichen Anderspreneur, den Unternehmer auf dem ANDERSWEG, von einem gewöhnlichen Angestellten, der es nicht darauf anlegt, seine Wahrnehmungen differenziert zu lenken und zu vermitteln.

Unsere Gedanken des psychologischen Gehirns, die in der Waschmaschine zusammengewürfelt werden, sind dann kein unveränderlicher Bestand, sondern vielmehr der Ausgangspunkt und der Pool an Möglichkeiten, von dem aus und mit dem wir die Wahrnehmung der Realität formen können.

Peter Kruse, der als Honorarprofessor für Allgemeine und Organisationspsychologie tätig war, sieht gelungenes Unternehmertum von der Fähigkeit geprägt, die Marktwahrnehmung so zu perfektionieren, dass in Zukunft ein Mehrwert erzielt werden kann.

Anders ausgedrückt: Der Erfolg als Unternehmer ergibt sich dann, wenn der Unternehmer eine erfolgreiche selektive Wahrnehmung leben kann!

Von der Wahrnehmung, die wir als Smartseller und Smartsellerinnen an den Tag legen, hängt also aller Erfolg im Berufsleben ab! Gerade deshalb müssen wir daran ein gesteigertes Interesse entwickeln, unsere Wahrnehmung gut zu steuern – nämlich über die richtigen Gedanken, die besonders effektiv wirken, wenn sie als erfolgsermöglichende Glaubenssätze wahrgenommen werden können.

Erfolgreich macht uns dabei, wie und auf welche Art und Weise wir über einen Sachverhalt mit einem tief verwurzelten Denken denken – und zwar viel mehr als irgendwelches Vorwissen oder die Kenntnisse über Techniken.

Im Grunde könntest du dir einfach einen erfolgreichen Unternehmer als Coach nehmen – und verinnerlichend nachmachen, was er bereits tut:

Du würdest dann als Erstes damit beginnen, wie dieser Unternehmer zu denken. Das würde dazu führen, dass du die Welt mit seinen Augen wahrnimmst und damit anfangen kannst, dich so zu verhalten, wie es dieser Unternehmer tut. Das würde dann zu Resultaten führen, die denen des Unternehmers ähneln.

Du kannst aber auch dein eigener Coach werden – wenn du konsequent an deiner Selbstführung arbeiten wirst. Du kannst dabei verschiedene Inputs nutzen – und sie auf deiner Reise auf dem Andersweg regelmäßig praktizieren.

Wenn du auf diese Weise die für den Verkauf notwendigen Gehirnplacebos einrichtest, verinnerlichst und selektiv wahrnehmbar machst, werden die Glaubenssätze des Erfolgs deinen Verkaufserfolg ermöglichen.

Programm 3: Mit positiven Gefühlen anstecken

Unsere Waschmaschine im psychologischen Gehirn erzeugt unsere Gedanken und unsere Attitude gegenüber einer Situation, einer Information, einem Reiz oder einer Idee. Wir haben als Smartseller bereits gesehen, wie die mentale Einstellung, die wir dabei zu Sachverhalten diverser Naturen gewinnen, dann dafür sorgt, dass wir unsere Realität in unserer ganz eigenen, subjektiven Art und Weise wahrnehmen.

Gleichzeitig heißt das auch immer, dass wir die Situation in unserem psychologischen Gehirn emotional bewerten; unsere emotionale Bewertung der Situation wird dabei über unsere Physiologie und den Ausdruck dieser Emotionen vermittelt und widergespiegelt.

Emotionen werden folglich auch durch Reize in Form von Informationen ausgelöst. Wenn wir unsere Emotionen mit Musiknoten vergleichen, könnten wir davon sprechen, dass ihre Töne und Melodien immer und zu jeder Zeit in unserem psychologischen Gehirn vorhanden sind. Jede Emotion trägt dazu bei, dass aus den einzelnen Noten eine Melodie geschrieben wird, die schließlich von unserem Bewusstsein wahrgenommen werden kann.

Überschreitet eine Emotion in dieser Melodie die Schwelle zum Bewusstsein, weil sie uns entsprechend wirkungsmächtig und damit wichtig erscheint, wird die Emotion zum Gefühl, das wir bewusst wahrnehmen können.

Das Gefühl ist die Seite der Medaille, die unser Logikgehirn einordnen kann, und wird aus der Melodie aus Emotionen geboren.

In dem Moment, in dem wir ein Gefühl erleben, wird unsere mentale Welt real: Unser »Ocean of Motion«, der sich in unserer Körpersprache, unserer Mimik und unserer Gestik ausbreitet und sichtbar wird, kann von uns und anderen besonders deutlich wahrgenommen werden, zumal unsere psychologischen Gehirne wissen, dass starke Emotionen beachtet werden müssen, weil große Handlungen durch jene Gefühle ausgelöst unf begleitet werden können.

Gefühle erzeugen das Bedürfnis, ausgedrückt zu werden. Wenn wir das Gefühl bekommen, unbedingt etwas tun zu müssen, begründen sie einen starken Antrieb. Unser Körper sendet dann Signale und Informationen aus, die uns etwa zu einem schnellen Handeln drängen.

Wir würden etwa von leidenschaftlicher Liebe erfüllt und einem starken Beschützerinstinkt folgend versuchen, unser neugeborenes Baby aus einem brennenden Haus zu retten – weil wir wissen, dass das Kind sich nicht selbst helfen kann und eine starke Zuneigung zu unserem Nachwuchs uns sogar unsere Angst um uns selbst vergessen lässt.

Natürlich haben wir unser Kind schon vor dem Brand sehr lieb gehabt, was zur Folge hatte, dass wir ständig unter der Wasseroberfläche Emotionen und Informationen ausgetauscht haben, die von der nicht sichtbaren Masse unseres Eisbergs stammten. Jetzt, wo das Leben unseres Säuglings bedroht wird, wird uns unsere Emotion schlagartig bewusst gemacht: Unser psychologisches Hirn übersendet uns eine Handlungsanweisung in Form eines Gefühls, das die Information auf bestem Wege in unser Logikgehirn schickt; der Impuls lässt uns sofort handeln, während das Gehirn auch schon dabei ist, unseren Körper mit Botenstoffen und Hormonen zu fluten, die unser Handeln erleichtern sollen.

Auf den Punkt gebracht heißt das: Unsere starken Gefühle steuern unser Verhalten!

Unser beobachtbares Verhalten, das für den ersten Eindruck der Smartsellerin und des Smartsellers bedeutsam ist, wird dann von Begleiterscheinungen flankiert, die wiederum den Sinn des Verhaltens sichtbar machen – oder vielmehr unsere Gegenüber in die Lage versetzen, unser Verhalten dechiffrieren zu können.

Unser beobachtbares Verhalten – und damit auch unser erster Eindruck – wird dabei in erster Linie davon beeinflusst, ob wir eine eintretende Situation als positiv oder negativ bewerten:

Die vorgenommene Bewertung löst die Bestellung eines Hormoncocktails aus, der bei positiven Bewertungen Glückshormone wie Serotonin, Dopamin, Oxytocin und Endorphine enthält. Mit der Wirkung der Hormone erleben wir unser Verhalten dann in Verbindung mit Gefühlen der Lust, der Leidenschaft, der Begeisterung oder der Freude.

Negative Bewertungen produzieren dagegen Stresshormone wie Adrenalin, Noradrenalin, Acetylcholin und Cortisol. Aus ihnen erwachsen uns Gefühle der Angst, der Depression und der Wut.

Es liegt auf der Hand, dass dabei positive Gefühle zu einem gewinnenden ersten Eindruck führen, ihn begleiten und später nachwirken – und wem es gelingt, diese positiv erlebten ersten Eindrücke hervorzurufen, wird damit nicht nur zum Erfolg im Leben finden, sondern auch im Verkauf!

Schlechte erste Eindrücke sind dagegen fatal – und werden meistens deshalb erzeugt, weil Verkäuferinnen und Verkäufer für Stress sorgen, sodass Stresshormone ausgeschüttet werden.

Weil dies immer wieder für Misserfolg im Verkauf sorgt, müssen wir uns als Smartseller und Smartsellerinnen mit dem Thema Stress besonders intensiv beschäftigen, um im Anschluss die richtigen Schlüsse zu ziehen und zu lernen, wie man den Stress vermeidet, der in erster Linie für die meisten enttäuschenden ersten Eindrücke und damit auch für die meisten Enttäuschungen im Leben wie im Verkauf sorgt.

Die Anti-Stress-Strategien der Smartseller

Wenn wir im Spitzensport oder in der Geschäftswelt eine Höchstleistung zeigen sollen oder wenn wir verliebt im Restaurant sitzen, kann uns ein hohes Stresslevel einen Strich durch die Rechnung machen: Wir schaffen es dann weder, unsere Leistung abrufen zu können, noch bringen wir einen Ton heraus und versagen auch bei öffentlichen Auftritten. Warum aber hat der Stress eine solche Macht über uns?

Stress zeigt uns in seiner biologischen Form an, dass ein System im Ungleichgewicht ist: Es ist gestört und befindet sich darum in einer instabilen Ordnung. Wie alle biologischen Systeme versucht nun auch unser System, durch die Stressreaktion in eine neue und stabile Gleichgewichtsordnung zurückzukehren. Dabei kann es zu heftigen Reaktionen kommen.

Der Vergleich mit dem Klimawandel kann uns vor Augen führen, was das bedeutet: Wird das Klima instabil, weil die Faktoren des Wandels wirken, führt dies zum Klimastress. Es kommt dabei zu Wetterextremen wie Flutkatastrophen oder Hurrikans. Das Klima versucht, in eine stabile Gleichgewichtsordnung zurückzukehren, was immer schwieriger gelingt, weil die Stressfaktoren zunehmen.

Um die möglichen Stressreaktionen des Menschen durchzuspielen, können wir uns eine Situation vergegenwärtigen, in der die meisten Menschen gestresst reagieren:

Wir befinden uns gerade am Flughafen, wo wir eigentlich in den Urlaub abheben möchten, als eine Stimme aus dem Lautsprecher erschallt: »Flug 123 nach Mallorca ist abgesagt!«

Zunächst passiert nichts weiter, als dass eine einfache akustische Welle von uns wahrgenommen wird, deren Information an unser Logikgehirn weitergeleitet wird. Wir werden uns nun der Situation bewusst: Der Flug findet nicht statt. Bis zu diesem Zeitpunkt handelt es sich um eine neutrale Information – und um nicht mehr und nicht weniger.

Aus dem Umstand, dass die Information für sich genommen neutral ist, lernen wir: Es ist eine Tatsache, dass es nie die Sache ist, die uns Angst macht, sondern das, was wir über die Sache denken werden.

Unsere Wahrnehmung der Information sorgt nämlich dafür, dass sie durch die Programme unserer Waschmaschine geschleudert wird, sodass es am Ende zunächst zu einer Bewertung im psychologischen Gehirn kommt, die im Anschluss ein Gefühl bei uns auslöst: Die Situation wird emotional gedeutet, was sich in unserem Beispiel durch das Empfinden von Stress äußert.

Da wir nicht die einzige Person sind, die vom Ausfall des Flugs betroffen sind, können wir nun beobachten, wie unsere Mitmenschen mit ihrem Stress umgehen:

Wir beobachten, wie einige Passagiere zum Schalter rennen und damit beginnen, die Dame anzuschreien, die für den Service zuständig ist; sie befinden sich offensichtlich im Kampfmodus.

Andere Personen nehmen ihr Smartphone in die Hand und verlassen fluchtartig das Flughafengelände; sie sind offensichtlich im Fluchtmodus.

Wieder andere lassen sich in ihren Sitz fallen und starren teilnahmslos in die Leere: Sie stellen sich tot.

Damit haben wir alle drei primären Stressmechanismen, den Kampf, die Flucht und das Totstellen, durchgespielt.

Stress ist offensichtlich ein Zustand, der durch ein starkes Gefühl ausgelöst wird: nämlich das Gefühl der Angst. Dieser Stress bedeutet für das Gehirn, dass unsere automatischen Denk- und Verhaltensprogramme aktiviert werden, bei denen es zunächst einmal in erster Linie um den Schutz unserer Existenz und die Arterhaltung geht. Auch wenn wir es bei oberflächlicher Betrachtung meinen könnten, ist die Angst somit eigentlich kein negatives Gefühl, sondern dient uns zum Selbstschutz.

Evolutionär betrachtet entsteht Stress aufgrund unserer ultimativen Angst vor dem Sterben, und der Zustand, in dem wir Stress erleben, aktiviert in der Folge unsere Ressourcen dafür, entweder den Kampf aufzunehmen oder die Flucht zu ergreifen oder uns tot zu stellen, sodass wir gerade das Schlimmste verhindern.

Werden wir uns darüber klar, verstehen wir zunächst, dass Stress in seinem Kern kein negatives Gefühl ist, sondern ein von der Natur vorgesehener Mechanismus, der es uns möglich macht, in Gefahrensituationen das eigene Überleben sicherzustellen.

Übernimmt unser Stressverhalten die Kontrolle, sind wir nicht mehr Herr im eigenen Haus, wenn unser Gehirn in den Überlebensmodus schaltet. Unser Bewusstsein, das im Logikgehirn verankert ist, verabschiedet sich bei Stress in den Lockdown – dann übernimmt unser psychologisches Gehirn und startet das Überlebensprogramm.[39]

Dabei stellt das Gehirn Neurotransmitter wie Adrenalin für die Fluchtreaktion und Noradrenalin für die Kampfreaktion zur Verfügung: Je nach Persönlichkeitstyp zeigen wir dann ein Flucht- oder Angriffsverhalten.

Die dritte mögliche Reaktion besteht darin, dass unser System sich tot stellen möchte.

Dieses Verhalten zeigen gerade bestimmte Tierpopulationen, wo sich die Lebewesen buchstäblich tot stellen, indem sie bei Stress stocksteif werden: Man kann dann den Eindruck gewinnen, dass das gestresste Opossum eingefroren wäre!

Auch Menschen können eine vergleichbare Stressreaktion zeigen, indem der Körper Acetylcholin ausschüttet, sodass wir einen Freezing-Effekt in Form eines Erleichterungspotentials spüren, der auch als Relaxing bekannt ist.

Wie spezifisch wir reagieren, hängt vom Potential der Stresssituation ab: Dabei hängt unser Aktivierungspotential – »Fight or Flight!« – und unser Erleichterungspotential – »Relax!« – von unserem Grad an Erregung ab:

Je aufgeregter und erregter wir sind, desto höher sind die Ausschläge auf der ›Fight or Flight‹-Achse; kühlen wir stattdessen unser System herunter und treten auf die Bremse, sorgen unsere Anti-Stress-Programme dafür, dass wir im Stadium des Relaxing operieren. Unser vegetatives Nervensystem bestimmt dabei, wie wir den Ausschlag nach oben oder unten als den Erregungszustand unseres Systems erleben.

Je nachdem, wie eine Situation wahrgenommen und bewertet wird, ist die Ausprägung unseres persönlichen Stressniveaus dabei unterschiedlich, sodass wir Stress auch unterschiedlich erleben.

Tatsächlich entscheidet unsere Persönlichkeit und auch unser Persönlichkeitstyp dabei darüber, wie unsere Erregungsachse durch das Stressempfin-

---

[39] Vgl. hier und im Folgenden: Dr Alan Watkins: Coherence: The Secret Science of Brilliant Leadership. London 2013.

den angesprochen wird. Stress können wir dann nicht nur anders wahrnehmen als unser Gegenüber mit einer anderen Persönlichkeit, sondern auch unterschiedlich aktivieren und nutzen.

Wer Stress positiv nutzt, kann gerade dadurch zur Höchstform auflaufen und Höchstleistungen möglich machen, während negativ erlebter Stress zu grandiosen Misserfolgen führt.

Bist du ein Verkäufer und eine Verkäuferin auf dem Weg zum Smartsellertum, wirst du dich und dein System mit Garantie über längere Zeiten unter Stress setzen.

Da wir Menschen kompliziertere Gehirne haben als gewöhnliche Tiere, können wir dann den Stress auch komplexer kompensieren, als dies etwa die Ratten im Experiment tun können. Einige unserer Lösungen an Kompensationen von Stress sind gesünder als andere, und einige andere sind destruktiver als der Rest:

Meditieren, Affirmationen, das Erstellen von Zielcollagen, das Studium von Büchern, Techniken zur kognitiven Verhaltenstherapie, Sport, die Arbeitswut des Workaholics, Spielsucht, Konsumsucht und Shopping, ja sogar Prostitution oder der Konsum von Drogen, Alkohol und Tabletten, all das können Maßnahmen zu unserer persönlichen Stressbewältigung sein, die wir ganz unterschiedlich bewerten müssen, doch soll uns jede davon dazu dienen, unsere Systeme wieder in die Balance zu bringen.

Wir sollten als Smartseller und Smartsellerinnen deshalb verstehen und akzeptierend annehmen, dass Stress zunächst ein Tool unserer Wahrnehmung ist, das auf verschiedene Weise wirken und wahrgenommen werden kann. Falsch wäre es, wenn wir nur seine dunkle Seite betrachten, sodass wir vielmehr damit anfangen sollten, unseren Stress nicht mehr ausschließlich negativ zu sehen:

Unsere ureigenen Programme des psychologischen Gehirns sind sowieso nicht nach unseren Maßstäben von Gut und Böse entwickelt worden und deshalb per se weder positiv noch negativ.

Erst durch unsere Bewertung und problematische Glaubenssätze kommt es dazu, dass wir ein Gefühl ethisch bewerten: In der Folge empfinden wir das Gefühl als negativ, weil wir das Gefühl als unangenehm wahrzunehmen erlernt haben. Dieses Denken ist – da wir fast nie in die lebensbedrohlichen Situationen geraten, vor denen es uns ultimativ schützen möchte – heute grundsätzlich nicht sehr sinnvoll: Wenn wir Angst, Wut oder eine Depression erleben, muss das nicht zwangsläufig nur negativ sein, sondern kann auch als eine positive Ressource genutzt werden.

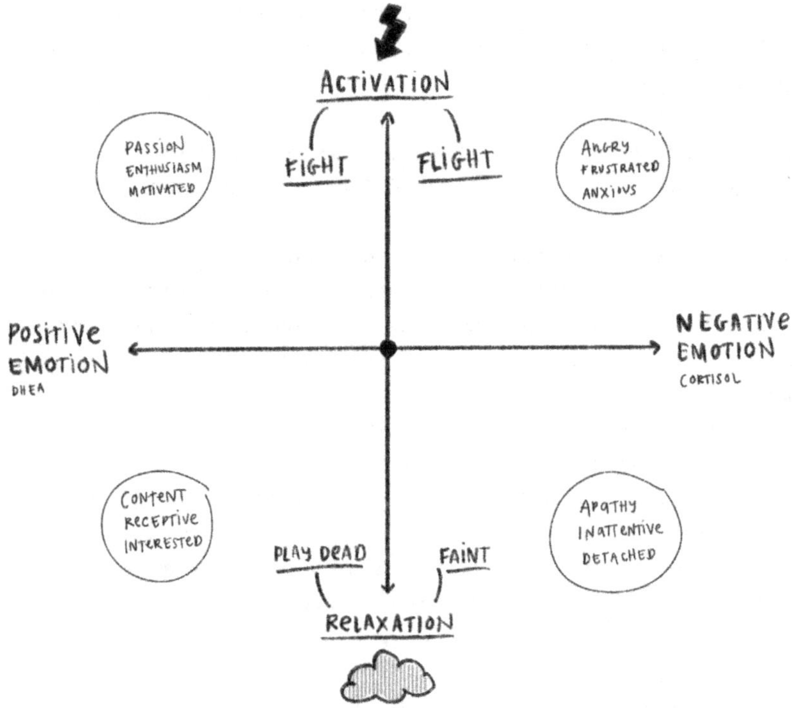
ACTIVATION
FIGHT
FLIGHT
PASSION
ENTHUSIASM
MOTIVATED
ANGRY
FRUSTRATED
ANXIOUS
POSITIVE EMOTION
DHEA
NEGATIVE EMOTION
CORTISOL
CONTENT
RECEPTIVE
INTERESTED
APATHY
INATTENTIVE
DETACHED
PLAY DEAD
FAINT
RELAXATION

Gerade unsere Angst zeigt uns dabei immer die Bereiche an, in denen wir eine persönliche Weiterentwicklung durchlaufen könnten: Unsere Angst entsteht in den Bereichen, in denen wir uns noch nicht gut auskennen, und weist uns deshalb den Weg in die Felder, in denen wir noch deutlich wachsen können. Damit hat unsere Angst einen positiven Aspekt, wenn sie unseren Stress auslöst, und wir klug damit umzugehen lernen!

Welche der Maßnahmen wir in der Stresssituation für uns ergreifen, müssen wir dabei nicht dem Zufall überlassen, weil wir und unser Gehirn in der Lage sind, stets dazuzulernen.

Es hängt daher von der Selbstführung mit geeigneten Mindsets ab, ob es uns gelingt, den Umgang mit Stress proaktiv zu beeinflussen.

Eine Möglichkeit des Umgangs besteht darin, den Kontext, in dem wir Stress empfinden, willentlich umzudeuten.

Um diese gewollte Kontextänderung zu erreichen, ist es notwendig, die Situation in unserem Kopf neu denken zu lernen: Das Ziel ist dabei, mit der Kontextveränderung eine neue Wahrnehmung zu etablieren, in der eine vormals negative Einstellung zu einer Sache in eine positive Attitude umgedeutet wird. Wir ändern die Headline zur Situation in unserem Kopf – und setzen damit eine sehr wirkungsvolle Waffe gegen den Stress frei.

Um dies zu erreichen ist jedoch ein ausgezeichnetes Mindset nötig, an dem wir mit verschiedenen Techniken der Selbstführung feilen können.

Das Refraiming, eine Technik des Neuro-Linguistischen Programmierens NLP, bietet sich dabei genauso an wie die Etablierung von Ritualen, die wir wieder und wieder ausführen, bis das Ritual zum Automatismus wird und zu einer Verhaltensänderung beitragen kann. Fragetechniken können uns genauso beeinflussen wie das Bewusstmachen von Zitaten und Aphorismen.

Am Ende geht es stets darum, möglichst schnell eine Automatik des ›Gedachtwerdens‹ zu überwinden, um mit einem neuen Denken wieder Herr im eigenen Haus zu werden. Dabei kommt es letztlich gar nicht darauf an, überhaupt nicht wütend oder traurig zu sein; sind wir wütend oder traurig, dürfen wir uns fühlen, wie wir uns fühlen, und unsere Gefühle sogar ausleben – aber gleichzeitig werden wir in die Lage versetzt, selbst darüber zu bestimmen, wie lange wir wütend oder traurig sein müssen! Es geht also vielmehr darum, nicht stehen bleiben und gelähmt sein zu müssen, sondern von einem bestimmten Punkt aus den Weg aus dem Stress heraus weitergehen zu können.

Die Überschrift der Situation zu ändern bedeutet dann, aus der Position des Opfers, das fremdgesteuert das Leben erleiden muss, zurück zur Eigenmacht zu finden.

Wir finden dann, egal was passiert, stets von Neuem einen Weg dahin, immer wieder ›gut drauf‹ zu kommen, um als erfolgreiche Smartsellerinnen und Smartseller in diesem guten Zustand weiter an der eigenen Zielerreichung arbeiten zu können.

Programm 4: Die positive Spiegelung

Es ist Freitagabend. Du bist eigentlich bereits hundemüde und stellst dich gerade auf einen gemütlichen Abend zu Hause auf der Coach ein, als ein Freund anruft: »Junge, lass uns in den neuen Club gehen, das wird krass!« Deine Müdigkeit ist plötzlich wie weggeblasen. Nach einigen alkoholischen Drinks hast du richtig Spaß, lernst tolle neue Menschen kennen und kommst erst bei Sonnenaufgang völlig ekstatisch und glücklich wieder nach Hause.

Was ist eigentlich passiert zwischen dem »Ich bin müde und bleib zu Hause!« und dem »Ich mache jetzt die Nacht zum Tag!« eines unvergesslichen, fantastischen Abends? Die Welt ist die gleiche geblieben, ebenso das Personal: Was sich aber in entscheidender Weise verändert hat, war deine Einstellung – oder vielmehr die Wahrnehmung der Situation und in der Folge die Reaktion deines Handelns. Du hast dich entschlossen, zu feiern, und der Konsum von Alkohol hat dich zusätzlich dabei unterstützt, Glückshormone zu produzieren, die die positive Wahrnehmung der Wirklichkeit vollkommen gemacht haben.

Eine solcherart positive Wahrnehmung der Wirklichkeit bricht sich in unserem Verhalten Bahn: Körpersprache, Mimik, Gestik, Tonfall und Sprache werden leidenschaftlich, begeisternd und mitreißend – und erzeugen einen unwiderstehlich positiven ersten Eindruck!

Gelingt es uns, in Bezug auf einen gewöhnlichen Freitagabend unser Verhalten mehr oder weniger zufällig so zu lenken, dass wir diesen positiven Eindruck hinterlassen, so kann uns das erst recht gelingen, wenn wir überlegt einen guten Eindruck hervorrufen möchten, wenn es im Business darauf ankommt!

Unsere psychologische Waschmaschine sorgt dafür, dass wir uns und andere in die Lage versetzen, erste Eindrücke mit starken emotionalen Schwingungen zu erzeugen. Unsere Bewertungen einer Situation sind dabei Chance und Gefahr zugleich:

Bei einer möglichen positiven Beurteilung führt unser Verhalten zur Ausschüttung von Glückshormonen, während eine negative Bewertung die Ausschüttung von Stresshormonen nach sich zieht. Stets werden wir damit Gefühle auslösen, die als beobachtbares Verhalten für andere wahrnehmbar sind und unseren ersten Eindruck zur Wirkung bringen. Wie wir dabei in den Wald hineinrufen, so wird unser Ruf dann zurückgeworfen werden – und Konsequenzen für unsere Kommunikation mit anderen haben.

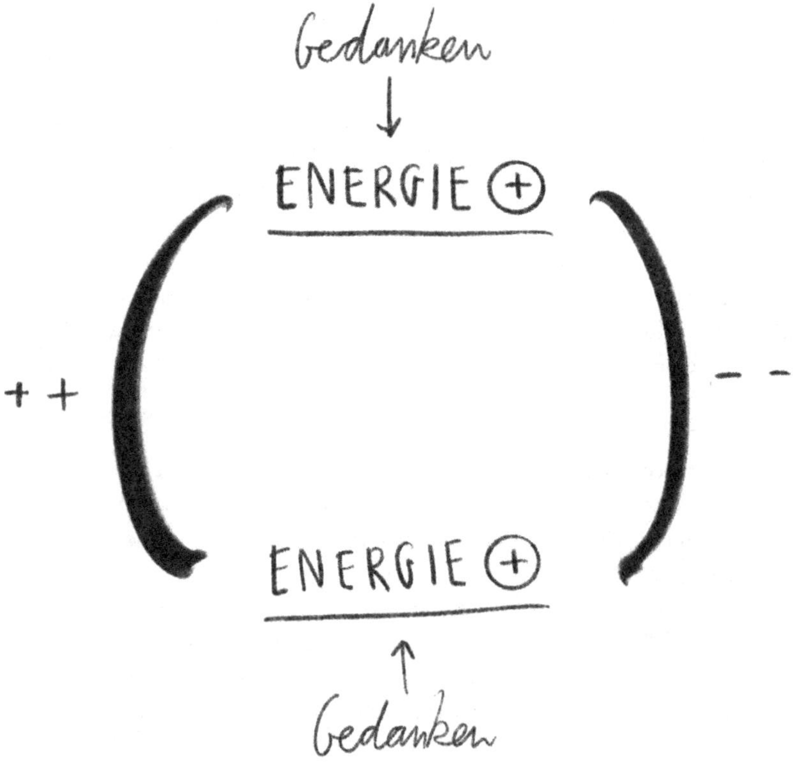

Mit einem gewinnenden ersten Eindruck, der uns sympathisch und kompetent erscheinen lässt, gewinnen wir das Vertrauen der anderen Person. Der Aufbau von Vertrauen im Gegenüber macht wiederum einen erfolgreichen Beziehungsaufbau möglich, der wiederum die unbedingte Voraussetzung für einen gelungenen Abschluss der späteren Kundschaft schafft.

Unsere First Impression-Leadership wirkt dabei immer wechselseitig und wird durch den Partner und die Partnerin stärker beeinflusst, die ein höheres Energielevel innehaben, das so stark ausstrahlt, dass das Gegenüber davon eingenommen wird.

Damit wird der- und diejenige, die ihre emotionalen Energieressourcen in eine Kommunikation einfließen lassen kann, das Gegenüber am Ende für sich gewinnen!

Die Energieressourcen, von denen wir dabei profitieren, entstehen zum einen durch ein geeignetes physisches Verhalten: Es wird etwa durch unsere Ernährung, unseren guten Schlaf und gesunde Bewegung beeinflusst. Zum anderen wirkt unsere psychologische Mentalhygiene Wunder, wenn wir durch sie ein hohes Energielevel ausstrahlen.

Unser Ziel ist es dabei, im Prozess der First Impression-Leadership ein hohes Energielevel zu erzielen, das die Begeisterung des Gegenübers für von uns eingebrachte Ziele ermöglicht.

Die Kombination unseres guten Verhaltens, das sich durch unseren Körper ausdrückt, mit unserem leidenschaftlichen und begeisternden Mindset ist dafür entscheidend. Der Zustand der positiven Energie ermöglicht es uns dann, die Magie zu spüren, die uns die Dinge leicht gelingen lässt.

Die energiegeladene Leichtigkeit, die wir dabei erreichen, können wir dabei als Ziel des Spiels verstehen, als den Zustand, in der wir als Spieler und Spielerin einfach den Spaß des Games ausleben.

Im Gegensatz dazu wird eine First Impression-Leadership, die einen gestressten ersten Eindruck hinterlässt, mit negativer Energie im und beim Gegenüber einen Käuferstreik auslösen.

Das ist ganz einfach deshalb so, weil dann die ›Fight or Flight‹-Mechanismen ausgelöst werden. Dabei wird die Durchblutung im Gehirn reduziert, das logische Denken in den Lockdown geschickt, und die Dominanz der Stressprogramme ausgelöst: Die Stressmechanismen übernehmen auf unbewusst wirkender wie auch bewusst wahrnehmbarer Ebene die Kontrolle und verändern unsere Körpersprache, Gestik und Mimik!

Unser Gegenüber ist unbewusst ebenfalls mit den feinen Antennen dafür ausgestattet und interpretiert diese Körpersprache, Mimik und Gestik: Vermittelt der erste Eindruck, den wir bei ihm hinterlassen, das Gefühl einer Angst- und Gefahrensituation, wie dies durch Stress zwangsläufig passiert, werden nun auch unser Gesprächspartner und unsere Gesprächspartnerin nervös und unruhig.

Dieser Prozess, bei dem wir erste Eindrücke vermitteln und gewinnen, vollzieht sich neurowissenschaftlich gesehen über das Konzept der Spiegelneuronen: Diese Neuronen sind es, die uns Menschen empathisch machen und uns je nach Situation mitlachen oder mitweinen lassen.

Die Spiegelneuronen sind letztlich dafür zuständig, dass unsere Gefühle auch von anderen Personen wahrgenommen und widergespiegelt werden – und das sowohl in positiver wie in negativer Art und Weise.

Nehmen potentielle Kundinnen und Kunden über ihre Spiegelneuronen ein unangenehmes Gefühl wahr, dessen Ursprung sie uns zuschreiben, wird es diesen Kundinnen und Kunden gleichsam unmöglich gemacht, unser Angebot kaufen zu können. Ihre psychologische Programmierung warnt sie, dass es sich bei einer Verkaufssituation um eine Gefahr handelt, bei der evolutionsbiologisch betrachtet das eigene Überleben auf dem Spiel steht.

Das Programm, das unsere Vorfahren einst am Ende der Waldlichtung dabei geleitet hat, wenn sie einen anderen Menschen mit ängstlichen und gestressten Körpersignalen entdeckt haben, hat damals zur sofortigen Flucht unserer Vorfahren in den Wald geführt; heute werden der Kunde und die Kundin im Verkaufsgespräch, wenn sie den Stress wahrnehmen, wahrscheinlich nicht im wörtlichen Sinne auf Angriff gehen oder panisch die Flucht antreten, sich aber je nach Persönlichkeitstyp innerlich einem der möglichen Schutzprogramme ausgeliefert sehen, sodass wir sie nicht mehr erreichen.

Es gilt deshalb, unsere positive Wirkung zu verstärken!

Wenn du, um das Beispiel von oben noch etwas weiterzuführen, im Club zur Ausgelassenheit findest, etwas Alkohol getrunken hast und dann damit beginnst, frei und ohne falsche Hemmungen zu tanzen, bewegt sich dein Körper wie von selbst ganz richtig. Dein Gehirn schüttet, unterstützt vom Alkohol, große Mengen an Glückshormonen aus, und du gerätst in eine wirkliche Ekstase, in der du enthemmt, ohne Angst und voller Möglichkeiten energetisch unterwegs bist. In diesem Zustand erlebst du ebenfalls diese magischen Momente und ziehst dabei wie ein Magnet andere Menschen und wunderbare Möglichkeiten für dein Leben an.

Einer der biologischen Gründe dafür liegt darin begründet, dass die Ausschüttung von Glückshormonen unsere psychologische Waschmaschine mit positiven Programmimpulsen versorgt und einfärbt. Diese Positiv-Färbung sorgt im persönlichen wie auch im beruflichen Leben für herausragende Wahrnehmungen, entsprechendes Verhalten und führt in der Konsequenz zu herausragenden Ergebnissen!

Gelingt es uns, diesen hochenergetischen Zustand der Ekstase jeden Tag zu erreichen, haben wir einen Schlüssel für ein gelingendes Leben gefunden.

Die Tatsache, dass wir mit der Hilfe von Drogen und problematischen Substanzen aller Art eine Abkürzung zu einer erfolgreichen First Impression-Leadership nehmen können, beweist zunächst, dass unsere körpereigene Chemiefabrik dazu in der Lage ist, jederzeit die gewünschten Gefühle auszulösen.

Es muss uns jetzt nur noch gelingen, diesen Zustand auch ohne den Einsatz von Drogen auf gefährlichen Wegen zu erreichen – durch die richtigen Inputs für unser Verhalten und unser Denken.

Wenn wir bei unserer Entwicklung zum Smartsellertum nicht nur studieren, wie wir unsere psychologische Waschmaschine so programmieren können, sondern dies auch immer und immer wieder praktisch ausprobieren, woraus wir wieder ein Learning haben, das wir beim nächsten Versuch in die Praxis einbringen, werden wir immer öfter einen ekstatischen ersten Eindruck erzeugen, der sympathisch, kompetent und damit vertrauensvoll wirkt.

Gelingt es uns, diese innere Evolution erfolgreich zu leben, vollziehen wir gleichzeitig die Entwicklung hin zu einem wahren Smartseller.

Als positive Menschen tun wir dabei nicht nur uns selbst gut, sondern auch dem Gegenüber!

Menschen, die Stress haben, sind dagegen im tiefsten Grunde der psychologischen Wahrnehmung unattraktiv für das Gegenüber, weil sie noch viel durchschlagender, als sie es vielleicht meinen, unangenehme Gefühle auslösen.

Wer aber positiv wirkt, kann den anderen für sich gewinnen – und auch dies geht viel tiefer, als wir dies bei einer oberflächlichen Betrachtung meinen würden.

Deshalb gilt: »Kunden kaufen nur von Siegern!«[40]

Smartseller und Smartsellerinnen schaffen als Sieger und Siegerinnen eine positive, gewinnende Atmosphäre der Vertrautheit und nehmen den Kundinnen und Kunden jede Art von Angst und Stress. Sie beachten, dass Loser-Verkäufer selbst Angst haben und sie zeigen – und damit über die Spiegelneuronen auch bei den Gegenübern die schlechten Gefühle auslösen, was sie aggressiv werden oder gehen lässt und ganz sicher dazu führt, dass sie keine Partnerinnen und Partner mehr werden.

Dein erster Eindruck verrät deinem Gegenüber also stets in ultimativer Weise, ob du Freund oder Feind bist! Wirkst du vertrauensvoll und taugst als Gesprächspartner, gelingt ein gewinnender erster Eindruck, mit dem die Gesprächseröffnung glückt.

Jetzt kann das Statusspiel zwischen Verkäufer und Kunde, zwischen Verkäuferin und Kundin, beginnen:

---

[40] Vgl. Hans Christian Altmann: Kunden kaufen nur von Siegern: Wie Sie als Verkäufer unwiderstehliche Ausstrahlungskraft erreichen, Kunden begeistern und Ihren Umsatzexplodieren lassen. München 2015.

Programm 5: Im Status-Spiel überzeugen

Der erste Eindruck klärt letztlich die Frage, ob es zu einer Beziehung zwischen zwei Personen kommen kann. Wirken wir dabei positiv, ist unser Gegenüber bereit, sich von uns gewinnen zu lassen – und wir können dann eine Beziehung aufbauen, die im Fall der Verkaufssituation dazu führt, dass unser Gegenüber unser Angebot kaufen kann.

Dabei wird bereits unmittelbar in Folge des ersten Eindrucks das Element des Status in die Beziehung eingeführt. Wir verbinden damit die Frage, welche Rolle wir in der Beziehung spielen, indem wir dabei eine bestimmte Position einnehmen.

Mit anderen Worten: Wir prägen die Natur einer Hierarchie, die im letzten Programm der First Impression-Leadership eine wichtige Rolle spielt.

Der Status wird in Sozietäten jeder Art in Bezug auf ihre Hierarchien bestimmt.

In Gorilla-Populationen nehmen diejenigen Silberrücken den Status des Alphatiers als Anführer ein, deren Testosterongehalt hoch ist. Interessant ist, dass der Hormongehalt des Testosterons ansteigt, wenn ein potentielles Alphatier den Alphastatus tatsächlich erreicht, und dabei gleichzeitig der Pegel des Stresshormons Cortisol sinkt. Der Alphastatus wird damit für alle anderen Gorillas spürbar gemacht.

In dieser und anderen Tiersozietäten gilt, dass die in der Hierarchie höher gestellten Tiere Vorteile erhalten, die von der Position in der Rangordnung abhängen. Diese Vorteile gehen dann mit Fress- und Fortpflanzungsprivilegien einher. Offenbar belohnt es die Natur, von hohem Status zu sein!

In den weitaus komplexeren menschlichen Sozietäten stellt sich die Lage komplizierter dar, doch gleichwohl ist auch hier der Status in diversen Hierarchien bedeutsam.

Eine interessante Studie, die viel über die Bedeutung von Hierarchien aussagen kann, wurde dabei an einer britischen Militärbasis gemacht[41]: Da-

---

[41] Vgl. Richard Layard : Happiness: Lessons from a New Science. Second Edition, London 2011.

bei wurden die Biografien der Angehörigen und ihre gesundheitlichen Belange verglichen. Obwohl sich die Lebensverhältnisse aller Beteiligten auf der Basis stark ähnelten und ihre sozioökonomischen Verhältnisse nahezu identisch waren, stellte sich bei den Untersuchungen heraus, dass die Generäle als die in der Hierarchie hochgestellten Personen deutlich länger am Leben blieben, als dies hierarchisch niedrigeren Personen wie etwa den Sergeanten vergönnt war.

Die Studie zog die logische Schlussfolgerung daraus, dass dies daran liegen müsse, dass statushohe Personen weniger Stress empfinden, weil sie an der Spitze der Hierarchien nicht ständig damit beschäftigt sind, ihre Position nach oben und unten verteidigen zu müssen, und daher weniger Krankheitsbilder entwickeln.

Auch Robert Sapolsky kommt in seinem Buch ›Why Zebras don't get ulcers‹ zu einem ähnlichen Ergebnis[42]: Er führt aus, dass die bestmögliche Vorhersage, ob jemand an stressbedingten Krankheiten leiden wird, an seinem gesellschaftlichen Status abgelesen werden kann.

Stresserkrankungen finden sich tatsächlich in gehäufter Anzahl bei den Mitgliedern der armen Bevölkerungsschichten wieder; offensichtlich sterben statusniedere Menschen aufgrund von notwendigen oder psychologisch belastend empfundenen Positionskämpfen und dem dadurch verursachten Stress tatsächlich früher.

Dagegen verringert ein hoher Status den empfundenen Stress – und bringt damit bis heute erhebliche Vorteile im Spiel des Überlebens und der Fortpflanzung ein. Ein hoher Status führt statistisch gesehen zu einem längeren Leben.

Kein Wunder also, dass ein entsprechend positiver Status erstrebenswert und ein für unsere Wahrnehmung bedeutsamer Faktor ist!

---

[42] Vgl. Robert M. Sapolsky: Why Zebras Don't Get Ulcers. New York 2004.

Es kann daher auch nicht verwundern, dass sich das ›Statusspiel‹ unmittelbar an den ersten Eindruck anschließt, mit dem eine Beziehung beginnen kann.

Dabei geht es immer um die Bestimmung der eigenen Position innerhalb eines sozialen Gefüges. Die Frage dabei lautet, wer dabei wem gegenüber welche Haltung und damit auch welchen Status einnimmt.

Generell betrachtet wird dabei im Status-Spiel fortgesetzt, was durch den ersten Eindruck begonnen worden ist.

Wenn die First Impression-Leadership es zum Ziel hat, dass wir sympathisch, vertrauensvoll, kompetent und glaubwürdig auf den anderen wirken, müssen wir dabei unser ›inneres Spiel‹ gewinnen.

Was wir dabei über eine Information oder Situation denken, wird zu dem durch andere beobachtbaren Verhalten – und öffnet damit auch die Türe zum Statusspiel, das nun als ›äußeres Spiel‹ fortgesetzt wird, dabei aber weiterhin vom inneren Dialog gelenkt wird.

Wirst du von Beginn an vom Gegenüber abgelehnt, kann es wiederum zu keinem Statusspiel in einer Beziehung kommen. Wenn die Verkaufspräsentation erst gar nicht stattfindet, weil du als Berater und Beraterin nicht vertrauensvoll gewirkt hast, ist es nur logisch, dass auch keine Verhandlung des Status im Verkaufsgespräch stattfindet.

Wenn du aber mit dem ersten Eindruck die richtige Türe öffnen konntest, beginnt das Status-Spiel und wird so lange gespielt, bis ein Ergebnis gefunden wird.

Tom Schmitt und Michael Esser gehen in ihrem Buch ›Status-Spiele: Wie ich in jeder Situation die Oberhand behalte‹ auf den Verlauf der Statusspiele im Detail ein.[43]

Dabei wird von einem Spannungsfeld des ›Tiefstatus‹ auf der einen und dem ›Hochstatus‹ der anderen Seite ausgegangen.

Der tiefe Status entsteht einerseits aus Respekt vor dem anderen und anderseits aus dem unbedingten Bedürfnis nach Sympathie. Der tiefe Status sucht deshalb Nähe und löst eine Sogwirkung aus: Sie entsteht dadurch, dass der tiefe Status seine eigenen Interessen denen des anderen unterordnet und dadurch Sympathien gewinnt. Im tiefen Status vertrauen wir etwa unserer Mutter, weil sie das Beste für uns will.

Der tiefe Status steht somit für den Aufbau von Vertrauen durch Sympathie. Neunzig Prozent der Menschen bevorzugen es, den Tiefstatus einzunehmen. Da der Tiefstatus Kompromissbereitschaft und Nachgiebigkeit notwendig macht, ist im Tiefstatus die Zielerreichung nicht so ausgeprägt wie im Hochstatus.

Der Hochstatus hat dagegen eine hohe Zielerreichung im Fokus und lässt wenig Kompromisse zu. Das senkt die Beliebtheitswerte des Hochstatus enorm, zumal der Hochstatus Gefühle des Drucks im Gegenüber auslöst. Nur zehn Prozent der Menschen bevorzugen es, lieber respektiert als gemocht zu werden! Festzustellen ist aber: Mit diesem Respekt wird der Hochstatus mehr Erfolge erreichen als der Tiefstatus mit Sympathie.

Die Menschen, die uns begegnen, ordnen wir im Spannungsfeld von Tief- und Hochstatus ein.

Frau X findet etwa ihren Hausarzt Y besonders sympathisch. Als ihr eine schlimme Krankheit diagnostiziert wird, schickt ihr sympathischer Hausarzt sie zum Facharzt Z, der ein ausgewiesener Experte für diese Krankheit ist. Herr Z ist autoritär, kühl, distanziert und überhaupt nicht sympathisch, doch Frau X hat trotzdem das Gefühl, dass er ihr helfen kann. Sie hat Respekt vor seinem Alphastatus, den er sich durch seine Persönlichkeit und seinen Ruf als Koryphäe aufgebaut hat.

---

[43] Vgl. Tom Schmitt und Michael Esser: Status-Spiele: Wie ich in jeder Situation die Oberhand behalte. Frankfurt am Main 2010.

Der Status wirkt also im Spannungsfeld der Statuspole und ist zudem abhängig von der jeweiligen Situation, in der wir uns befinden. Dabei entscheidet der Kontext darüber, wie wir den Status verstehen und welchen Status wir selbst einnehmen.

In der Situation einer Bewerbung werden Personen einen anderen Status einnehmen als das in ihrem privaten Umfeld der Fall sein wird.

Welchen Status wir einnehmen, hängt dabei von der Überlegung ab, was man sich leisten kann: Der Status ist in diesem Sinne stets eine Verhandlungssache, die zwischen zwei Personen ausgespielt wird! Welcher Status am Ende gefunden wird, wirkt immer auf uns selbst wie auch auf das Gegenüber und beeinflusst damit auch, wie man sich fühlt.

Für uns als Smartsellerinnen und Smartseller führt das Statusspiel zu vier typischen Spielsituationen, in denen wir es jeweils mit Status-Optionen zu tun bekommen, die zu unterschiedlichen Ergebnissen für die Verkaufssituation führen:

Situation 1: Ein hoher innerer Status und ein hoher äußerer Status:

Das ist der Status des Machers! Dieser Typ sucht den Konflikt und schafft durch seine offensive Art gerade Resultate. Respekt und Autorität zeichnen den Macher aus.[44]

Situation 2: Ein tiefer innerer Status und ein hoher äußerer Status:

Stress, negative Gefühle und Machtlosigkeit lösen diese Status-Option aus, die uns zum Loser macht. In diesem Status wirken Menschen arrogant, womit Konflikte verschärft werden. Weder Sympathie noch Respekt können erzielt werden. Da bei Stress das psychologische Gehirn übernimmt und automatische Stressprogramme gestartet werden, kann dieser Status für alle Persönlichkeitstypen zum Problem werden.[45]

Situation 3: Ein hoher innerer Status und ein tiefer äußerer Status:

Das ist der Status des charismatischen Verkäufers! Diese Status-Option löst Konflikte und Streitigkeiten, da der Charismatiker Respekt und Sympathie gewinnt. Erfolgreiche Smartseller befinden sich die meiste Zeit über in diesem Status.[46]

Situation 4: Ein tiefer innerer Status und ein äußerer tiefer Status:

Das ist der Status des Teamplayers: Er besitzt wenig Respekt und Autorität, dafür aber hohe Sympathiewerte. Dieser Status scheut den Konflikt.[47]

---

[44] In der DISG-Typologienlehre würde der Macherstatus vorrangig einer Rotdominanz zugeschrieben werden: Vgl. Kapitel 6: Die Potentialmaschine.

[45] Da jede Person in bestimmten Situationen Stress bekommen kann, ist dieser Status keinem speziellen Typen in der DISG-Typologienlehre zuzuordnen: Vgl. Kapitel 6: Die Potentialmaschine.

[46] Dieser Status entspricht der Rot-Gelb-Dominanz in der DISG-Typologienlehre: Vgl. Kapitel 6: Die Potentialmaschine.

[47] In der DISG-Typologienlehre würde man diesen Status einer Grün-Dominanz zuschreiben: Vgl. Kapitel 6: Die Potentialmaschine.

Jeder Mensch bevorzugt eine Status-Option, kann aber gleichzeitig jeden Status einnehmen!

Wenn wir uns das als Smartsellerinnen und Smartseller bewusst machen und gleichzeitig verstehen, welche Rolle in den Status-Optionen eingenommen wird, zu der es im Anschluss des ersten Eindrucks kommt, werden wir die jeweiligen Vorteile der Status-Optionen im Ausbau unserer Beziehung mit den Kundinnen und Kunden nutzen können, um uns die vorteilhaften Wirkungen der Verhaltensführung für den Verkaufsprozess im Anschluss zunutze zu machen.

Mental wird real: Die Einstellung macht den Unterschied!

Wenn wir im Verkauf tatsächlich alle mehr oder weniger denselben Markt vorfinden, dieselben Skills abrufen und ähnliche Ausbildungen erhalten haben, die Verkaufsergebnisse jedoch trotzdem von Verkäufer zu Verkäufer stark voneinander abweichen, legt das einen wichtigen Schluss nahe:

Es liegt an der Attitude der jeweiligen Verkäuferin und des jeweiligen Verkäufers, ob Verkaufserfolge erzielt werden oder nicht!

Die Lektionen der First Impression-Leadership erzählen dabei vielleicht das wichtigste Kapitel unseres ANDERSWEGS zum Erfolg: Sie zeigen, dass eben nicht das Logik-Gehirn mit seinem IQ und der Vernunft über unsere Verkaufskarriere bestimmen, sondern vielmehr die Programme der Waschmaschine im psychologischen Gehirn darüber entscheiden. Die Art und Weise, in der es uns gelingt, unsere unbewussten Denk- und Verhaltensmuster zu steuern, entscheidet darüber, wie weit wir als Smartseller und Smartsellerinnen im Verkauf und im Leben kommen können.

Die Attitude des Smartsellers ist darum das Ergebnis unserer komplexen Wahrnehmung und unseres Verhaltens: Unsere Verkäuferpersönlichkeit wird von den Mechanismen unseres Gehirns definiert und von den Gedanken geprägt, die über bewusste und unbewusste Prozesse des inneren Dialogs zum ersten Eindruck eines Menschen führen. Dieser innere Dialog wird als der erste Eindruck vom Gegenüber über die Spiegelneuronen der Gehirne gelesen und nachempfunden.

Dabei senden wir auf dem Smartseller-Sender wie eine Radiostation, die von unseren Gegenübern empfangen werden kann:

Sind unsere Programme unattraktiv, wird die andere Person nicht positiv reagieren; wird unser Radiosender nicht gehört, ist unsere Kommunikation mit dem Gegenüber gestört. Ein Verkauf ist unmöglich, wenn wir uns gegenseitig nicht riechen können und uns als unsympathisch wahrnehmen.

Auf der anderen Seite öffnet ein gelungener erster Eindruck die Türe zum Verkauf: Empfindet uns ein anderer Mensch als vertrauensvoll, dann kann das Statusspiel gespielt werden, in dem wir als Verkäuferin und Verkäufer überzeugen. Verstehen wir es dabei, den Ausgleich zwischen dem tiefen und dem hohen Status zu finden, können unsere Abschlüsse explodieren!

Tatsache ist, dass Weltklasse-Performer – ob es nun Stars des Tennisports oder Profi-Kicker sind, ob es nun Topverkäuferinnen und erfolgreiche Unternehmer sind – über Jahre und Jahrzehnte hinweg Tag für Tag in der Lage sind, Höchstleistungen zu erzielen und abzuliefern. Konstant wiederholte Topleistungen führen zu außergewöhnlichen Lebensleistungen!

Die entscheidende Frage ist dabei, ob die Performer und Performerinnen die Fähigkeit haben, ihre Top-Performances immer und immer wieder reproduzieren zu können, weil sie auf mentaler Ebene dazu bereit sind.

Wenn es zwei nahezu identische Verkäuferinnen gibt, die sich inhaltlich betrachtet auf demselben hohen fachlichen und physischen Leistungsniveau bewegen, so stellt sich die Frage: Warum schreibt die eine jeden Monat einen fünfzig Prozent höheren Umsatz als die andere? Wer herausfinden möchte, was die erfolgreichere Verkäuferin anders macht als die Durchschnittsverkäuferin, wird sich am Ende mit ihrer mentalen Einstellung befassen.

Denn Höchstleistungen sind niemals ohne außergewöhnliche Mindsets möglich!

Die Mindsets des Gewinners und der Gewinnerin wirken in hohen Energieleveln, die Kundinnen und Kunden und andere relevante Personen im Umfeld des Gewinners nicht nur spüren und beobachten können, sondern die sie auch mitreißen und begeistern.

Das hohe Energielevel wirkt durch den ersten Eindruck und führt zu der Erkenntnis, dass die innere Welt des Gewinners seine äußere widerspiegelt: Je höher die mentale Energie ist, desto besser ist die Wirkung des Smartsellers auf andere – und desto besser ist am Ende auch der Verkaufserfolg.

Erfolgreiche Selbstführung weiß um die Macht des ersten Eindrucks – und weiß sie für sich zu nutzen!

Kapitel 5: **Smartseller vs Die Liga der Saboteure**
Oder: Erfolg und die Viren des Geistes

Nichts funktioniert – und wir sind frustriert! Was bis vor Kurzem noch ganz leicht fiel, scheint plötzlich schier unmöglich zu sein. Und der Erfolg rückt in weite Ferne: Willkommen in der ersten Krise als Smartseller und Smartsellerin!

Klappt es nicht mit dem Verkaufserfolg, dann sind der Markt, die Umstände und das Angebot schuld: Schnell finden wir zahlreiche Erklärungen dafür, warum unser Fortschritt gehemmt wird – und am besten gefallen uns dabei die Erklärungsvarianten, die äußere Umstände für unser Pech verantwortlich machen. Die Welt ist einfach zu schlecht und arbeitet gegen uns, oder etwa nicht?

Wir haben als Smartseller und Smartsellerinnen bereits gelernt, dass Niederlagen ein notwendiger Teil des Wegs sind, weil das Prinzip der Polarität wirken muss; was aber ist zu tun, wenn wir vor lauter Downs kein Licht mehr am Ende des Tunnels sehen können? Dann müssen wir uns mit den Prinzipien der Kausalität befassen und die wahren Ursachen für eine schlechte Situation und die unerwünschte Wirkungen identifizieren!

Anstatt dabei in Selbstmitleid zu verfallen und uns als Spielball der bösen Umgebung zu wähnen, sollten wir weise genug sein, uns nun für die wirklichen Erklärungen unserer Schwierigkeiten zu wappnen: Sie liegen oft in unserem eigenen Denken und Tun begründet!

Denn meist ist es letztlich ganz simpel: Wir haben keinen Erfolg, weil wir keine gewinnende First Impression-Leadership an den Tag legen. In unseren Prozess der Entstehung des ersten Eindrucks haben sich stattdessen einige Programmfehler eingeschlichen, die eine fatale Auswirkung haben. Die Viren, die unsere First Impression-Programmierung befallen haben, gehören als Saboteure zu den Viren des Geistes, die den Verkaufserfolg verhindern.

Die gute Nachricht dabei ist: Immer noch beginnt (fast) alles bei uns selbst. Wir sind nach wie vor die Quelle für das, was uns in unserem Leben widerfährt, wenn wir in der Lage bleiben, Akteur zu sein. Damit steht es uns nach wie vor frei, mehr aus uns zu machen, uns zu entwickeln und die Kunst der Selbstführung zu meistern.

Zu lernen, gute Entscheidungen zu treffen, Verantwortung für das eigene Schicksal zu übernehmen, sich Ziele zu setzen, anderen die Meinung zu lassen, selbst über unser Denken zu bestimmen und das Schuldspiel den Losern zu überlassen, gehört für unsere Entwicklung hin zu einem wahren Smartseller und einer wahren Smartsellerin zu den wichtigsten Aufgaben im Selbstmanagement.

Wie gut uns das gelingt, zeigt sich indessen erst, wenn wir unter Beschuss geraten, wenn es schwer wird und alles, was wir aufgebaut haben, auf den Prüfstand gestellt wird!

Es gehört deshalb zum Spiel der eigenen Weiterentwicklung, dass wir uns folgende Fragen immer und immer wieder stellen: Welche unserer Verhaltensmuster sind vorteilhaft und welche behindern uns? Welches Verhalten bringt uns unseren Zielen näher, welches aber davon weiter weg?

Die Qualität, mit der wir auf diese Fragen antworten, beeinflusst maßgeblich unsere Möglichkeiten, jedwede Art von Schwierigkeiten durch Selbstführung zu meistern.

Die Formel zur Selbstführung, die wir dabei anwenden sollten, lautet etwas abstrakt wie folgt:

Selbstführung = Vertrauen in unser Tun x unsere Beziehung zu uns
x unsere Ich-Kommunikation!

Wenn wir uns klare Ziele setzen – worauf noch einzugehen sein wird – und uns überlegen, mit welchen Schritten wir diese Ziele erreichen, so können wir Vertrauen haben in den Weg, den wir dabei gehen. Wir sind dann mit uns selbst im Reinen und können auf unserem Weg Beziehungen eingehen, die uns weiterbringen. Der besondere Faktor, der ins Spiel kommt, wenn wir es dabei mit Schwierigkeiten zu tun bekommen, ist die Fähigkeit, wie wir uns selbst lenken, wahrnehmen und motivieren: nämlich unsere Ich-Kommunikation in der Selbstführung!

Die Art und Weise, wie wir mit uns selbst ›sprechen‹, bestimmt dabei über das Erleben unserer aktuellen, vielleicht auch schwierigen Situation:

Befinden wir uns in einer positiven, großen Hochstimmung, was wir gerne anstreben, können wir große und hohe Ziele erreichen, da sich unser Leben in einem Zustand der Leichtigkeit befindet. Ist unser innerer Dialog dagegen negativ, kann es schnell kritisch werden, wenn im Moment des Tiefs plötzlich die Viren des Geistes auftauchen und unser Leben von Schwere gekennzeichnet wird.

Das führt zu einer Lähmung des Antriebs: Wie Eisenketten, die uns an die Erde binden, wird unser Erfolg dann dadurch erschwert, dass wir einfach nicht mehr ins Handeln kommen! Unsere Entwicklung wird ausgebremst, unser persönlicher Fortschritt verzögert und unsere Reise in den Kreis des einen Prozents verläuft in einem Weg der wellenförmigen Höhen und Tiefen.

Wenn wir sagen, dass unser Denken dann durch die Viren des Geistes sabotiert wird, so benutzen wir natürlich eine Metapher, um uns klar zu machen, mit welchen wirkungsmächtigen Vorgängen wir es zu tun haben: Die Viren sind bei exakterer Betrachtung falsche Verknüpfungen, die unser Gehirn über die Jahre seiner Entwicklung ausgebildet hat! Wir müssen uns dann neue

Denkweisen aneignen und verinnerlichen, um die falschen Verknüpfungen zu löschen und durch geeignetere Denkprozesse zu ersetzen.

Erneut geht es dabei darum, die Wirkweisen unseres Denkens zu verstehen und zu nutzen:

Der ursprüngliche Zweck unseres Denkens liegt darin, unser Überleben zu sichern und dabei Recht zu behalten[1]: Unser Denken betrachtet das Leben darum als ein Spiel, dessen Ziel und Zweck darin besteht, unsere Existenz zu sichern.

Um das Spiel zu gewinnen, erschafft sich jeder Mensch einen besonderen Avatar des Denkens: nämlich eine bestimmte Version seiner selbst! Unser Avatar bildet dabei bestimmte Verhaltensmuster aus, die unserem Überleben dienen.

Je älter wir werden, desto schwieriger ist allerdings erkennbar, welche Verhaltensmuster des Avatars als einer Version unserer Möglichkeiten überhaupt noch dem ursprünglichen Ziel dienen: Wir haben bis dahin viele Muster übernommen, die eigentlich gar nichts für unser Überlebensziel beisteuern, und sie dabei auf eine Weise verinnerlicht, die wir gar nicht mehr hinterfragen. Es bleibt dabei nicht aus, dass viele Verhaltensmuster dabei falsch verknüpft wurden – und längst zum Problem geworden sind!

Viele dieser Verknüpfungen sind deshalb problematisch oder falsch, weil sie nun jegliche persönliche Weiterentwicklung sabotieren, indem sie ein eigentlich überholtes Verhalten in uns zementieren. Das neue, unverstellte Muster, das die alten Zöpfe abschneiden will, wird dann schon im Keim des Wachstums erstickt.

Trotzdem sind wir dabei immer noch davon überzeugt, dass wir stets rational und in unserem besten Interesse handeln: Jeder und jede von uns will überleben und denkt, dass er und sie es mit seinem früh erlernten Verhalten am besten kann!

Den blinden Fleck, der mit der einseitigen, auch bequemen Fokussierung auf die alten Muster entsteht, übersehen wir allzu leicht.

---

[1] Vgl. Ron Smothermon: Drehbuch für Meisterschaft im Leben. Bearbeitet von Hans J. Zander. Bielefeld 1996.

Diese Funktionsweise unseres Gehirns hindert die meisten von uns daran, die Saboteure unter unseren Verhaltensmustern zu identifizieren und wirkungsvoll gegen sie vorzugehen – und das gilt auch für uns als Smartsellerinnen und Smartseller und für unser Verhalten im Feld des Verkaufs und der damit verbundenen Bereiche.

Der Kampf gegen die Saboteure betrifft daher auch unser ganzes Wesen und muss so geführt werden, dass wir in einem Prozess der Bewusstwerdung notwendige Veränderungen verinnerlichen: auch das ist Teil der Entwicklung der Smartseller-Persönlichkeit.

Kannst du deine Viren des Geistes identifizieren, sie überwinden und aus deinem Leben verbannen? Wenn dir das gelingt (und erst wenn dir das gelingt!), steht dir eine großartige Verkaufskarriere bevor!

Henry sitzt schlagartig aufrecht im Bett.

Er ist schweißgebadet und hat bis vor wenigen Momenten noch versucht, sich aus der Bettdecke zu befreien, die dabei war, ihn unerbittlich zu erwürgen …

Henry knipst das Licht auf dem Nachttisch an.

Es war nur ein Alptraum.

Dabei war der Abend doch ganz gut gestartet. Er hatte es geschafft, sich mit Julia zu verabreden … Na ja, es war schon eine Verabredung gewesen, auch wenn noch eine ihrer Freundinnen dabei gewesen war. Ein unverfänglicher Kinobesuch sollte es sein, und die Wahl des Programms blieb Julia überlassen und fiel auf einen der zahllosen Marvel-Actionstreifen, in denen die Superhelden gegen eine Liga böser Mächte antreten müssen, um die Welt – nein, das Universum! – im letzten Augenblick zu retten.

Komischerweise war gerade die toughe Julia ein Fan dieser Art von Kino – und Henry hatte feststellen müssen, dass er der Materie nur teilweise folgen konnte, da er die Figuren noch nicht aus den vorigen Filmen gekannt hatte.

Außerdem hat er zwischendurch auch weniger gut auf den Film geachtet, dafür aber umso besser auf Julia!

Das Popcorn hat er immerhin schon mit ihr teilen dürfen.

Und jetzt hatte ihm sein überreiztes Hirn offenbar einen Streich gespielt, als er von der Bedrohung aus dem All (oder war es doch ein anderes Universum gewesen?) träumte, die versuchte, die Welt mittels Gedankenkontrolle in eine Ära des Dunkels zu stürzen!

Henry gegen die Liga der Saboteure des Geistes …

Moment einmal – ging es im Buch nicht auch irgendwie um ein ähnliches Thema?

Er hatte das Kapitel gerade erst zu lesen begonnen, aber darin stand ja fast dasselbe. Nur dass hier die Saboteure im eigenen Kopf lauerten.

Na prima!

Vielleicht hat er doch nicht nur wegen des Kinos diesen Traum gehabt.

Nachdem Henry sich ein Glas Milch aus dem Kühlschrank geholt hat und nun sowieso wach ist, beschließt er, lieber noch etwas über den erfolgreichen Kampf gegen die Viren im eigenen Kopf zu lesen, als wieder in einen Alptraum zu verfallen …

Und lehrreicher ist das ja sicher auch.

Bislang war bei Guru Gee ja immer alles gut ausgegangen!

Besonders in den Situationen, in denen wir uns in der Krise befinden, sollten wir als Smartseller und Smartsellerin daran wachsen, unsere Viren des Geistes zu besiegen. Der Umgang mit den Saboteuren in unseren schwierigen Phasen entscheidet dann darüber, wie es tatsächlich um unser Level an Persönlichkeitsentwicklung bestellt ist.

Unsere Situation können wir dabei mit einem Computerspiel vergleichen, bei dem wir Level um Level meistern müssen, um zu gewinnen. Auf dem Weg durch die einzelnen Level und Schwierigkeitsgrade des Computerspiels gilt es die unterschiedlichsten Hindernisse und Herausforderungen zu meistern.

Dabei gibt es manchmal Situationen, in denen wir gerade noch im letzten Moment das Level schaffen, und manchmal andere, in denen wir wieder von vorne beginnen müssen. Bevor wir das nächste Level erreichen und damit dem Spielende näherkommen, sind jedenfalls alle vorigen Level zu bestehen; bis wir alle Level geschafft haben, wiederholen wir deshalb die nicht gemeisterten Level immer wieder und wieder.

Im echten Leben geht es uns als Smartsellern und Smartsellerinnen ganz genauso: Du verharrst so lange auf deinem derzeitigen Leistungsniveau, bis du in deiner Persönlichkeitsentwicklung den nächsten Schritt gegangen bist! Die Saboteure als die Viren des Geistes sind unsere Endgegner auf diesem Weg zum Erfolg: Unser Umgang mit ihnen ist dabei der Gamechanger.

Alle Saboteure und Viren des Geistes scheinen dann einzig und allein dazu geschaffen worden zu sein, unseren Erfolg zu konterkarieren – und das Verrückte daran ist, dass wir diese Saboteure selbst als die bestmöglichen Gegner erschaffen haben!

Daher sollten wir die Viren des Geistes genau studieren und verstehen, ob und wie wir unter einem dieser Saboteure leiden, um dann zu überlegen, wie wir den Saboteur am besten bekämpfen können. Möchten wir die Entwicklung zur erfolgreichen Smartseller-Persönlichkeit fortsetzen, müssen wir den Kampf dabei baldmöglichst aufnehmen!

Daher ist es jetzt auch an der Zeit, all jene Saboteure in die Wüste zu schicken, damit du die Entwicklung zum nächsten Level des Smartsellers fortführen kannst!

Analysieren wir also am besten sofort unsere Gegenspieler, damit wir sie in ihre Schranken weisen können:

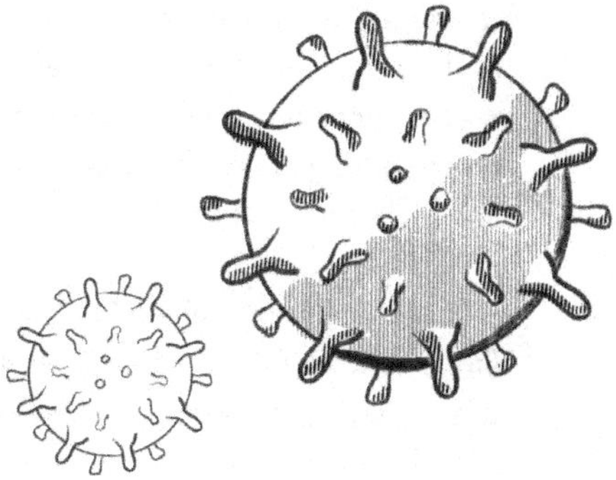

Saboteur Nummer 1: Das Virus der Entscheidungsverstopfung

Wir treffen jeden Tag Hunderte von Entscheidungen, die meisten davon unbewusst. Die meisten Menschen verstehen sehr genau, dass richtige Entscheidungen zu einem erfüllten Leben führen; falsche oder schlechte Entscheidungen tragen im Gegensatz dazu zu einem beschwerlichen und oftmals miserablen Dasein bei.

Es ist daher vernünftig, herauszufinden, wie man lernen kann, richtige Entscheidungen zu treffen. Erfolg ist immer das Ergebnis richtiger Entscheidungen!

Stehen wirklich wichtige und große Entscheidungen an, tritt jedoch häufig das Symptom der Entscheidungsverstopfung auf. Wir können uns nicht entscheiden, weil wir die beste aller möglichen Entscheidungen treffen wollen – und können sie dann nicht treffen, weil wir weiter und weiter nach diesem Besten suchen, das es am Ende nicht gibt. Dieses Virus kann uns in der Folge entscheidungsunfähig machen, was im Endeffekt die schlechteste aller möglichen Optionen darstellt.

Um die Angst vor Fehlern zu minimieren, nutzen nicht wenige Personen die Strategie der Entscheidungsvermeidung, die aber letztlich auch einer Entscheidung gleichkommt – nämlich der Entscheidung, nichts zu entscheiden und sich damit selbst zu lähmen.

Charles de Gaulle kam deshalb zu der Erkenntnis, dass es besser sei, unvollkommene Entscheidungen zu treffen, als ständig nach der vollkommenen Lösung zu suchen, die es niemals gibt![2] Anstelle der besten Entscheidung wählen wir dann die bestmögliche Option aus, die uns tatsächlich zur Verfügung steht.

Dabei sollten wir öfter einmal auf die Intuition vertrauen. Unsere Intuition wird nämlich aus Erfahrungen gespeist – und die wiederum sind das Resultat vieler falscher Entscheidungen. Schlechte Erfahrungen, die auf Fehlern

---

[2] Vgl. ebenda, S. 220. Vgl. auch: Martin Wehrle: Das Zitat ... und Ihr Gewinn, Artikel auf www.zeit.de/2011/12/C-Perfektionismus, aufgerufen November 2023.

fußen, die uns unterlaufen sind, bilden dann das Fundament zukünftiger, guter Entscheidungen – was wiederum dem Prinzip der Polarität mit dem Backwards Law entspricht.

Unsere richtig getroffenen Entscheidungen sind deshalb oft das Ergebnis unseres Bauchgefühls, also Entscheidungen unseres psychologischen Gehirns der Waschmaschine!

Egal, ob du Entscheidungen triffst, aufschiebst oder verdrängst: Alles hat unausweichlich Konsequenzen. Für diese Konsequenz haben wir die Verantwortung, die wir mit jeder getroffenen Entscheidung tragen müssen. Weil wir stets die Verantwortung für unsere Entscheidungen tragen müssen, bedarf jedes Entscheiden der Eigenschaft des Mutes – und das schließt den Mut ein, sich auch Fehler zu erlauben.

Denn nur diejenigen, die viele Fehler machen, werden aufgrund des Prinzips der Polarität echte Learnings durchlaufen und somit auch dazu vorherbestimmt werden, es in den Kreis des einen Prozents zu schaffen!

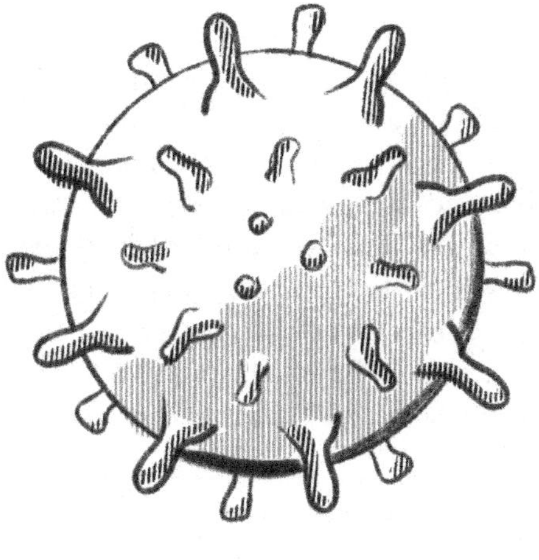

Mutig zu entscheiden bedeutet also auch, in der Selbstverantwortlichkeit zu agieren. Nur wenn uns dies gelingt, agieren wir erwachsen und gelangen aus der Abhängigkeit in die Unabhängigkeit.

Das bedeutet auch zugleich, aus der Hilfsbedürftigkeit in die Selbsthilfe zu gelangen und somit von der Fremdbestimmtheit zur Selbstverantwortung zu finden.

Wer sich gerade im Business permanent als Opfer sieht, unternimmt meist nichts anderes als den Versuch, seine Verantwortung abzuschieben. Diese fehlende Selbstverantwortung kommt mit einem Preisschild daher: Sie kostet dich den Verlust deiner Selbstachtung![3] Willst du diesen Preis wirklich dauerhaft bezahlen? Hoffentlich nicht!

Durchschnittliche Menschen möchten nur ungern die Verantwortung für ihre Entscheidungen tragen. Ihr Schiff der Verantwortung wird als U-Boot ausgeliefert und kann gar nicht schnell genug abtauchen. Geben wir jedoch die Verantwortung für unser Tun auf diese Weise ab, sind wir nicht mehr der Kapitän: Als hilfloser Passagier müssen wir dann vielmehr unbeteiligt abwarten und zusehen, was unserem Boot zustößt!

Das macht unfrei und abhängig von anderen. Wir erfinden dann Ausreden, um uns zu rechtfertigen, doch täuscht dies nicht darüber hinweg, was die wahre Ursache für unsere Situation ist.

Wirkliche Freiheit im Leben finden wir nur in der Übernahme von Verantwortung. Diese Freiheit beinhaltet immer die Notwendigkeit, dass wir uns selbst entscheiden müssen und können! Es ist dabei notwendig, dass wir die volle Verantwortung für unser Leben und für all das, was darin geschieht, übernehmen. Immer dann, wenn du die volle Verantwortung in deinem Leben übernimmst, bist du auf dem Weg, ein erfolgreiches Leben zu führen!

Doch jedes Mal, wenn du dich vor einer Entscheidung drückst und beschließt, nicht dein Bestmögliches an Leistung zu geben, rennst du auch vor der Verantwortung davon – und schadest dir damit am Ende sehr.

---

[3] Vgl. Ron Smothermon: Drehbuch für Meisterschaft im Leben. Bearbeitet von Hans J. Zander. Bielefeld 1996.

Eine Entscheidung in der Selbstverantwortlichkeit zu treffen erfordert deshalb wie bereits gesehen Mut – und bedeutet gleichzeitig, etwas anderes nicht zu entscheiden, ja sogar auszuschließen oder abzuwählen. Die Frage, wovon wir uns dabei scheiden, steckt bereits im Wortstamm der Entscheidung.

Wenn wir uns die Leistungen diverser Menschen vor Auge führen, werden wir meist schnell wissen, was damit gemeint ist und wofür sie sich entschieden haben – und wofür nicht.

Entscheiden wir uns in der Selbstverantwortung, wirklich als Smartseller und Smartsellerin zu überzeugen, um zum einen Prozent der Bevölkerung zu gehören, das außergewöhnlich gut verdient, so bezahlen wir einen Preis dafür: Unsere Entscheidung führt notwendig zu einem größeren Arbeitspensum, zu dem auch die Entwicklung der Smartseller-Persönlichkeit gehört, und damit auch zu erweiterten Arbeitszeiten, womit uns weniger Zeit für anderes bleibt.

Die Entscheidung, erfolgreich als Smartseller und Smartsellerin zu arbeiten, bedeutet also, einen Gutteil deines Lebens über Jahre hinweg dem Verkauf und dem zugehörigen Selbstoptimierungsprozess zu widmen!

Die Decision Cow

Warum tun sich Menschen trotzdem so schwer damit, Entscheidungen zu treffen? Die Geschichte der jungen Kuh Smarty verrät uns, worin die typischen Probleme liegen:

Smarty war ein kleines, naives Kalb und stand auf einer grünen, saftigen Wiese. Dort genoss Smarty die ersten wärmenden Sonnenstrahlen der Frühlingssonne. Als Smarty den Berg hinaufschaute, entdeckte es weit entfernt am Horizont ein riesiges, altes Schloss, das auf dem Gipfel im Morgenlicht erstrahlte.

Just in diesem Moment fuhr der Schlossbesitzer in seinem wunderbaren, glänzenden Luxusauto und der Aura eines erfolgreichen Selfmade-Unternehmers an der Kuhweide vorbei hinauf in Richtung seines Anwesens.

Smarty schaute ihm mit offenem Maul hinterher.

Dann gab Smarty ein kräftiges Muh zum Besten, drehte sich zu seiner Mutter um und fragte: »Mama, was muss ich tun, um zu erreichen, was der Schlossbesitzer erreicht hat?«

Mama Kuh schaute Smarty lange an und antwortete schließlich: »Du musst durch diesen Dschungel gehen«, deutete sie auf einen dunkel und beängstigend wirkenden Wald, in dem das kurvige Sträßlein verschwand. »Dort leben Würgeschlangen, giftige Riesenspinnen, gefährliche Panther und viele andere schreckliche Tiere. Wenn Du den Wald lebendig durchqueren kannst, dann kommst Du in das Land, in dem Milch und Honig fließen. Dort erwartet Dich all das, wovon Du heute träumst!«

Das kleine Kalb Smarty schaute verträumt in den Himmel und wunderte sich: »Warum machen sich denn nicht alle dahin auf? Ich werde es auf jeden Fall tun!«

Smarty machte sich auf den Weg und lief in die Richtung des Waldes los. Auf seinem Weg kam Smarty an anderen Kühen vorbei und erzählte ihnen begeistert von seinem Vorhaben. Das Kalb ermutigte die anderen Kühe, es ihm doch gleichzutun und das Abenteuer zu wagen.

Doch die anderen Kühe schauen Smarty nur fassungslos an.

»Wie kannst du das nur wollen?«, fragte eine Kuh. »Hier auf der Wiese scheint doch schon die Sonne, hier gibt es saftiges Gras, und es ist ein sicherer Ort! Ob wir im düsteren Wald überleben, können wir dagegen gar nicht wissen! Weshalb sollten wir ein Risiko eingehen? Uns geht es doch gut hier! Wir haben hier alles, und jeder Tag ist gleich und verlässlich! Bleib doch lieber bei uns, hier auf der Wiese!«

Smarty fing an zu überlegen. »Soll ich ins Ungewisse ziehen oder doch lieber bei der Herde bleiben? Soll ich etwas wagen oder doch lieber die langweilige und eintönige Sicherheit der Wiese bevorzugen? Was soll ich nur wählen?«

Das kleine Kälbchen Smarty quälte sich, während es um eine Entscheidung rang ...

... und wie hättest du dich entschieden?

Wir alle sind wie Smarty in der Geschichte: An bestimmten Punkten im Leben müssen wir uns, ganz für uns selbst, entscheiden, wohin unsere Reise gehen soll – und welchen Preis wir dafür zu zahlen bereit sind. Eine Entscheidung zu treffen heißt, die Folgen zu akzeptieren, und erfordert zudem immer die Abwahl einer oder mehrerer Alternativen.

In der Situation der Entscheidung wirken zwei elementare Kräfte in uns. Die erste Kraft ist der Selbsterhaltungstrieb, der uns dazu bringt, Mauern zu errichten, um uns zu schützen, damit wir sicher sind. Die andere Kraft ist die beständige Sehnsucht, uns auszudehnen und grenzenlos zu werden.

Diese beiden Bedürfnisse nach Erhaltung und nach Ausdehnung sind jedoch mehr als nur die entgegengesetzten Kräfte, nach denen sie zunächst aussehen. Sie sind vielmehr die zwei Seiten einer einzigen Münze, indem sie sich auf zwei unterschiedliche Aspekte unseres einen Lebens beziehen:

Die eine Kraft hilft uns, gut in unserer Welt verwurzelt zu sein, die andere führt uns darüber hinaus.[4]

Beides ist im Leben sinnvoll und wichtig, und beides fordert uns gleichermaßen heraus!

Beide Kräfte sind wie zwei Herzen, die gut hörbar in unserer Brust schlagen, und führen dazu, dass unsere Entscheidungsfindungen so oft zur persönlichen Wissenschaft erhoben werden.

Unsere Entscheidungen werden somit von zwei korrespondierenden Polen herausgefordert:

Wenn wir an die Börse gehen, kennen wir die Angst, einen Verlust zu erleiden, und gleichzeitig die Gier, eine fantastische Investment Opportunity zu nutzen.

Oder wir stehen vor der Fragestellung, ob der sichere und monotone Beruf eines Beamten für uns mehr taugt als das unstete, abenteuerliche, aber auch erfolgsverheißende Leben eines Entrepreneurs.

---

[4] Vgl. Sadhguru: Die Weisheit eines Yogi: Wie innere Veränderung wirklich möglich ist. München 2017.

Wie auch immer wir uns entscheiden – lass es uns überzeugt tun!

Das wusste bereits der spanische Eroberer Hernán Cortés. Er setzte im Jahre 1519 mit siebenhundert Mann und elf Schiffen von Kuba nach Mexiko über, um das ›Goldland‹ zu suchen. Als sich das heutige Mexiko nicht nur als sein Ziel, sondern auch als gut organisierter Staat mit einer großen Armee entpuppte, brach unter den Soldaten des Cortés eine Meuterei aus.

Cortés traf eine radikale Entscheidung: Er ließ zwei Anführer der Meuterer hinrichten und die gesamte Flotte in Brand stecken! Der spanische Landungstrupp hatte nun keine Rückzugsmöglichkeit mehr und eroberte mit dem Mut der Verzweiflung gemeinsam mit indigenen Verbündeten in wenigen Monaten das Riesenreich des Montezuma.

Von Cortés können wir lernen, dass eine einmal getroffene, gute oder schlechte Entscheidung keine wirklichen Alternativen mehr offen lässt. Diese Entscheidungen werden so getroffen, dass alle alternativen Lösungen final ausgeschlossen werden, um den Erfolg der gefällten Entscheidung zu erzwingen.

Du kannst es auch folgendermaßen formulieren: Wenn du nur eine Option hast und sie funktionieren muss, dann tut sie das für gewöhnlich auch! Oder wie der Volksmund es ausdrückt: »Wo das Müssen zum Wollen wird, ergibt sich das Können von allein!«

Lässt du dir bei deinen Entscheidungen stattdessen Hintertüren offen, wirst du nicht bereit sein, alles für deine Entscheidung zu opfern (was im Übrigen nicht damit zu verwechseln ist, dass man nach der Entscheidungsfindung verschiedene Pläne entwickeln kann, um das entschiedene Ziel zu verfolgen.)

Wie auch immer deine Entscheidungen ausfallen mögen solltest du stets eines an die Entscheidungsfindung anschließen: Vergiss nach der finalen Entscheidung alle Alternativen, wenn du die Zielerreichung nicht gefährden willst!

Wer sagt »Ich probiere Entscheidung A, und wenn es nicht klappt, dann nehme ich eben Entscheidung B«, der ist nicht zu einhundert Prozent engagiert für die Zielerreichung, und nimmt den entscheidenden Druck der Verbindlichkeit aus dem Spiel, die die Entschiedenheit immer beinhalten sollte.

Die Blaupause für herausragende Entscheidungen

Der Milliardär Ray Dalio lässt als Investmentlegende in seinem Buch ›Die Prinzipien des Erfolgs‹ an seinem Weg zur richtigen Entscheidungsfindung teilhaben.[5] Als Gründer des Hedgefonds Bridgewater Associates liegt eine seiner Kernkompetenzen im Treffen exzellenter Entscheidungen.

Gerade der Erfolg eines Investors an den Börsen dieser Welt liegt in der trefflichen Wahl richtiger Entscheidungen begründet. Jede falsche Investmententscheidung erzeugt hohe Verluste, was wiederum zu sinkendem Vertrauen bei den Geldgebern führt, wobei Letzteres zur Folge hat, dass die Partner weniger Anlagevermögen für die Investmentgesellschaft zur Verfügung stellen. Der Druck ist daher hoch: Gute Entscheidungen sind für Vermögensverwalter überlebenswichtig – und haben doch immer einen Fifty-Fifty-Charakter.

Welchen Weg schlägt eine Investmentlegende wie Ray Dalio also ein, um in seinen Anlageentscheidungen über die meiste Zeit richtig zu liegen?

Zunächst geht es darum, möglichst alle verfügbaren Fakten des jeweiligen Themas zu beleuchten. Wir fragen uns dabei, ob wir bereits genug Wissen gesammelt haben, um damit die Voraussetzung einer finalen Entscheidungsfindung möglich zu machen.[6]

Damit verbunden ist die Chance, andere Menschen und deren Wissen zur infrage stehenden Sache zu Rate zu ziehen und vielleicht sogar ihre Empfehlung für eine gute Entscheidung einzuholen.

Dabei ist es wichtig, welche Personen wir um Rat fragen, wenn wir ihre Meinung für unsere gute Entscheidung berücksichtigen wollen. Wir sollten deshalb sicherstellen, dann nur die Gesprächspartnerinnen und Gesprächspartner zu befragen, die auf ihrem Gebiet absolut glaubwürdig sind und bestenfalls Erfahrungen besitzen, die uns überzeugen können.

Gleichzeitig gilt: Glaub nicht alles, was du hörst – oder mit einem Bibelspruch positiv ausgedrückt: »Prüft alles und behaltet das Gute!«[7]

---

[5] Vgl. Ray Dalio: Prinzipien des Erfolgs. New York 2019.

[6] Vgl. ebenda, S. 277.

[7] 1. Thessalonicher Kapitel 5, Vers 21.

Der römische Kaiser Marc Aurelius stellte bereits fest, dass in keiner Aussage jedwede Meinung auch einem Faktum entsprechen muss und eine einzige Perspektive nur selten die ganze Wahrheit beinhaltet. Daraus folgt für uns, dass wir Entscheidungen im Bewusstsein dessen ohne die letzte Präzision treffen sollten – und stattdessen mit unpräzise Annäherungen arbeiten können:

»Wenn du jemanden fragst, ob etwas richtig ist, und er sagt, es sei nicht vollkommen richtig, dann ist es wahrscheinlich im Großen und Ganzen richtig. Das ist für eine gute Entscheidung ausreichend«, lautet daher auch die Lösung von Ray Dalio.[8]

Dalio stellt damit die ›80/20-Regel‹ auf, die beim Treffen einer guten Entscheidung hilft. Sie besagt, dass man achtzig Prozent des Wertes erhalten kann, wenn man nur zwanzig Prozent der Informationen oder der Arbeit dafür einsetzt. Umgekehrt stimmt wahrscheinlich auch, dass man 80 Prozent der Mühe aufwenden muss, damit die restlichen zwanzig Prozent des Wertes erhalten werden. Wer diese Regel bei der Entscheidungsfindung anwendet, kann verhindern, sich unnötig in Details zu verlieren.[9]

Gute Entscheider und gute Entscheiderinnen lassen damit das Noch-Nicht-Perfekte zu. Sie wissen, dass es in der Regel ausreicht, fünf bis zehn Faktoren zu finden, auf deren Grundlage es möglich ist, eine gute Entscheidung ausreichend zu rechtfertigen![10]

Fakt ist also, dass wir als Smartsellerinnen und Smartseller gute Entscheidungen treffen können, wenn wir möglichst viele Fakten zusammengetragen haben, die unseren Entscheidungskontext beleuchten, außerdem glaubwürdige Menschen zum Thema befragen und unsere Entscheidung dann in einer Annäherung treffen, in der wir die letzten Fragen auf noch nicht perfekte Weise beantworten. Wir bleiben damit im Tun, mit dem wir einerseits die Lähmung der Entscheidungsverstopfung überwinden und das Virus besiegen, das unseren Erfolg bedroht, und mit dem wir andererseits die Wahrscheinlichkeit erhöhen, eine gute Entscheidung zu treffen!

---

[8] Ray Dalio: Prinzipien des Erfolgs. New York 2019. S. 281.

[9] Vgl. ebenda, S. 287f.

[10] Vgl. ebenda, S. 287.

Saboteur Nummer 2: Das Virus der Ziellosigkeit

Das kleine, junge Bambi läuft durch den Wald und trifft einen Fuchs.

»Wohin des Weges, Bambi?«, fragt der Fuchs.

»Keine Ahnung!«, antwortet Bambi.

»Dann«, überlegt der Fuchs, »ist es auch egal, wohin Du gehst!«

Diese Episode aus der Geschichte von Bambi zeigt uns, mit welchem Virus wir es auch sehr oft zu tun bekommen: Es ist das Virus der Ziellosigkeit.

Haben wir in unserem Navigationssystem als Smartseller und Smartsellerin keinen eindeutigen Zielort eingegeben, dann werden wir nirgends ankommen – noch nicht einmal an den richtigen Wegpunkten auf der Strecke. »Wer den Hafen nicht kennt, in den er segeln will, für den ist kein Wind der richtige«, wusste schon der römische Philosoph Seneca.[11]

Das Virus der Ziellosigkeit lässt uns weder starten noch unsere Mittel einsetzen, Gelegenheiten verpassen und das Ziel verfehlen. Mit dem Saboteur der Ziellosigkeit als Beifahrer sitzt du orientierungslos am Steuer deines Lebensautos.

Wie aber kann das Virus besiegt werden? Folgende Geschichte ist aufschlussreich:

Ein Mann suchte einen Guru auf und fragte ihn nach dem Geheimnis des Erfolgs. Der Guru antwortete: »Komm morgen früh um 5 Uhr zum Strand des Meeres!« Der Mann tat, wie es ihm der Guru aufgetragen hatte. Um 5 Uhr stand er in der Früh der Brandung gegenüber und war voller Spannung, wie das Geheimnis des Erfolgs wohl lauten würde.

Da sprach der Guru zu ihm: »Zieh Dich aus und geh ins Wasser!« Der Mann zog sich aus und watete ins Meer hinein, bis das Wasser über seinen Bauch reichte. Nun packte der Guru, der ihm gefolgt war, seinen Kopf – und drückte ihn unter Wasser! Der Mann konnte sich gerade noch, kurz vor dem Ertrinken, losreißen und sog mit weit aufgerissenem Mund und voller Inbrunst die frische Meeresluft ein.

---

[11] Vgl. Seneca: Epistulae morales ad Lucilium, Übersetzung auf www.buboquote.com/de/zitat/4418-seneca-wer-den-hafen-nicht-kennt-in-den-er-segeln-will-fur-den-ist-kein-wind-der-richtige, aufgerufen Oktober 2023.

Als er nach einigen Atemzügen wieder zu Atem gefunden hatte, schrie er den Guru an: »Willst Du mich umbringen? Ich will von Dir das Geheimnis des Erfolgs wissen, und Du nimmst mir stattdessen die Luft zum Atmen und erstickst mich!«

Der Guru schaute ihm ruhig und tief in die Augen und antwortete mit seiner bedächtigen, langsamen Stimme: »Du willst das Geheimnis des Erfolgs wissen? Jetzt kennst Du es! Wenn Du Deinen Erfolg so sehr möchtest, wie Du gerade eben den Atem benötigt hast, um zu überleben, dann wirst Du jeden Erfolg haben, den Du Dir in Deinem Leben wünschst!«

Wenn uns das Virus der Ziellosigkeit angreift, sollte die Antwort auf die Frage, wohin es uns treibt, ganz einfach sein – und aus voller Überzeugung vorgetragen werden können: Dahin!

Doch haben wir als Smartseller und Smartsellerinnen wirklich bereits nicht nur unsere Ziele gefunden, sondern auch so sehr verinnerlicht, dass sie für uns lebensnotwendig geworden sind?

Wenn dies noch nicht der Fall ist, dann hat Houston ein ernstes Problem mit uns!

Damit uns der klare Fokus der Bewusstmachung unserer Ziele gelingen kann, müssen wir an dieser Verinnerlichung unserer Ziele immer wieder arbeiten:

Fünf Schritte zu unseren Zielen

Zunächst gilt es, uns als Smartseller und Smartsellerin in einem ersten Schritt ein klares Ziel zu setzen (und es uns auch später immer wieder vor Augen zu führen). Dieses Ziel muss dabei groß gedacht werden, sodass wir es in jeder Lebenssituation konkret und deutlich vor uns sehen und abwägen können, ob unser nächster Move uns diesem Ziel näher bringt.

Wichtig ist dabei, je nach Lebensbereich ein einzigartiges Ziel mit Gewicht zu finden und zu behalten. (Im Business hat es für uns als Smartsellerinnen und Smartseller sinnvollerweise damit zu tun, zum einen Prozent der Topverkäuferinnen und Topverkäufer zu gehören!)

Um dieses Ziel von einem Traum in die gelebte Realität zu bringen, nutzen wir auf der bewussten Ebene unseres Logikgehirns die ›End-of-Mind-Technik‹, mit der wir uns im Folgenden noch im Detail beschäftigen müssen. Wichtig ist es, dass wir als Smartseller verstehen, dass wir alles diesem einen Ziel mit Gewicht, für das wir brennen, unterordnen, indem wir unsere Prioritäten finden.

In der Zieleplanung ist es jedoch weit verbreitet, sich tausend verschiedene Ziele zu setzen, anstatt sich auf eine Gewichtung zu konzentrieren! Genau darin liegt oft ein entscheidender Fehler.

Anstatt uns also für unseren Lebensbereich des Business ein einziges, richtiges Ziel zu setzen, das sogar in die anderen Bereiche hineinwirkt, verlieren wir uns in verschiedenen Zielen und können dann gar nicht mehr sagen, was eigentlich wichtig ist und was nicht.

Tatsächlich ist die Viele-Ziele-Strategie daher eine Verlierertaktik, weil sie letztlich auf die Vermeidung setzt: Wir hoffen damit, das (mögliche) Scheitern der Zielerreichung des einen Ziels damit kompensieren zu können, das nächste Ziel aus der Schublade zu ziehen, das wir leicht erreichen.

Die Viele-Ziele-Strategie ist dabei nicht zu verwechseln mit einer Priorisierung, in der es darum geht, das große Ziel in kleineren, machbaren Schritten zu denken. Bei Letzterem geht es gerade darum, das große Ziel vor kleine Etappenziele zu stellen, deren Summe im großen Ziel resultiert, während es bei der Viele-Ziele-Strategie darum geht, ohne Gewichtungen möglichst vieles parallel erreichen zu wollen.

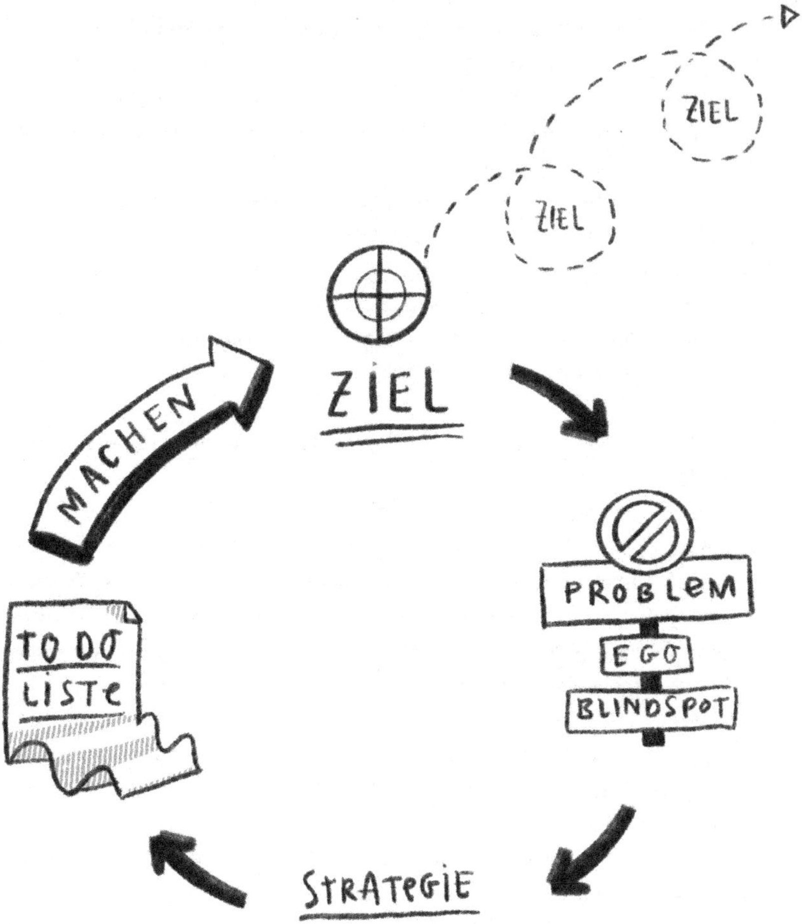
ZIEL
ZIEL
ZIEL
PROBLEM
EGO
BLINDSPOT
STRATEGIE
TO DO
LISTE
MACHEN

Der Grund für die Wahl der Vermeidungstaktik der Viele-Ziele-Strategie liegt darin, dass sie vielen Personen die Angst vor dem Scheitern nimmt. Werden wir nämlich nach einem unserer Ziele gefragt und haben es nicht erreicht, können wir nun immer noch behaupten, dass wir uns gerade auf eines der 999 anderen Ziele fokussieren.

Diese Art der Selbsttäuschung kaschiert allerdings lediglich die eigene Unsicherheit in Bezug auf die eigene Verlässlichkeit zur Erreichung eines Ziels mit Gewicht.

Glauben wir wirklich an unser Ziel?

Das ist die Gretchenfrage, die wir als Smartsellerinnen und Smartseller für uns selbst beantworten müssen.

Was aber passiert, wenn uns bei allem festen Glauben trotzdem der Zweifel einholt?

Dann trösten wir uns zunächst einmal mit dem Wissen, dass alle Menschen, auch wenn sie fest an etwas glauben, ohne Ausnahme dennoch immer auch Selbstzweifel mit sich herumtragen, und wir deshalb keine Ausnahme darstellen. Im Anschluss erinnern wir uns dann an das Geheimnis des Erfolgs: Es besteht darin, einen bestimmten Weg trotz und gerade wegen all dieser Zweifel weiter zu gehen!

Erfolgreiche Smartseller und Smartsellerinnen glauben daher nicht, dass sie außergewöhnlich sind; sie sind nur besessen davon, immer besser zu werden! Deshalb haben sie Erfolg.

Gerade weil wir wissen, gar nicht so toll zu sein, werden wir zu dieser Besessenheit motiviert, um wachsen zu können. Als Smartseller und Smartsellerinnen ruhen wir uns nicht darauf aus, gut zu sein, ja, sehen es nicht einmal; stattdessen trainieren und üben wir immer weiter und weiter.

Das ist es, wozu uns der Glaube an unser Ziel antreibt!

Unser Glaube bewährt sich indessen gerade in den Zeiten des Zweifels.Das bedeutet auch, dass gerade der Selbstzweifel der Turbo für große Karrieren ist: Der entschiedene Umgang damit macht uns als Smartseller letztlich zu wahren Champions.[12]

---

[12] Vgl. Mark Manson: The Subtle Art of Not Giving a F*ck: A Counterintuitive Approach to Living a Good Life. New York 2016, S.61.

Dabei verinnerlichen wir unser großes Ziel so sehr und arbeiten es in der Folge so konkret aus, dass wir in die Lage versetzt werden, unseren zukünftigen Weg so gut wie möglich aus dem Rückspiegel zu betrachten! Dadurch wissen wir im Vorhinein, wie dieser Weg idealerweise von uns gegangen werden muss.

Was sich etwas verdreht anhört, ist letztlich eine Technik der Visualisierung: Mit dieser End of Mind-Technik gelingt es uns, die Welt so zu betrachten, dass wir darin all das identifizieren, was uns zur Zielerreichung dient und nützlich ist.

Dies gelingt uns, indem wir unsere ganze Welt vom Ziel her denken, das in der Zukunft liegt – und unserer Gegenwart damit gleichzeitig bereits jetzt eine neue Perspektive geben.

Wenn wir uns ein Ziel gesetzt haben – zum Beispiel ein wahrer Smartseller zu werden und zum Kreis des einen Prozents der am höchsten bezahlten Wirtschaftsakteure zu gehören –, braucht es im nächsten Schritt neben der Zielformulierung eine Auseinandersetzung mit den Szenarien, die uns auf dem Weg der Zielerreichung begegnen könnten. Auch hier kann uns die End-of-Mind-Technik nützlich sein.

Wir denken dann in einer Auseinandersetzung mit den Worst Case-Szenarien durch, welche Probleme auf dem Weg zum Ziel auftreten können – um uns bereits proaktiv dafür zu wappnen. Wenn wir die Worst Case-Szenarien gut durchdenken, können wir bereits im Vorhinein Lösungen dafür entwickeln, die uns dabei helfen werden, die eigentlichen Probleme erst gar nicht in einer Art und Weise aufkommen zu lassen, die uns noch überraschen würde.

Um diesen Prozess erfolgreich zu gestalten, können wir uns folgende Fragestellungen beantworten:

Welche Probleme können auftreten, während wir unser Ziel verfolgen?
Wie werden wir mit einem Problem umgehen?
Was ist konkret zu tun, wenn es zu einem bestimmten Problem kommt?
Wie stellen wir sicher, trotz des Problems weiterhin das Ziel zu erreichen?

Dieser Prozess gleicht einem Schachspiel, bei dem wir mögliche Züge vorausdenken. Wir analysieren dabei die eventuellen Fallszenarien und entwickeln passende Lösungskonzepte. Wir durchdenken unsere klugen Züge für das bestmögliche Spielen des großen Spiels.

Tritt dann eines der Probleme tatsächlich auf, auf das wir uns längst vorbereitet haben, kann es uns weder überraschen noch müssen wir dann handlungsunfähig wie die Maus vor der Schlange erstarren – im Gegenteil, wir können dann sofort und unmittelbar darauf reagieren und weiter an der Erreichung unserer Ziele arbeiten.

Im nächsten Schritt gilt es in der Phase der Strategie, konkrete Pläne zu finden und fortzuentwickeln. Unsere Pläne beachten unsere Priorisierung und enthalten die Schritte und Etappenziele, die wir unternehmen und bei der Fokussierung auf das gewichtige große Ziel ins Auge fassen.

Unser Masterplan beantwortet dabei die Fragen zu den Aufgaben, die wir erledigen müssen, damit unser Ziel Realität werden kann. Wieder gilt dabei, dass der Masterplan das große Ganze in den Blick nimmt; einzelne Aspekte des Plans können dazu führen, für diese Teilaspekte untergeordnete Pläne zu formulieren. Dabei entstehen Trainingspläne, Zeitpläne, Aufgabenpläne, Ausrüstungspläne, Mitarbeiterpläne, Ernährungspläne, Reisepläne und vieles mehr!

So könnten wir beispielsweise einen konkreten Aktivitätenplan ausarbeiten, der die Vorgabe macht, eine Akquise von fünfzig neuen Kontakten pro Woche zu schaffen. Wir planen dabei zwölf telefonisch vereinbarte Verkaufsgespräche in jeder Woche ein und gehen in der Planung zudem von fünf Verkaufsgesprächen aus, zu denen es am Ende auch wirklich kommt. Je detaillierter unser Plan ausgearbeitet ist, desto klarer führen wir uns als Smartseller damit vor Augen, was wir erreichen möchten – und was dafür notwendig sein wird.

Wir stellen uns dabei vor, wie die Umsetzung des Plans uns garantiert unserem Ziel näher bringt. Die Mathematik der Quote garantiert den Erfolg, wenn unsere Planungen umgesetzt werden. Im Ergebnis beschäftigen wir uns mit einem planbaren Verkaufserfolg.

Über aller Planung steht die große Frage: Wie muss unser Plan aussehen, damit unser großes Ziel verwirklicht wird? Die Antworten auf diese Frage führen letztlich dazu, nicht nur konkrete Planungen auszuarbeiten, sondern auch direkt die Umsetzung der Strategie.

Im vierten Schritt geht es an die Umsetzung, das Machen, das Tun: Nach der Strategieplanung steht das »Do it!« im Mittelpunkt der Aufmerksamkeit. Hierbei entscheidet sich, ob wir unser Ziel tatsächlich ernst nehmen.

Ist das nicht der Fall, entsteht ein sofortiger Zielkonflikt.

Die Fortführung des Beispiels unseres Aktivitätenplans kann uns erklären, was damit gemeint ist:

Unseren Plan zur Akquise haben wir in der Strategiebestimmung klar ausgearbeitet, sodass wir wissen: Die Mathematik der Quote ist korrekt, also gilt es nun nur noch, die geplanten Aktivitäten richtig umzusetzen. Fünfzig Leads führen zu zwölf Feedbacks und fünf konkreten Terminen.

Leider trifft es aber zu, dass trotz eines ausgearbeiteten, auf Quoten beruhenden Aktivitätenplans nur wenige ihre Ziele erreichen – was eigentlich ziemlich unglaublich ist. Die Ursache dafür ist natürlich einfach: Aus irgendwelchen Gründen setzen die meisten Menschen ihren Plan nicht konsequent um!

Das bedeutet wiederum, irgendetwas in der Persönlichkeit dieser Verkäufer und Verkäuferinnen sabotiert die Umsetzung des definierten Ziels. Wir müssen uns in dieser Situation fragen, was es konkret ist, das die Zielerreichung verhindert; wir müssen uns dann in die Lage versetzen, die Stoppschilder im eigenen Kopf zu identifizieren und abzubauen, sodass die Verkaufsleistung explodieren kann.

Dies erfordert immer Disziplin und Standhaftigkeit und eine Energie, die wiederum aus dem Wunsch, unser großes Ziel unbedingt erreichen zu wollen, geboren werden kann. Gleichzeitig müssen wir, wenn es ans Tun geht, die Alchemie des Verkaufs kennen und nutzen, um nicht zu scheitern, sondern auch den Schmerz des inneren Schweinehunds überwinden, um auf der anderen Seite einen wohltuenden Erfolg genießen zu können.

Zu viele Menschen vergessen dann den fünften Schritt zu gehen, der für die Zielerreichung jedoch genauso wichtig ist wie die vorangegangenen Punkte: das Ergebnis-Controlling.

Hier gilt: Zeige mir deine Ergebnisse und ich sage dir, was du getan hast!

Erreichen wir unser Ziel im Verkauf, dann haben wir unseren Aktivitätenplan offensichtlich richtig umgesetzt.

Das bedeutet, dass wir im Prozess der Zielerreichung einen grünen Haken setzen können.

Haben wir dagegen unser Ziel nicht erreicht, läuft es wie im Spiel Monopoly, und wir ziehen die Karte, auf der steht: »Gehe nicht über Los und ziehe keine 5000 Euro ein!« Wir müssen die Runde erneut drehen.

Verfehlen wir in diesem Sinne die Etappenziele, gilt es die Reset-Taste zu drücken:

Wir beschäftigen uns dann erneut mit unserem großen Ziel und wenden, gerade mit der Erfahrung des Scheitern im Rücken, die End-of-Mind-Technik erneut an. Wir fragen uns dann, ob das gesteckte Ziel wirklich unser großes Ziel ist und definieren es unter Umständen neu.

Nun drücken wir die Repeat-Taste, gehen den gesamten Prozess der fünf Schritte wieder von Neuem durch. Dabei eliminieren wir die Schwachstellen der ersten Planung, stärken die Stärken, nutzen Mentoren, Coaches und Expertinnen, um unsere Strategie zu überprüfen und die Umsetzung zu begleiten – und schauen dann, wie weit wir es im zweiten Anlauf schaffen.

Dabei halten wir uns vor Augen: Nur wer scheitert, kann Erfolg haben!

Es ist deshalb normal, dass wir die fünf Zielschritte gerade in Bezug auf unsere Etappenziele wieder und wieder wiederholen müssen, um schließlich das große Ziel erreichen zu können. Das Ganze wiederholen wir so lange, bis das Ziel final erreicht worden ist.

Die Iteration des Prozesses sorgt indessen dafür, dass wir über die Dauer des Prozesses zu dem werden, was wir die meiste Zeit über tun. Dabei gilt: Jeglicher Erfolg findet seine Ursache in der ständigen Wiederholung der richtigen Dinge!

Neben der Repeat-Taste steht uns dabei zudem die Performance-Taste zur Verfügung. Wir sollten sie ebenfalls drücken, um unsere Leistungsanreize immer höher zu setzen, sodass wir in der Herausforderung wachsen; das tun wir etwa, wenn wir neue Etappenziele formulieren, die uns herausfordern. Wir beginnen nun, die Zielschritte des neuen Etappenziels erneut von vorne durchzuarbeiten, natürlich immer vor dem Hintergrund des großen Ziels.

Das Prinzip dieser Etappenzielsteigerung ist uns aus dem Fitness-Studio vertraut: Dort können wir bei jedem Workout ein etwas höheres Gewicht auflegen. Das führt dazu, dass sich der Muskel bei einer überlegten Belastungssteuerung an das neue Gewicht anpasst, wächst und stärker wird.

Derselbe Grundsatz lässt sich auch auf unsere Verkaufsleistung als Smartsellerinnen und Smartseller anwenden – und im Ergebnis wachsen dann unsere Absatzzahlen.

Stellen wir im Ergebnis-Controlling fest, dass wir ein Etappenziel erreicht haben, indem unsere Zielmarken grün aufleuchten, setzen wir daher die Absatzlatte sofort höher: Das neu definierte Ziel bedarf nun anderer fachlicher, verkäuferischer und persönlicher Fähigkeiten, mit denen wir auch das nächsthöhere Level meistern!

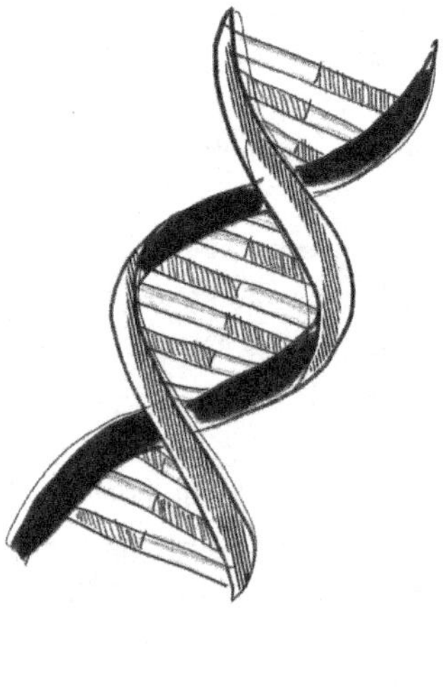

Spaß ist krass!

Am Ende werden wir dann als eine Meisterin und ein Meister des Verkaufs aus dem gesamten Prozess von Zielsetzung, Problembeschreibung, Strategie, Umsetzung und Ergebniscontrolling hervorgehen, wenn wir die richtige Motivation dafür finden und konsequent an der Umsetzung der Ziele arbeiten.

Wie im Computerspiel entwickeln wir unseren Avatar dabei von Level zu Level weiter, und vergessen bei diesem Spiel nicht nur die Zeit, sondern gehen in der Tätigkeit auch vollkommen auf. Wir können es dann kaum erwarten, voranzukommen und die nächsten Schritte zu tun! Das Schönste daran ist aber, dass all dies tatsächlich nicht in der virtuellen Parallelwelt eines Computerspiels passiert, sondern das Abenteuer deines echten Lebens ist!

Der Faktor, der uns dabei die nötige Leichtigkeit gibt, ist der Spaß.

Stellen wir uns einmal eine Szene mit Kindern vor, die am Strand spielen. Voller Begeisterung und Enthusiasmus bauen sie mit Leidenschaft riesige Sandburgen – doch kaum sind die Bauwerke fertig, zerstören die Kinder sie einfach wieder. Den meisten Erwachsenen ist das unverständlich: Wofür denn dann die ganze Mühe? Die ganze Anstrengung wurde also geleistet, nur um das Ergebnis wieder kaputtzumachen?

Wir müssen verstehen lernen: Die Kinder haben keine Burgen gebaut, um das Ergebnis zu bewundern. Deshalb haben sie auch keinen Schmerz, ihre Burgen wieder einzureißen. Die Kinder hatten einfach Spaß an ihrem Tun!

Es verursacht ihnen daher keine Mühe, etwas aufzubauen und zu zerstören, weil beides für sie einfach einen Riesenspaß am Tun mit sich bringt. Das Ziel des Spiels der Kinder lag in diesem Sinne sogar darin begründet, Spaß zu haben – und die meisten erwachsenen Beobachter haben genau das übersehen.

Die Leichtigkeit, die der Spaß mit sich bringt, sollte uns als Smartsellern und Smartsellerinnen zu denken geben! Findest du einen vorgeblich naiven, kindlichen Enthusiasmus in deiner Tätigkeit als Smartseller – mit anderen Worten: hast du Spaß an deinem Tun! –, dann hast du einen der wichtigsten Bausteine für echten Erfolg in deiner Verkäufer-DNA entdeckt.

Echte Begeisterung ist wie eine Droge, nur dass sie uns dabei niemals schadet, und der Treibstoff, der unser Gefährt auf dem Weg zu unseren Zielen antreibt.

Wie wichtig der Spaß an der Sache tatsächlich ist, wird dagegen erst richtig deutlich, wenn er ganz abhanden gekommen ist:

Wenn wir uns vorstellen, mit einer Grippe arbeiten zu müssen, bei der es uns hundsmiserabel geht, ist klar, dass wir uns dabei schlecht fühlen würden. In diesem Zustand macht nichts besonders viel Spaß – und wir werden auch kaum Lust haben, jetzt an unseren Zielen zu arbeiten.

Ganz unabhängig von der Grippeerkrankung lernen wir daraus: Sind wir nicht in einem Zustand hoher Gestimmtheit, ist uns kein außergewöhnlicher Erfolg möglich!

Damit gilt ebenso: Es lohnt sich, nach den Spaßfaktoren unserer Tätigkeit zu suchen und sie auszuleben!

Deshalb lohnt es auch, uns in Bezug auf die Tätigkeiten, die uns am meisten Spaß machen, besonders hohe Etappenziele zu setzen. Vielleicht ist es oftmals der Zufall gewesen, der uns bereits gelehrt hat, welche Tätigkeiten das sind. Nicht zuletzt durch das praktische Ausprobieren dieser Tätigkeiten, vielleicht sogar in verschiedenen Berufen, wurde und wird uns der Weg zu echter Leidenschaft aufgezeigt.

Wenn wir versuchen, unseren Spaß daran auszuleben und unser großes Spiel länger und ausdauernder spielen als alle anderen, wird es uns zu den erfolgreichsten Smartsellerinnen und Smartsellern in diesem Bereich machen. Echten Spaß an seinem Tun zu finden scheint damit der beste Geheimtipp dafür zu sein, tatsächlich Erfolg zu haben!

Vor dem Hintergrund dieser Erkenntnis lohnt es sich, unseren Zielerreichungsprozess nochmals aus der Perspektive der Freude am Tun zu betrachten:

Der Prozess, den wir dabei durchlaufen, beginnt dann damit, dass wir etwas beginnen und dabei Spaß haben. Wenn wir Spaß an unserer Tätigkeit haben, investieren wir gerne viele Stunden in diese Aufgabe. Das lässt uns besser werden und dafür Anerkennung erhalten.

Das wiederum steigert unsere Freude an der Sache und es fällt uns noch leichter, mehr und mehr Zeit in diese unsere Tätigkeit zu investieren. Irgendwann beginnen wir dann, uns automatisch Ziele zu setzen – einfach weil es Spaß macht! Spätestens jetzt können wir unsere Zielschritte vorzeichnen, um unsere Möglichkeiten noch klarer nutzen zu können: Damit wir die gesteckten Ziele erreichen, trainieren wir immer härter und länger, ohne den Spaß an der Sache zu verlieren ...

All das macht uns noch besser in unserer Tätigkeit – weshalb wir uns wieder höhere, neue Ziele setzen. Der Kreislauf des Erfolgs ist in Gang gesetzt und entsteht am Spaß des Tuns, seine Ziele zu erreichen!

Selbst wenn wir es zur absoluten Meisterschaft in unserer Disziplin gebracht haben, werden wir unsere meisterliche Tätigkeit am besten mit viel Spaß tun – und dann das Virus der Ziellosigkeit längst besiegt und vergessen haben!

Saboteur Nummer 3: Das Virus der Rechthaberei

»Wenn du sonst nichts hast, dann wenigstens Recht!«

Diese vermeintliche Weisheit bringt uns zum Virus der Rechthaberei, die großes Potential besitzt, ein echter Spielverderber in unserem Leben zu sein!

Dieses Virus spielt ein Spiel mit uns, das uns glauben lässt, dass wir es gewinnen können, während wir umso mehr dabei verlieren:

Die einzige Regel dieses Spiels ist es, zu gewinnen, indem man Recht hat. Wenn wir immer Recht haben, haben der und die andere als unser Gegenüber auch stets zwingend unrecht. Im Ergebnis kommt es dann zum dauerhaften Konflikt, der uns noch viel Kopfzerbrechen bereiten wird.

Der Zwang, mit dem unsere Rechthaberei dabei zum Vorschein kommen möchte, kann biologistisch damit erklärt werden, dass unser psychologisches Gehirn unser Überleben im Blick hat – und deshalb unseren Ego-Verstand ins Feld führt, um sich damit durchzusetzen. Richtig ist in diesem Sinne, was unserem Überleben dient und sich gut anfühlt; falsch ist alles, was uns unser Leben kostet.

Da wir bis heute überlebt haben, kommt unser Ego-Verstand zu einer einfachen Erklärung: »Ich habe Recht, weil ich auf meine Weise bis heute überlebt habe!«

Das Problem ist dabei: Unser Gegenüber hat ebenfalls bis heute überlebt, und sein Ego-Verstand beharrt daher gleichermaßen auf seinem Recht, nur mit einem gegenteiligen Ergebnis.

»Wo Recht zu Unrecht wird, wird Widerstand zur Pflicht«, lautet ein Zitat von Bertold Brecht, das zugegebenermaßen in einem ganz anderen Zusammenhang steht als der Beschäftigung mit dem Virus der Rechthaberei. Gleichzeitig fasst der Satz aber auch das Wesen der Rechtfertigung recht treffend zusammen und zeigt auf, welche zwingende Konsequenz beim Gegenüber gezogen wird: Hast du Recht, dann hat der andere Unrecht; denkt das Gegenüber, dass es Recht hat, dann musst du im Unrecht sein; und wenn du und dein Gegenüber jeweils darauf beharren, Recht zu haben, dann hat jeder Recht und Unrecht zugleich!

Damit können wir feststellen: Jede Person hat eigentlich zu jeder Zeit immer Recht – oder muss dies zumindest meinen. Menschen haben tatsächlich ein grundlegendes Bedürfnis danach, Recht zu haben. Stets geht es dabei um einen Aspekt der Selbsterhaltung: Unsere Rechthaberei ist ein Überlebenstrick.[13] Als Menschen sind und bleiben wir auch die Reizreaktionsmaschinen, die aufs Überleben programmiert wurden – und deshalb Recht behalten wollen, ja sogar müssen.

Unsere Erfahrungen bauen wir in unser Konzept des Rechthabens nahtlos ein. Haben wir eine gute Erfahrung mit etwas gemacht, ziehen wir die Schlussfolgerung, dass diese Erfahrung richtig für uns war und deshalb wiederum beim Rechthaben angeführt werden kann.

Eine negative Erfahrung wird ebenso gespeichert, aber später dazu benutzt, das andere oder die anderen damit ins Unrecht zu setzen.

Dem Grunde nach verteidigen wir beim Rechthaben somit unsere Vergangenheit, wobei wir stets glauben, dabei rational und vernünftig zu urteilen, obwohl wir dabei vielmehr unser ›inneres Museum‹ restaurieren.[14] Wer sich im Recht wähnt, der sichert den Status – und bleibt doch immer nur der- und dieselbe und ändert nichts in seinem Leben.

Das Rechthaben führt im Weiteren dazu, dass wir uns ständig rechtfertigen wollen und müssen. Ein Beispiel für diese besondere Art, Recht zu haben, kann in Seminaren beobachtet werden:

Dort betritt die erste Seminarteilnehmerin zehn Minuten vor Seminarbeginn den Raum; die Seminarteilnehmerin wird sich kaum für ihr pünktliches, ja sogar frühzeitiges Erscheinen entschuldigen.

Der letzte Seminarteilnehmer kommt allerdings dreißig Minuten zu spät zum Workshop. Die Person entschuldigt sich dafür; das kann erwartet werden. Zusätzlich beginnt der Seminarteilnehmer jedoch nun auch damit, sich zu rechtfertigen und die (guten) Gründe zu benennen, weshalb er nicht pünktlich zu Beginn des Seminars erscheinen konnte: »Entschuldigung, dass ich zu spät bin! Das ist, weil ...«

---

[13] Vgl. Ron Smothermon: Drehbuch für Meisterschaft im Leben. Bearbeitet von Hans J. Zander. Bielefeld 1996, S.15.

[14] Vgl. ebenda.

Was wir dabei beim Seminarteilnehmer beobachten, ist der Versuch des Systems, wieder in einen stabilen Zustand zurückkehren zu können, indem eine Rechtfertigung der Sachebene durch eine Rationalisierung vorgetragen wird.

Das ist notwendig, weil die Person offensichtlich einen Fehler gemacht hat. Ein Fehler barg evolutionär betrachtet immer die Gefahr, aus der Gruppe ausgeschlossen und damit vielleicht sogar dem Tod ausgesetzt zu werden.

Das System des Seminarteilnehmers hat deshalb Stress erzeugt, der jetzt durch den Trick der Rechtfertigung aufgelöst werden soll. Das System kann durch die Rechtfertigung in einen stabilen Zustand zurückkehren.

Die Zeiten, in denen der evolutionäre Wert der Rechtfertigung bewiesen werden musste, liegen aber schon lange hinter der Menschheit. Das Rechthaben ist heute das Überbleibsel einer starken Programmierung unseres Selbst, das uns vielfach mehr schadet als nutzt.

Denn wer einzig sein ›inneres Museum‹ pflegt und seine Vergangenheit bestätigt, kann keine unverstellten Blicke in die Zukunft werfen. Oder anders gesagt: Wer heute stets auf seinem Recht beharrt, der kann nichts Neues lernen!

Die negative Seite des Rechthabens ist der Bereich, der uns in unserem Fortkommen lähmt. Das Virus des Rechthabens verhindert, in diesem Bereich die Rechthaberei zu überwinden, um die Programmschleife dann zu überwinden, wo uns das Zulassen des Neuen viel mehr nutzt als der Rekurs auf unser Recht und das Altbewährte.

Besonders im Verkaufsgespräch ist dies von großer Bedeutung.

Signalisieren wir dabei unserem Gegenüber, dass einzig wir Recht haben, verlieren wir unmittelbar an Vertrauen und Glaubwürdigkeit!

Dabei verlieren wir als Smartseller und Smartsellerin gerade durch das aktive Rechtfertigen von Sachverhalten an Attraktivität. Da die Wahrheit eines Angebots für sich selbst steht, ist eine solche Rechtfertigung auch unnötig.

Das Rechthaben und die Rechtfertigung führen letztlich zur Ablehnung des Gesprächspartners, und die Folge ist Widerstand: Es kommt zum Käuferstreik. Du magst dann zwar unter Umständen den Krieg um dein Recht gewinnen, aber dabei einen Kunden für immer verlieren. Das wäre der hohe Preis, den du dafür bezahlst, Recht zu behalten!

Wenn wir uns diese Kosten für das Rechtbehalten vor Augen führen, wird uns schnell klar, dass diese viel zu hoch sind und von uns nicht bezahlt werden wollen. Wir müssen deshalb unsere Bewertungen in richtig und falsch aufgeben!

Richtig und falsch sind ohnehin nichts als Kategorien, die nur in einem Kontext der Bezugspunkte oder Herleitungen wirklich Sinn machen, selten aber in einem Gespräch, in dem wir ein Gegenüber für uns gewinnen möchten. Viel wichtiger ist dabei die Erkenntnis, dass wir uns deshalb nicht für das Rechte oder Falsche entscheiden müssen, aber uns die Konsequenzen vor Augen führen sollten, die es hat, wenn wir das eine oder andere tun.

Vielleicht hilft uns die Vorstellung dabei, wie es wäre, wenn wir in einer Situation tatsächlich Lichtjahre entfernt auf einem fremden Stern sitzen und von dort aus auf die Erde blicken würden, um uns klarzumachen, wie wir uns aus der Dichotomie-Falle des Richtigen und Falschen befreien können: Wir sehen dann lediglich Geschöpfe, die irgendwelchen Aktivitäten nachgehen. Es spielt aus dieser Perspektive keine Rolle, ob die Tätigkeiten richtig oder falsch sind, weil es mit ein bisschen Abstand einfach nur Aktivitäten für uns sind!

Erst wenn wir der Sache näher kommen, bis wir die Aktivität auf uns beziehen, wollen wir sie als richtig oder falsch einordnen. Die Einordnung jedoch ist zuvorderst eine Erfindung unseres Verstandes, damit er Recht haben kann. Mehr Sinn macht es in vielen Situationen also, in Sachen richtig und falsch den Abstand des fremden Sterns einzuhalten.

Falsch ist im Übrigen in diesem Zusammenhang auch die Vorstellung, dass wir unser Gegenüber durch Inhalte von der Richtigkeit oder der Falschheit überzeugen können, und argumentieren wir dabei auch noch so gut; auf der Ebene der Sympathie haben wir das Gegenüber längst vor dem Vortragen des letzten Arguments verloren![15]

Wir müssen es uns als Smartseller und Smartsellerin daher bewusst machen, wann wir unnötigerweise die Botschaft des Rechthabens aussenden würden – und dies bestenfalls ganz zu unterlassen.

---

[15] Wie wenig wir einzig aufgrund von Inhalten überzeugen, zeigen uns die Lektionen der First Impression-Leadership auf.

Meist sind es vordergründig harmlose, in Wirklichkeit aber tiefenwirksame Kleinigkeiten, die dabei Schaden anrichten.

Auf Platz 1 der Liste landen dabei die Redeformulierungen wie das »Ja, aber ...!« und verwandte Verknüpfungen von Sätzen, in denen das Rechtbehaltenwollen seinen Ausdruck findet. Das Ergebnis, das solche Formulierungen nach sich ziehen können, ist bitter: Wir erzielen weniger Abschlüsse!

Das ist deshalb der Fall, weil unsere Rechtfertigung beim Gegenüber das unbewusste Gefühl erzeugt, dass versucht wird, einen Fehler zu korrigieren: Das irritiert potentielle Kunden und lässt sie uns gegenüber zögern.

Die einfach formulierte Lösung für mehr Verkaufsabschlüsse lautet daher: Hören wir auf, uns zu rechtfertigen!

Das ist zugegeben leichter gesagt als getan, kann aber trainiert werden:

Stellen wir uns im Verkaufsgespräch – oder vielmehr in allen Gesprächen, in denen wir überzeugen möchten – bewusst und grundsätzlich auf die Seite der potentiellen Kunden und Kundinnen, indem wir etwa ihren Argumenten folgen, geben wir ihnen auch Recht; dies bedeutet auch, dass wir unsere Gegenüber in ihrem Recht überleben lassen, was uns die Kundschaft mit Wohlwollen zurückzahlen wird.

Damit steigen unsere Chancen auf einen Abschluss exponentiell an. Wir müssen also den in unseren Verstand einprogrammierten Reflex überwinden, der uns den falschen Impuls gibt, und die schlechte Programmierung löschen: Gib denen grundsätzlich Recht, die nicht mit deinen Überzeugungen übereinstimmen!

Schaffst du es, die andere Person auf diese Weise nicht ins Unrecht zu setzen, sondern sie in ihrer Meinung zu bestätigen, so werden deine positiven Ergebnisse im Kommunikationsleben und seine positiven Folgen dramatisch ansteigen.

Das bedeutet: Es hat nicht nur eine menschliche Größe, anderen Menschen zu gestatten, Recht zu haben[16], sondern ist auch eine kluge rhetorische Strategie, mit der wir das Virus der Rechthaberei besiegen können.

---

[16] Vgl. Ron Smothermon: Drehbuch für Meisterschaft im Leben. Bearbeitet von Hans J. Zander. Bielefeld 1996, S. 46.

Saboteur Nummer 4: Das Virus der Fehlerschleife

Wenn wir als Smartseller unsere Ziele nicht erreichen, fallen uns möglicherweise einhundert Gründe dafür ein, warum wir versagt haben. Wir laufen dann Gefahr, in die Fehlerschleife zu geraten.

Unsere Beschäftigung mit dem Prinzip der Kausalität hat uns gelehrt, dass bestimmte Ursachen zu bestimmten Wirkungen führen. Es bleibt dabei nicht aus, dass wir Fehler finden, mit denen wir umgehen müssen, und auf Widerstände treffen, die bei jedem erfolgreichen Versuchen ebenfalls aus dem Prinzip der Polarität erwachsen. Wir sollten verstanden haben, dass wir dabei keine Angst vor dem Scheitern haben sollten, weil erst dadurch Wachstum und Erfolg möglich sind.

Es besteht jedoch die Gefahr, dass wir beim Umgang mit Problemen in die Falle der Fehlerschleife geraten. Vielleicht verfallen wir dann in den schlechten Modus des Rechthabens wie gesehen und weisen anderen Personen die Schuld für den Fehler zu, vielleicht sogar für unser eigenes Versagen, womit wir versuchen, die eigenen Hände in Unschuld zu waschen. Schuld sind in diesem Fall immer die anderen und die Umstände; wir sind die bedauernswerten Opfer, deren Story die Wertschätzung des Mitleids verdient.

Oder aber wir suchen die Schuld für den Fehler bei uns selbst – und verfallen darüber sogar in eine Depression, in der wir uns als Versagerin und Versager wahrnehmen, als jemand, die oder der überhaupt nichts auf die Reihe bringt.

Beide Reaktionen führen dazu, dass wir uns jedenfalls fortgesetzt wieder und wieder mit der Schuld beschäftigen, ohne aus der Fehlerschleife zu finden – und uns damit von ihrem Virus befallen lassen, bis es uns vollständig lähmt.

Wenn wir das ›Ich bin Schuld-Spiel‹ spielen und uns dauerhaft schuldig fühlen, heißt das zuallererst, dass wir uns tatsächlich ganz automatisch in die Fehlerschleife begeben. Eine Schuld zuzuweisen ist dabei eine Währung, die wir benutzen, um die Wiederholung bestimmter Muster unseres Verstandes und unseres Verhaltens zu rechtfertigen.

Es entsteht dann ein Kreislauf der lähmenden Beschäftigung mit den Gründen der Schuld, der unsere Möglichkeiten zur persönlichen Weiterentwicklung zerstört. Wir dürfen Fehler machen und scheitern – aber wir dürfen dabei nicht stehenbleiben. Wenn gerade dieser Stillstand eintritt und wir uns selbst oder anderen Schuld geben, führt dies in die Einbahnstraße des Lebens:

Wer jemand anderem die Schuld gibt und dabei statisch ist, der kann bleiben wie er ist und muss sich nicht verändern, und wer sich selbst mit der Verantwortung der Schuld in einer Art und Weise quält, die zum vollständigen Verlust des Selbstvertrauens führt, verbaut sich ebenfalls die Möglichkeit zur Veränderung.

Bei denjenigen, die die eigene Verantwortung für ihr Leben nicht akzeptieren wollen, klingt das Thema der Schuldzuweisung dann wie eine Schallplatte mit Hänger – nämlich immer gleich:

Die Eltern sind schuld!
Die Schule ist schuld!
Die finanziellen Gegebenheiten sind schuld!
Der Aktienmarkt ist schuld!
Die Politiker sind schuld!
Schuld haben immer die anderen.

Noch schlimmer kann es klingen, wenn man sich selbst die Schuld gibt:
Nicht talentiert genug!
Nicht diszipliniert genug!
Nicht resilient genug!
Du bist selbst schuld daran, dass es niemand mit dir aushält, schreit es aus deinem Verstand heraus.

Wer sich in die Schuldspirale stürzt, mit dem geht es abwärts: Das Virus der Fehlerschleife befällt uns dabei als Saboteur und kostet uns den Erfolg im Leben.

Wer nicht lernt, wie man weiter geht, verliert sich in einer Verliererstrategie. Wer nur noch nach Schuld sucht, schaut immer zurück; schnell stecken wir dabei in der Vergangenheit fest, doch die Frage nach der Schuld löst niemals die Frage nach unserer Zukunft.

Die Schuld ist dabei auch unehrlich zu uns, wenn wir schließlich daran glauben, uns nicht mehr frei machen zu können.

Vorteilhafter für unseren möglichen Erfolg ist es, auf einer Metaebene bewusst zu akzeptieren, dass die Dinge in unserem Leben so sind, wie sie sind. »Es ist, wie es ist, und es kommt, wie es kommt«, das ist die erste und wichtigste Lebensweisheit des berühmtesten Hundertjährigen, der aus dem Fenster stieg und verschwand[17] – und eine gute Einstellung dafür, wie man die Dinge betrachten kann, die nicht mehr rückwirkend zu ändern sind.

Wenn ein Auto auf uns auffährt, können wir mit dieser Perspektive der Metaebene auch sagen: Es ist einfach nur so, wie es jetzt eben ist. Für die Versicherung und den Polizeibericht mag die Schuldfrage zu klären sein, doch auf der Metaebene lassen wir los: Es ist nicht unsere Schuld; es spielt aber auch keine Rolle, ob es die Schuld des anderen ist.

Es ist bereits Vergangenheit. Es ist schon passiert. Es ist, wie es ist.

---

[17] Vgl. Jonas Jonasson: Der Hundertjährige, der aus dem Fenster stieg und verschwand. München 2011.

Die vielleicht schlimmste Wirkung der Fehlerschleife, in der wieder und wieder die Schuld in den Vordergrund gerückt wird, basiert vornehmlich auf der Angst, der Mensch zu sein, vor dem wir uns am meisten fürchten.

Deshalb empfinden wir in der Schuldschleife auch das Gefühl, dass wir schlecht sind.

Wir kennen alle diesen einen Schatten unseres Selbst, der schüchtern und linkisch ist, der andere nicht mag, ihnen Schlechtes wünscht und keinen Mut hat und nur darauf wartet, sich an unsere Fersen zu heften. Es gilt deshalb, diesen Schatten loszuwerden und den Menschen zu befreien, wenn wir das Virus der Fehlerschleife besiegen möchten.

Einen guten Umgang mit unserer Schuld zu finden beinhaltet deswegen, wirklich bis zu unserem Kern vorzustoßen: Wir müssen dem Menschen in uns begegnen, vor dem wir uns fürchten. Wir müssen uns der Seite in uns stellen, für die wir nicht verantwortlich sein möchten – und diesen Menschen dann durch Selbstführung auf einen besseren Weg leiten!

Machst du das nicht, bist du zu lebenslänglicher Haft innerhalb deines eigenen Verstandes verurteilt.

Doch Fakt ist: Niemand ist schuld an deinem Leben, nicht du, nicht andere, und die Schuld definiert dich nicht in statischer Art und Weise.

Du kannst an jedem Tag damit anfangen, jemand anderes zu sein. Der Weg der Veränderung ist steinig, schon gar nicht leicht; ihn zu gehen, etwas zu tun, mag dir alles abverlangen, aber es ist möglich! Das ist dein menschliches Potential. Übernimm darum die Verantwortung für dein Leben!

Wir müssen im Ich bin Schuld-Spiel unbedingt die Karte der Verantwortung ausspielen, um die Fehlerschleife durchbrechen zu können: Denn Verantwortlichkeit führt zur Freiheit, und Freiheit bedeutet Verantwortlichkeit. Das ist auch der Grund dafür, weshalb die meisten Menschen sich vor der Freiheit fürchten, wie etwa der irische Dramatiker George Bernhard Shaw deutlich machte.[18]

---

[18] Vgl. Reinhard K. Sprenger: Die Entscheidung liegt bei dir! Wege aus der alltäglichen Unzufriedenheit. Frankfurt am Main 1998, S.62.

Wenn wir Verantwortung übernehmen, werden wir andere nicht ins Unrecht setzen und ihnen die Schuld an unseren Umständen geben, obwohl die Neigung, Verantwortung reflexhaft nach außen und auf die anderen abzuwälzen, weit verbreitet ist.

Wer anderen die Schuld zuweist, braucht sich nicht zu ändern, doch genau die Veränderung, die Dynamik, lässt uns statische Zustände in der Fehlerschleife überwinden.

Wenn wir die Verantwortung auch für unser Scheitern übernehmen, erhalten wir die Möglichkeit zur Weiterentwicklung, dann liegt es in unserer Kraft, es beim nächsten Mal besser zu machen! Wenn wir uns und etwas ändern möchten, besteht der erste und wichtigste Schritt deshalb darin, die Schuldzuweisungen zu beenden, sodass unser Arbeitsspeicher frei wird für die positive Reaktion.

Wenn wir aber die Umstände beschuldigen, legen wir mit Garantie den Grundstein für das erneute Scheitern.

Es liegt im Übrigen ein großer Unterschied darin, ob wir jemanden dafür verantwortlich machen, an unserer Situation schuld zu sein, oder ob diese Person wirklich schuldig ist; doch ist nicht die Antwort, ob Letzteres zutrifft, der Schlüssel zur Türe, die aus der Fehlerschleife führt, sondern die Erkenntnis, dass wir, wenn wir selbst die Verantwortung übernehmen, auch die Möglichkeit in die Hände bekommen, diesen Schlüssel zu benutzen.

Wenn wir das verstehen, haben wir das Heilmittel für das Virus der Schuld in der Fehlerschleife gefunden!

Wer in der Fehlerschleife feststeckt, der ist nicht zufrieden. Wir können vielen Menschen die Schuld an unserer Unzufriedenheit zuweisen, doch Tatsache ist: Niemand außer uns selbst empfindet diese unsere Unzufriedenheit wie wir, weshalb wir auch selbst dafür verantwortlich sind, diese Unzufriedenheit zu haben. Das stimmt auch deshalb, weil wir im Alltag meist selber wählen können, wie wir die Dinge sehen und bewerten. Wenn wir nun darauf bestehen, dass jemand anderes für unsere Negativität verantwortlich ist, so müssen wir uns fragen, was uns das bringt. Die Antwort darauf ist erschreckend: Es bewirkt nichts, außer dass wir die Statik unserer Situation noch verstärken! Es ändert nichts in unserem Leben, vor allem hat es keine gute, weiterführende Wirkung.

Wenn es aber keine Auswirkung auf unser Leben hat, ist es letztlich unwahr. Darum ist es also auch nicht wahr zu sagen, dass jemand anderes für unsere Negativität verantwortlich ist.

Solange wir nicht bereit sind, die Verantwortung für unsere eigene Negativität zu übernehmen, werden wir sie nicht überwinden können.

Deshalb sollten wir schnell damit aufhören, anderen die Schuld für unser Leben zu geben, zumal dies unsere Negativität nur noch mehr verstärken wird, je länger wie daran festhalten. Anderen die Schuld zu geben führt damit auch zu einer geringeren Selbstachtung unserer eigenen Person.

Wir müssen dabei der Wirklichkeit ins Auge schauen lernen. Die Wirklichkeit – und die Wahrheit, die dieser Wirklichkeit verbunden ist – umfasst die Sammlung unveränderlicher Gesetze, die die Welt regieren. Schwerkraft ist Wirklichkeit; die gedruckte Seite vor dir ist Wirklichkeit; die Beziehungen, die du genau zum jetzigen Zeitpunkt in deinem Leben hast, sind Wirklichkeit, um nur einige Beispiele zu nennen. Alles besteht aus den Manifestationen des grundlegenden Prinzips, das die Welt regiert:

»Was ist, ist, und was nicht ist, ist nicht!« Wirklichkeit und Wahrheit existieren unabhängig von unserem Tun und beide kümmert es nicht, ob wir von ihnen Notiz nehmen oder nicht.

Die Frage, was in unserem Leben wahr und wirklich ist, oder vielmehr: was es nicht ist, ist jedoch eine gute Frage:

Die Wirklichkeit nicht wahrzunehmen bedeutet, dass unser Leben nicht funktionieren kann. Ein Leben, das nicht funktioniert, führt immer in die Unzufriedenheit. Sich in der Unzufriedenheit darauf zu verlassen, dass die Dinge einfach anders werden, ist Unwirklichkeit.

Wann wurden das letzte Mal, als du dir gewünscht hast, andere Eltern zu haben, deine Eltern ausgetauscht? Wann wurde dein Wunsch erfüllt, woanders leben zu wollen, ohne dass du umgezogen bist? Wie oft hast du den Job bekommen, den du nicht haben kannst, ohne deine Wirklichkeit zu verändern? Wann ist zuletzt jemand einfach vorbeigekommen und hat dich aus deinem Leben gerettet, wenn er dich gar nicht kannte?

Fakt ist: Keiner kommt, um dich zu retten, wenn du deine Augen dauerhaft vor der Wirklichkeit verschließt. Und niemand wird dich je retten kommen, wenn du es dabei belässt. Wenn du aber die Wirklichkeit erkennst und sie akzeptierst, wird sich dein Leben ändern können. Um dies zu erreichen, musst du die volle Verantwortung für dein Leben übernehmen und nicht anderen die Schuld an den Dingen überlassen.

Damit die Schuld gehen kann, musst du darum aufhören, dich schuldig zu fühlen! Du kannst die Phase des Schulderlebens in der Dauerschleife hinter dir lassen und daraus lernen, indem du wieder aufstehst und weitergehst. Ohne die Schuld festhalten zu müssen erwächst Klarheit darüber, was du im Leben willst, und was du von anderen erwartest.

Fahre fort zu tun, was immer du tust, doch abzüglich der Schuld, und besiege das Virus der Fehlerschleife!

Saboteur 5: Das Virus des Versuchens

Versuche, dieses Buch auf den Boden zu werfen!

Hast du es geschafft?

Falls ja, Gratulation! Dann hast du es viel mehr getan als es weniger versucht.

Ist das Buch noch in deiner Hand, und du hast es nur versucht, aber überhaupt nicht getan, heißt das mit anderen Worten: Du bist gescheitert!

Konsequent gedacht gibt es kein Versuchen, wenn wir etwas tun möchten: »Tue es oder tue es nicht. Es gibt kein Versuchen!«, so lautet das berühmte Yoda-Zitat aus dem historisch zweiten Star-Wars-Film, das die Message auf den Punkt bringt. Es gibt nur das Tun selbst; der einzig zulässige Versuch ist das Ausprobieren der Handlung an sich, was wiederum nichts anderes ist als das Tun im Try and Error-Verfahren.

Damit wird deutlich: Bleibt alles beim Versuch, wählen wir unabänderlich das Scheitern. Oder anders gesagt: Du machst es – oder du lässt es. Für beides gibt es gute Gründe.

Die Strategie des Versuchens wird dementsprechend eigentlich nur dazu benutzt, um nicht handeln zu müssen oder unsere mangelnde Entschiedenheit zu verschleiern.[19] Man erhofft sich dann durch das Versuchen, einen Rabatt zu ergaunern oder mildernde Umstände geltend zu machen.

Es wird dann auch vom Versuch gesprochen, wenn jemand zu einer Forderung eigentlich Nein sagen will, aber die Konsequenzen der Klarheit fürchtet. Dann versucht man es halt – und weiß eigentlich bereits, dass es so nicht funktionieren kann.

Wenn du als Bauer nur versuchst, ein Feld zu bestellen, aber keine Saat säst, wirst du am Ende des Sommers garantiert keine Ernte einfahren!

Wer diesem Verhaltensmuster nachgibt, nimmt damit das Scheitern bereits vorweg. Mit der Einstellung des mutlosen Versuchs bauen wir das Misslingen bereits in unser Tun ein, bevor es überhaupt begonnen wird. Das Versuchen, das keines ist, enthält somit bereits die eingebaute Entschuldigung; misslingt

---

[19] Vgl. ebenda, S.55.

das Vorhaben, kann man stets sagen, »Na ja, ich hab's aber versucht«, um im Anschluss noch einen Grund dafür zu erfinden, weshalb das Ziel unmöglich zu erreichen war.

Der Versuch rückt dann an die Stelle des ursprünglichen Ziels, wobei damit das Ziel auch meist gleich mit aufgegeben wird.

Unser Versuchen – oder vielmehr: das Vermeiden der Handlung – dient dann dem Zweck, das Element des Opfers in die Erledigung unserer Lebensaufgaben einzuführen. Der vordergründige Nutzen des Opfers besteht darin, dass wir einerseits darin bestätigt werden, dass unser Scheitern zwangsläufig gerechtfertigt ist, weil unsere Aufgabe aufgrund des Nachweises unseres Versuchs eben nicht zu schaffen war – und andererseits erhalten wir als Opfer Mitleid.

In der Opferrolle können wir durch das Mitleid des Gegenübers den Lohn einer dysfunktionalen Beziehung ernten.

Das Versuchen, das in Wirklichkeit das Aufgeben beinhaltet, ist damit nicht mehr als ein vom Verstand erschaffener Zustand der Vermeidung – und ein Virus, das unsere Möglichkeit zum Erfolg dadurch sabotiert, nicht ins Tun zu kommen.

Der Trick des Virus nimmt schon in der Formulierung seinen Anfang, die die wahren Umstände verschleiert: Egal ob man »es versucht«, »noch kämpft« oder »sich Mühe gibt«, wenn es eigentlich darum geht, den Beginn des wahren Tuns hinauszuzögern, hat das Virus stets die Wirkung, dass wir es nicht schaffen, erfolgreich zu sein!

Das Versuchen führt uns dann allerdings in einen Zustand ohne Ergebnis – und ohne Zufriedenheit. Dieser Zustand lässt ein Gefühl der Frustration, ein Gefühl der Vergeblichkeit, ein Gefühl der Entschlusslosigkeit heranwachsen, das uns das Leben schwer macht.

Das sinnfreie Versuchen führt also einerseits zu einem Zustand des Leidens und anderseits am Ende sicher auch immer zum Scheitern!

Es nur zu versuchen ist deshalb unnötiger Ballast für uns, zumal im Leben nur die Taten und ihre Ergebnisse zählen. Deshalb sollten wir dem Saboteur keine Chance geben: Mach's einfach!

Hör auf, dich zu beklagen und zu beschweren! All dies zieht dich nur herunter. Oder willst du im Leben tatsächlich nichts als ein Opfer sein?

Als Smartsellerinnen und Smartseller wissen wir längst: Kunden und Kundinnen kaufen nur von Siegern, nicht von Opfern.

Wir müssen Akteure sein!

Im Tun funktioniert unser Leben auf natürliche Weise, wenn wir es zulassen; vielleicht hat unser Tun nicht immer das Ergebnis, das wir uns wünschen, am Ende aber gelingt die Zielerreichung einzig mit dem Input des konkreten Machens.

Deshalb: Vergiss den Versuch, tu es, und arbeite dabei umso härter, dann wirst du dir auch deine Belohnung für die Erreichung deiner Ziele abholen können.

Saboteur 6: Das Virus der Aufschieberitis

Du nimmst dir vor, acht Wochen vor den Prüfungen mit dem Pauken zu beginnen!

Die ersten vier Wochen vergehen dann irgendwie wie im Flug, und du hast noch nichts getan.

Jetzt wächst der zeitliche Druck: Mit dem Damoklesschwert der nahenden Klausur über dir schwebend schaffst du es endlich, dich an den Schreibtisch zu schleppen. Jetzt aber!

Es klingelt, zum Glück!

Das Gespräch mit dem Postboten ist plötzlich super interessant, obwohl du sonst nie mit ihm sprichst.

Danach fällt dir auf, dass die Zeitung noch im Briefschlitz steckt; natürlich nimmst du sie nun erst mal mit nach oben und studierst dann den Wirtschaftsteil, obwohl du gar keine Aktien besitzt.

Daran wirst du doch wieder recht müde und machst deshalb besser erst einmal einen Mittagsschlaf. Das machst du ansonsten natürlich nie, solltest es aber vielleicht öfter tun, denn ein Mittagsschlaf ist ja auch ziemlich gesund, oder? Es heißt ja auch, die Müdigkeit sei die Antwort deines Verstandes auf eine langweilige Tätigkeit …

Als du abends erwachst, stellst du erst einmal den Fernseher an, weil jetzt ja Nachrichten kommen, und Nachrichten sind wichtig; nach den Nachrichten fängt unmittelbar eine Serie an. Normalerweise schaust du gar keine Serien, aber diese Serie heute Abend ist nun einmal so spannend, dass du gar nicht anders kannst, als sie zu schauen, um danach auch noch die vorigen Folgen in der Mediathek nachzuholen.

Es ist kurz vor Mitternacht, als du dich endlich wieder an den Schreibtisch setzt und zu lernen beginnst …

Falls du dich darin wiederfindest, dass jede Ablenkung willkommen ist und die Geschichte eigentlich dein Leben exakt wiedergibt, hat dich das Virus der Prokrastination bereits befallen!

Sprechen wir die ganze Zeit davon, etwas zu tun, machen es dann aber nicht, sind wir von der Prokrastination als einer mentalen Krankheit betroffen, die auch Aufschieberitis genannt wird.

Das permanente Aufschieben von Aufgaben, die erledigt werden müssen, ist die Folge eines prokrastinativen Mindsets. Schon die alten Ägypter fanden heraus, dass die Aufschieberitis zwei Wendungen hat – oder anders gesagt, eine helle und eine dunkle Seite.

Offenbar funktioniert auch die Software in seinem Kopf nicht ganz ohne Fehler.

Henry fühlt sich getroffen!

Woher wusste der Guru, wie er bisher beim Lernen vorgegangen war? Es war ja fast, als hätte der Guru seine persönlichen Verhaltensweise analysiert, als er den letzten Abschnitt geschrieben hatte!

Die Unzufriedenheit, die Henry in diesen Momenten zwar gefühlt, aber doch nicht hätte beschreiben können, ist nun dechiffriert. Henry fällt es wie Schuppen von den Augen. Ja, das ist genau sein Problem!

Prokrastination, das Wort hatte er vorher nicht einmal gekannt, aber daran hat es wohl immer wieder gelegen

Und er hatte es bisher nicht einmal als echtes Problem erkannt!

Das war natürlich auch deshalb der Fall, weil er offensichtlich talentiert genug war, sodass er bis hierher trotzdem immer irgendwie durchgerutscht ist. Aber konnte das auch in Zukunft immer gutgehen?

Gleichzeitig hatte sich keine Zufriedenheit bei ihm eingestellt, und auch dafür hätte er keinen Grund anführen können.

Das ist allerdings krass!

Um diese Unzufriedenheit war es ja auch bei den anderen Viren des Erfolges gegangen, und wenn Henry ehrlich ist, so muss er zugeben, dass ihm fast alles, was er darüber gelesen hat, weniger theoretisch als vielmehr ganz schön praktisch vorgekommen war.

That's my life!

You name it.

Also schon harter Tobak, aber halt auch leider wahr.

Das stringente Denken des Gurus beeindruckte ihn. Wenn er richtig verstand, war nicht allein die Begabung dafür zuständig, ob man Erfolg haben würde, sondern vielmehr das, was man daraus macht.

Er muss zugeben, dass er bis zu diesem Punkt in seinem Leben nicht darüber nachgedacht hat, durch welche Verhaltensweisen er sich eigentlich selbst behinderte, wenn es darum ging, etwas zu erreichen.

Aber offensichtlich brauchte es, angefangen von der Einstellung bis hin zum richtigen Handeln, vor allem viel Selbstführung. Und die Disziplin, von der der Guru schon persönlich erzählt hatte.

Sympathisch war, dass das Buch jeweils die Lösungen der Probleme aufzeigte.

Henry ahnt allerdings, dass die Umsetzung einen langen Atem verlangen würde, oder vielleicht: Ein wirklich verlässliches Training über einen längeren Zeitraum.

Höchstens beim Thema Sport war es für Henry bislang selbstverständlich gewesen, sich durch Training entsprechend zu verbessern, sowohl in Sachen Kondition als auch der zugehörigen Technik.

Doch offenbar lag darin eine erweiterte Bedeutung, gerade wenn es darum ging, den inneren Schweinehund zu überwinden.

Dass man dazu die Probleme im eigenen Kopf angehen konnte und genau dort ansetzen musste, war jedenfalls faszinierend – und gleichzeitig unmittelbar einleuchtend. Gerade diese Lektionen reichten ja auch weit über das Berufsfeld des Verkaufens hinaus und schienen darum besonders zu denken zu geben. Eigentlich sollten sich viel mehr Menschen damit befassen als nur die Smartseller!

Besonders ein Gedanke gefällt Henry: Wer seinen Gegner kennt, kann ihn mit den eigenen Mitteln am besten schlagen! Es machte wirklich Sinn, die Gegner im eigenen Denken zu identifizieren – denn nur dann konnte man ja gegen sie kämpfen.

Henry nimmt sich vor, den Kampf gegen die Saboteure in seinem Kopf ab sofort aufzunehmen.

Positiv betrachtet beinhaltet die Prokrastination die Weisheit, auf den richtigen Moment warten zu können. Gerade in der Szene der Kreativen hat die Aufschieberitis deshalb auch ein positives Image. Tatsächlich kann die Prokrastination sehr stark mit Innovation korrelieren, weshalb ein produktives Prokrastinieren damit sogar Wettbewerbsvorteile erzeugen kann: Durch Prokrastination können neue Ideen und neue Produkte zur richtigen Zeit umgesetzt und damit hoher Gewinn erzielt werden.[20] Diese Seite der Aufschieberitis können wir auch als Smartsellerinnen und Smartseller positiv für uns nutzen.

Die dunkle Seite der Prokrastination ist allerdings die zerstörerische Faulheit und hat als Saboteur des Erfolgs dagegen katastrophale Auswirkungen auf unseren Aufstieg in den Kreis des einen Prozents der Topverkäufer!

»Morgen, Morgen, nur nicht heute, sagen alle faulen Leute!«, fasst der Volksmund diesen Zustand zusammen, der dazu führt, dass die davon betroffenen Personen am Ende des Tages von ihrem Schuldgefühl ob der verpassten Gelegenheiten und des angewachsenen Pensums am Einschlafen gehindert werden.

Es ist jedenfalls offensichtlich, dass es in einem Job, in dem es um Leistung geht, fatal ist, nichts geschafft zu bekommen! Diese dunkle Seite der Aufschieberitis führt dazu, dass wir uns schlecht fühlen, während wir prokrastinieren – sodass sich die Frage stellt, warum wir die Dinge dennoch aufschieben, obwohl wir uns schuldig fühlen, wenn wir die Zeit vertrödeln und nicht mit unseren täglichen Aufgaben beginnen.

Die Antwort darauf zeigt uns, dass gerade im Zusammenhang der Prokrastination ein Blick in die Tiefe lohnt und im Anschluss differenziert ausfallen muss.

Das Virus der Prokrastination kann tatsächlich zum echten Zustand einer Krankheit führen: Die Aufschieberitis ist dafür verantwortlich, warum Menschen sich nicht mit ihren Aufgaben beschäftigen und tatenlos bleiben.

Wenn wir bereits vom Virus der Prokrastination befallen sind, kann sich auch das Virus der Rechtfertigung leicht einrichten: Es fallen uns dann tau-

---

[20] Vgl. Andrea Jackson: Procrastination is the key to problem solving. Vorlesung auf TEDxTownsville, auf youtu.be/S9Aesz3RPLw, aufgerufen Oktober 2023.

send gute Gründe ein, weshalb wir gerade jetzt nicht aktiv werden können. Die Rationalisierungen, die damit einhergehen, führen erst recht dazu, dass nicht erledigte Aufgaben immer weiter in die Zukunft verschoben werden.

Eine erste mögliche Erklärung, warum bestimmte Menschen vom Virus der Aufschieberitis befallen werden, könnte darin liegen, dass der Zustand der Prokrastination oft sehr stark mit dem Zustand des Selbstwerts korreliert.

Das Konzept des Selbstwerts postuliert dabei, dass ein Mensch als wertvolle Person mit Fähigkeiten wahrgenommen werden will – zum einen von anderen Menschen, zum anderen auch von sich selbst. Dabei bestimmen diese Fähigkeiten das Performance-Level der Person, was wiederum Auswirkungen auf die Wahrnehmung des Selbstwerts hat.

Menschen, die eine starke Aufschieberitis zeigen, leben in besonderer Art und Weise nach der Formel, dass ihre Ergebnisse im Leben von den erworbenen Fähigkeiten abhängen und dies ihren eigenen Selbstwert bestimmt. Das Risiko, das in der Differenz von guter Möglichkeit und guter Umsetzung liegt, wird von diesen Menschen als hoch eingeschätzt – und das Dilemma führt zur Auslösung der Prokrastination. Wir stecken als betroffene Person während der erlebten Aufschieberitis dann zwischen dem Wunsch »Ich will mein Ziel erreichen« und der gleichzeitigen Angst »Ich fürchte, es nicht zu schaffen!« fest!

Daher ist die Aufschieberitis ein Virus, das seine Kraft aus einer Form der Übermotivation bezieht, aus der sich das Dilemma der Abweichung ergibt oder zumindest vergrößert.[21]

Wer vor diesem Hintergrund prokrastiniert, eröffnet seinem Verstand die Möglichkeit, eine Form des Selbstschutzes abzurufen. Es geht nicht um die Sabotage eigener Ziele an sich, aber vielmehr um die Möglichkeit für unseren Verstand, im Zustand der Prokrastination überleben zu können, wenn diese Ziele nicht erreicht werden!

Problematisch dabei ist, dass wir dieses Verhalten dann meist über kurz oder lang zur antrainierten Gewohnheit werden lassen.

---

[21] Vgl. Nic Voge: Self Worth Theory: The Key to Understanding & Overcoming Procrastination, Vorlesung der TEDxPrincetonU, auf youtu.be/52lZmlafep4, aufgerufen Oktober 2023.

Die Formel der Aufschieberitis wird dann zum Teufelskreis: Wenn das schlechte Ergebnis unserer Performance tatsächlich die eigenen Fähigkeiten infrage stellt, so nehmen wir uns als Versager wahr, weil das Infragestellen unserer Fähigkeiten unserem infrage stehenden Selbstwert entspricht, den wir dann als niedrig einschätzen!

Das Kernproblem der Prokrastination hat deshalb in Wahrheit nur wenig mit Faulheit zu tun. Das Aufschieben ist vielmehr eine ultimative Schutzstrategie, die ein eventuelles Scheitern rechtfertigt und dem Scheitern gleichzeitig vorbeugt. Sie bietet dabei auch gleichzeitig eine Möglichkeit zur Erlösung an.

Wenn wir unsere Beispielgeschichte forterzählen, wird deutlich, was damit gemeint ist:

Bestehst du im Ergebnis deiner prokrastinierten Lernphase die Prüfung, kannst du dir selbst sagen: »Wow, bin ich schlau! Ich habe nur drei Tage gelernt und trotzdem bestanden!« Fällst du in der Prüfung dagegen durch, kannst du nun einen Grund vorschieben, aufgrund dessen dir die Prüfung misslungen ist. Mit der prokrastinativen Vermeidungsstrategie kann dein Verstand im Fall des Erfolgs wie auch im Fall des Scheiterns seinen Selbstwert behalten!

Da die Rechtfertigung als ursprünglicher Überlebenstrick deiner Verstandesmaschine in jedem Fall eine Lösung anbietet, ist das Prokrastinieren eigentlich ein cleverer Mechanismus des Gehirns – und bleibt trotzdem ein Problem für all diejenigen, die durch das Mindset in ihrem Erfolg sabotiert werden.

Eine weitere Erklärung für die Prokrastination bietet das Modell, das die Aufschieberitis als Konflikt des Logikteils unseres Gehirns mit dem psychologischen Teil unseres Denkens erklärt.

Im Logikgehirn setzt man sich ein Ziel – und will dann die Aufgabe auch erledigen. Der Logikteil unseres Denkens weiß darum, dass unsere Ziele sich nur durch die Überwindung und in der Überwindung von Anstrengungen, Schmerzen, Schweiß und harter Arbeit erreichen lassen.

All dies erscheint unserem psychologischen Teil des Gehirns jedoch ausdrücklich nicht erstrebenswert: Dieser Teil strebt vielmehr nach Entlastung und jeder unmittelbaren Belohnung nach möglichst geringem Aufwand. Damit wird im psychologischen Teil des Gehirns die Idee eines ›Instant Gratifikation Monkeys‹ geboren.

Hiermit betritt der Saboteur des Vorsatzes, hart am Ziel arbeiten zu wollen, die Bühne: der Instant Gratifikation Monkey, der einen kleinen Teil unseres Unterbewusstseins bewohnt![22] Unser persönlicher Instant Gratifikation Monkey möchte sich nicht anstrengen, leiden, schwitzen oder außergewöhnlich performen, nein, er möchte sich stattdessen den schönen Ablenkungen des Lebens hingeben. Er möchte Partys feiern, Spaß haben – und das immer sofort und jetzt!

Mit den zwei Stimmen in unserem Kopf – der Stimme des Logikgehirns einerseits, dem Ruf des Instant Gratifikation Monkey aus dem psychologischen Teil des Denkens andererseits – wird unser täglicher Kampf ausgetragen:

An manchen Tagen gewinnt die Logik mit der Stimme der Vernunft, an anderen Tagen ist der Instant Gratifikation Monkey der Sieger – und wir verlieren die Möglichkeit zum nachhaltigen Erfolg.

---

[22] Vgl. Tim Urban: Inside the mind of a master procrastinator, auf youtu.be/arj7oStGLkU, aufgerufen Oktober 2023.

Menschen, die einen hohen Grad von Impulsivität besitzen, sind dabei offenbar besonders gefährdet, vom Virus der Prokrastination befallen zu werden. Der Zusammenhang der ersteren Eigenschaft und das Auftreten von Symptomen der Prokrastination können immer wieder nachgewiesen werden.

Das ist nachvollziehbar, weil die Aufschieberitis schließlich eine Reaktion des psychologischen Teils des Gehirns ist, in dem die starken Emotionen entstehen.

Diese Verbindung kann erklären, warum Männer öfter prokrastinieren als Frauen. Vor allem junge Männer, die schwer kontrollierbare Impulse haben, leiden häufiger an Aufschieberitis.[23]

Gerade diese Gruppe von Personen gibt oft der Versuchung nach, sich ein wenig aufzuheitern und lieber etwas anderes zu tun, als vor einer schwierigen Aufgabe zu zittern oder sich über einer Routinetätigkeit zu langweilen. Der Instant Gratifikation Monkey scheint sie fester im Griff zu haben als andere: Er sorgt dafür, dass die sofortige Befriedigung gesucht und lieber ein Videospiel gespielt wird anstelle des Studiums und der Anstrengung, etwas zu lernen.

Dabei werden die langfristigen Konsequenzen ignoriert:

Werden die Betroffenen von Gedanken an eine bevorstehende Deadline gestört, reden sie sich ein, dass es am besten ist, bis zur letzten Minute zu warten: »Ich arbeite am besten unter Druck« ist dann oft als Schlüsselsatz zu hören – was meist ein Zeichnen dafür ist, dass die Person sich eigentlich im Zustand der Prokrastination befindet.

Zwar ist es – wie gleich noch gezeigt wird – dann sinnvoll, jetzt ein bestimmtes Level an (auch künstlichem) Druck zu erzeugen, sodass die Arbeit verbindlich erledigt werden muss; doch dass die Arbeit, die auf den allerletzten Drücker erledigt wird, am besten getan wird, ist zwar eine weitläufige Meinung, aber erwiesenermaßen auch falsch: Alle Studien darüber weisen darauf hin, dass dies nicht der Fall ist.

---

[23] Vgl. Roy Baumeister und John Tierney: Die Macht der Disziplin: Wie wir unseren Willen trainieren können. Frankfurt am Main 2012. S.277.

Die Erklärung, warum gerade eine Teilgruppe der impulsiven Personen sich entsprechend verhält, ein anderer Teil aber nicht, kann im Selbstwertkonzept gefunden werden. Gerade dann, wenn der Selbstwert durch Emotionen und Unsicherheiten gehörig erschüttert wird, kommt es zum Prokrastinieren.

Die Aufschieberitis ist damit letztlich auch ein Thema, dem mit der Pflege der Selbstdisziplin begegnet werden kann; dem Mangel an Selbstdisziplin wird noch als dem letzten Virus als Saboteur auf den Grund zu gehen sein. Genauso entscheidend ist aber, mit Selbstführung an einem ausgeglichenen Selbstwert zu arbeiten.

Es gibt neben der Stärkung des Selbstwerts weitere Faktoren, die uns im Kampf gegen die Aufschieberitis helfen können: Zum einen geht es dabei um die echte, nachhaltige Begeisterung für unsere Ziele. Je höher unsere Begeisterung ist, desto besser wird sie auch als Teil des psychologischen Denkens verinnerlicht und damit der Instant Gratifikation Monkey kleingehalten.

Wenn auf dem Weg zum Ziel dein persönliches ›Warum des Handelns‹ größer ist als das ›Wie des Schmerzes‹, dann tust du am Ende das, was notwendig ist, um dem Ziel näher zu kommen.

Ein starkes Warum hilft uns, den inneren Schweinehund zu überwinden.

Falls das nicht ausreicht, kann uns interessanter Weise auch der eigentlich negative Zustand der Panik positiv weiterhelfen: Wenn wir uns dabei, um wieder im Bild zu sprechen, vom Panikmonster nicht völlig übermannen lassen und es entsprechend domestizieren, fürchtet es sich vor den Konsequenzen des Aufschiebens – und treibt uns an, damit wir unsere Aufgabe letztlich erledigen.

Wir können das Panikmonster immer dann freilassen, wenn wir unser To-Do mit einer Deadline versehen. Der Druck, und sei er vielleicht sogar künstlich erzeugt, hat dann eine heilsame Wirkung in Bezug auf unsere Kurierung am eigentlichen Virus.

Wenn wir uns auf diese Weise Vorgaben setzen, die uns herausfordern, geraten wir nicht in die Situation, überhaupt viel Zeit für ein laissez faire zu haben. Im Verkauf können wir uns etwa hilfreiche Zeitlimits setzen.

Dann gilt etwa der Satz: »Der nächste Termin wird bestimmt durch den Termin davor!« Hast du nur 45 Minuten für ein Verkaufsgespräch, weil danach der nächste Termin vereinbart ist, wird das Verkaufsgespräch wie von Zauberhand auch nur 45 Minuten andauern!

Vorgaben wie Zeitlimits und die Konsequenzen, die uns bei Nichterfüllung der Vorgaben drohen, helfen uns somit, unsere Aufschieberitis unter Kontrolle zu halten.

Nach einer alten Weisheit des Hinduismus liegt ein weiteres Geheimnis zur Überwindung der Aufschieberitis in der völligen Aufgabe eigener Erwartungen. Das ist deshalb so, weil unsere Erwartungshaltung den Dingen gegenüber ausschlaggebend dafür ist, welche Emotionen wir damit auslösen.

Wenn diese Emotionen im psychologischen Gehirn bestimmte Problematiken berühren, kommt es zu den bereits erörterten Folgen und der Handlungsblockade durch die Prokrastination.

Nehmen wir an, zwei Personen möchten gemeinsam einen Urlaub verbringen, um uns klarzumachen, wie das konkret aussehen kann:

Eine Person kümmert sich um die gesamte Organisation der Reise, die andere jedoch um nichts.

Als die beiden am Zielort ihres Urlaubs ankommen, ist alles ganz anders, als es im Internet beschrieben wurde.

Der Organisator ist außer sich darüber, dass er einer Täuschung aufgesessen ist. Seine Enttäuschung ist so riesig wie seine Zustandsbeschreibung treffend: »Ich hatte mich doch so sehr auf alles gefreut! Jetzt ist alles anders, und was ich mir ausgedacht habe, funktioniert nicht!«

Beim Reisebegleiter jedoch sieht die emotionale Lage dagegen ganz anders aus. Da er keine Erwartungen an den Urlaubsort hatte, ist er selbst auch keiner Täuschung aufgesessen – und empfindet daher nun auch keinerlei Enttäuschung.

Wir können daraus lernen, dass ein Problem oft nur dann entsteht, wenn und weil wir bestimmte, mit starken Emotionen verbundene Erwartungen an eine Situation oder ein Vorhaben haben, die im Fortgang in unseren Augen nicht erfüllt werden. Die Lösung besteht darin, unsere Erwartungshaltung gegenüber dem Sachverhalt zu ändern! Dann wird es uns so gehen wie dem zweiten Urlauber, der am Ende glücklich bleibt.

»One must do action without any expectation of the fruit of the action«, so lautet das Motto, das sich diese Lehre zu Herzen nimmt. Wer danach handelt, verbannt so manches problematische Gefühl aus der Erwartung und verändert seine Emotionen auch beim Erleben der Sache. Wir nehmen damit ein Refraiming unserer Erwartungshaltung vor, das eine weitreichende Folge hat.[24]

[24] Vgl. Archana Murthy : An End to Procrastination. Vorlesung der TEDxMarcusHigh-School, auf youtu.be/GTQ2xDNlLf8, aufgerufen 2023.

Das völlige Aufgeben einer bestimmten, vielleicht sogar jedweder Erwartung, kann uns nutzen, uns resilient gegen das Virus der Aufschieberitis zu machen, genau wie uns das Konzept der Deadlines und Konsequenzen und unser gehegtes Panikmonster dabei hilft, am Ball zu bleiben.

Dabei sollten wir auch im Zustand eines ausgeglichenen Selbstwertes ein starkes und überzeugende ›Warum‹ verinnerlicht haben, das eine maximale Begeisterung für unser Ziel und die notwendigen Etappen auf dem Weg einschließt, sodass wir ins Tun kommen und die Unlust der harten Arbeit überwinden.

All dies wird uns dabei helfen, dem Virus der Prokrastination keine Chance dafür zu lassen, unseren Erfolg zu sabotieren.

Saboteur 7: Das Virus der mangelnden Selbstdisziplin

Ein Steinmetz beginnt damit, einen großen Block aus Gestein unter Aufwendung all seiner Kräfte mit einem großen Hammer zu bearbeiten.

Als der Hammer das erste Mal trifft, ist nichts zu sehen: keine Kratzer, kein abgesplittertes Gestein, rein gar nichts. Der Steinmetz hebt den Hammer, schlägt wieder und wieder zu, an die einhundert, zweihundert, dreihundert Mal, ohne dass auch nur eine einzige Spur zurückbleibt. Nach all der Mühe zeigt der Block noch immer nicht einmal andeutungsweise einen Riss, aber der Steinmetz lässt nicht locker.

Manchmal gehen Passanten vorüber und lachen, weil der Steinmetz hartnäckig an einer Technik festhält, die ganz offensichtlich keine sichtbare Wirkung zeigt.

Der Steinmetz aber weiß: Auch wenn man das Resultat nicht sofort sieht, bedeutet das nicht, dass man keine Fortschritte macht. Keiner glaubt an den Steinmetz, aber er weiß, dass der Rohling brechen wird! Er schlägt weiter auf verschiedene Stellen des Gesteins ein und schwingt immer wieder den Hammer, bis irgendwann der Punkt erreicht ist:

Vielleicht nach dem tausendsten Schlag beginnt der Rohling nicht nur zu splittern, sondern bricht buchstäblich in zwei Hälften!

Die Wirklichkeit des Steinmetzes ist aufgrund seiner Erfahrung eine andere als die der anderen Menschen. Deshalb kann er die Disziplin aufbringen, mit seinem Tun immer weiterzumachen – bis er Erfolg hat.

Die Geschichte des Steinmetzes, der einen riesigen Rohling auseinanderbricht, verrät uns viel über das Phänomen einer überlegenen Selbstdisziplin. Die Passanten, die den Steinmetz verlacht haben, hätten wohl nicht vollbringen können, was dem Steinmetz gelang, selbst wenn sie in der Lage gewesen wären, ebenfalls den Hammer in die Hände zu nehmen, weil ihnen die richtige Überzeugung gefehlt hätte.

Die meisten – nein, sogar die allermeisten Menschen – scheitern nicht an ihren Fähigkeiten, sondern ganz einfach daran, dass sie zu früh aufgeben! Sie begreifen weder die Macht der Selbstdisziplin noch nutzen sie diese Macht für ihr Fortkommen – und werden dabei von einem Virus auf dem

Weg zum Erfolg sabotiert, nämlich dem Virus der mangelnden Selbstdisziplin.

Selbstdisziplin ist dabei eine wesentliche Fähigkeit, die in einem Feld zum Tragen kommt, das zwischen den Möglichkeiten unserer angeborenen Genetik und trainierbaren Skills aufgespannt wird.

Es gibt nicht wenige Menschen, die davon ausgehen, dass Selbstbeherrschung eine angeborene Fähigkeit sei. Auch die Wissenschaft stritt um die Deutungshoheit darüber, inwieweit die Gene und die Einflüsse der Umwelt unsere Fähigkeiten definieren (und wie weit die jeweiligen Einflüsse tatsächlich reichen) – und tut dies noch immer.

Daniele Kaufer und Darlene Francis kamen als Akademikerinnen an der Universität von Kalifornien in Berkeley in der Auseinandersetzung mit dem Thema zu folgendem Schluss: Umgebungen – also die Umwelt und ihre spezifischen Einflüsse – können genauso deterministisch sein wie es früher nur bei Genen vermutet wurde; das Genom wiederum kann so formbar sein, wie es früher nur von Umgebungen geglaubt wurde.[25]

Auch in Bezug auf die Selbstdisziplin kann also davon ausgegangen werden, dass sie einen Anteil besitzt, der uns jeweils angeboren wird. Untersuchungen, die Walter Mischel in seinen Experimenten machte und die als ›Marshmellow-Tests‹ weltweite Berühmtheit erlangten, zeigen, dass Kinder bereits mit vier und fünf Jahren in der Lage sind, auf sofortige Belohnungen zu verzichten, um nach einiger Zeit stattdessen eine größere Belohnung zu erhalten. Dabei konnten einige Kinder den Belohnungsaufschub länger hinauszögern und damit eine höhere Selbstdisziplin zeigen als andere.

Auch Roy F. Baumeister, einer der international bekanntesten Professoren im Bereich Psychologie und Autor des Buchs ›Die Macht der Disziplin‹ geht von einer genetisch angelegten Komponente der Selbstdisziplin aus.[26]

---

[25] Walter Mischel: Der Marshmallow-Effekt: Wie Willensstärke unsere Persönlichkeit prägt. München 2016, S.121.

[26] Vgl. Roy Baumeister und John Tierney: Die Macht der Disziplin: Wie wir unseren Willen trainieren können. Frankfurt am Main 2012, S.171.

Unsere Gene enthalten somit einen Code, der eine gewisse Vorprogrammierung unterstützt. Die Einflüsse der Umwelt sind dann dafür verantwortlich, wie diese Gene ausgelesen und aktiviert werden. Das bedeutet: Entscheidend ist das Zusammenspiel aus beidem. Das bedeutet auch, dass dieses Zusammenspiel Veränderungen zulässt und ein Fortschritt möglich ist!

Da unsere Selbstbeherrschung somit kein statischer Zustand, sondern dynamisch veränderlich ist, kommt Walter Mischel mit seinen Forschungen zum Ergebnis, dass René Descartes‹ berühmtestes Zitat »Cogito ergo sum!«, auf deutsch »Ich denke, also bin ich!«, verändert fortgeschrieben werden müsse. »Die neuen Einsichten über Geist, Gehirn und Selbstkontrolle lassen uns diesen Lehrsatz etwas umformulieren: Ich denke, daher kann ich verändern, was ich bin.«[27]

Wer also mehr Selbstbeherrschung erwerben möchte, kann dies erreichen. Unser Wille ist wie ein Muskel, der im genetischen Ursprung vielleicht beim einen oder anderen etwas größer ist als beim Gegenüber, der aber auch durch ein entsprechendes Training mit Wiederholungsfaktor verbessert und zur Meisterschaft gebracht werden kann!

---

[27] Walter Mischel: Der Marshmallow-Effekt: Wie Willensstärke unsere Persönlichkeit prägt. München 2016, S.347.

Damit dieses Training erfolgreich funktioniert, müssen wir zum Ersten ein Verständnis dafür entwickeln, welche Faktoren für unsere Selbstkontrolle und Selbstbeherrschung entscheidend sind. Wieder lohnt der Blick auf unsere Verstandesmaschine: Die Selbstdisziplin ist im Logikteil des Gehirns verortet, dem kühlen System, genauer gesagt im präfrontalen Kortex. Dieser Teil des Gehirns ist für kognitive Prozesse, aber auch die entsprechende soziale Interaktion verantwortlich.

Seine rationalen, reflektierenden Prozesse sind komplex und schwieriger zu aktivieren als die un- und unterbewussten Vorgänge im psychologischen Teil des Gehirns, dem heißen System.

Das heiße, limbische System steuert unsere grundlegenden überlebenswichtigen Triebe und unsere Basisemotionen, die von Furcht und Wut bis zu Hunger und dem Sexualtrieb reichen.[28]

Unser heißes System des psychologischen Gehirns funktioniert schon seit Anbeginn der Menschheit hervorragend und ist bereits bei unserer Geburt voll funktionsfähig, während der präfrontale Kortex erst etwa ab dem sechsten Lebensmonat heranwächst und aufgebaut wird. Sein heißes System lässt das Neugeborene direkt schreien, wenn es Hunger oder Schmerzen hat; über unser gesamtes Leben sorgt unser psychologisches Gehirn dann im Anschluss dafür, dass unser Leben seine emotionale Würze bekommt. Auf der Schwelle des Bewusstseins nehmen wir dann die Emotionen wahr und können sie rational begründen und einzuordnen lernen.

Beide Denksysteme stehen daher, sobald sie voll ausgebildet sind, in einer Wechselbeziehung zueinander. In dem Maß, wie die Aktivität des einen Systems zunimmt, sinkt die des anderen.[29]

Starker Stress schwächt das kalte System der Logik und sorgt dafür, dass das psychologische, heiße System die Kontrolle übernimmt. Weil jedoch das Logikgehirn maßgeblich zum Einsatz gebracht werden muss, wenn wir zukunftsorientierte Entscheidungen treffen, und dies für unsere funktionierende Selbstkontrolle maßgeblich ist, sind die heißen Reaktionen problematisch. Wenn wir den buchstäblich heißen Kopf bekommen, weil unsere Emotionen

---

[28] Vgl. ebenda, S.61.

[29] Vgl. ebenda, S.64.

überkochen, sind wir schlechter in der Lage, ein Problem rational lösen zu können! Das ist nicht hilfreich, wenn der Erfolg in einer bestimmten Situation davon abhängt, dass man gerade einen kühlen Kopf bewahrt.

Daher benötigen wir Strategien, mit denen wir unser heißes System, das psychologische Gehirn, überlisten können, sodass wir wieder die Kontrolle über uns selbst zurückgewinnen können – und zwar mittels der Kontrolle des Logikteils unseres Denkens.

Selbstdisziplin ist in diesem Sinne die Fähigkeit, das Logikgehirn und sein rationales Denken zum Einsatz zu bringen! Es gilt dann, dabei unsere eigene Willenskraft so einzusetzen, dass wir in die Lage kommen, unsere eigenen Gefühle zu kontrollieren.

Diese Affektregulierung ist einer der entscheidenden Faktoren für ein erfolgreiches Leben und weit über das Thema Verkaufen hinaus bedeutsam, indem wir lernen, uns selbst erfolgsbefördernd zu steuern.

Unsere Selbstdisziplin erreichen wir durch die Willenskraft und die bewussten Programmierungen der Selbstführung, die uns dabei helfen, Versuchungen nicht nachzugeben. Diese Versuchungen werden durch eine gute Verteidigung abgewehrt, und die Abwehr nennt sich Selbstdisziplin.

Die französische Philosophin Monique Canto-Sperber schrieb, dass niemand und nichts in Versuchung geführt werden kann, der nicht das Bedürfnis, ja, den dringlichen Wunsch hat, verführt zu werden.[30] Wir müssen daher unsere problematischen Bedürfnisse, zu denen wir versucht werden und die im psychologischen Denken ihren Ausgang haben, in den Griff bekommen!

Durch Forschungen wurde herausgefunden, dass wir Menschen jeden Tag zwischen drei und vier Stunden damit zubringen, Versuchungen zu widerstehen. Das heißt, dass wir nach dem Abzug der Stunden, die wir im Schlaf verbringen, zwanzig Prozent unserer verfügbaren Zeit für die Abwehr von Versuchungen aufbringen!

Während wir das Fünftel des aktiven Tages dafür aufwenden, gegen Versuchungen anzukämpfen und zu widerstehen, erschöpft sich jedoch unser Muskel der Selbstbeherrschung enorm – und wird müde.[31] Diese Ermüdung wird in der Psychologie auch Ego-Depletion genannt. Dabei wird die Selbstregulation des rationalen Denkens gehemmt. Das Ergebnis ist frappierend: Hat der Muskel keine Kraft mehr, schwindet die Disziplin.[32]

Die Ego-Erschöpfung führt dabei zu einem doppelt harten Ergebnis: Nicht nur der Wille ist geschwächt, auch die Gelüste werden dann stärker denn je sein!

Tests mit Studenten zeigen, wie der Effekt der Ego-Depletion auf mittlere Sicht wirken kann: Während der Lernphase vor den Prüfungen schnitten die Teilnehmerinnen und Teilnehmer in Bezug auf ihre Selbstdisziplin immer schlechter ab als während der vorangegangenen Zeit des Semesters: Sie

---

[30] Vgl. Roy Baumeister und John Tierney: Die Macht der Disziplin: Wie wir unseren Willen trainieren können. Frankfurt am Main 2012.

[31] Vgl. ebenda, S.40.

[32] Vgl. ebenda.

trieben keinen Sport mehr, rauchten mehr und tranken mehr Kaffee und Tee – einfach, weil das jeweilige Gehirn erschöpft war.

Ist unser Gehirn müde, verlangt der Körper nach Energie, die über die Zufuhr von Glukose aufgenommen wird. Sie entsteht bei der Verdauung, gelangt in den Blutkreislauf und wird durch den Körper gepumpt.[33] Dabei gilt: Dort, wo keine Glukose ist, da ist auch kein Wille. Sinkt der Zuckerspiegel, stellt das Gehirn offensichtlich bestimmte Tätigkeiten des kalten Systems des Logikgehirns ein und nimmt andere auf.

Muss der Körper sehr viel Selbstbeherrschung aufwenden, bekommt man daher Hunger nach Süßem. Zucker bietet schnelle Energie. Das Problem besteht darin, dass eine schnelle Aufnahme von Zucker zu einem raschen Absturz der Leistung im Anschluss führt; zudem besteht eine gesunde Ernährung nicht darin, uns immer wieder dem Zuckerflash auszusetzen.

Wiederum braucht es Selbstdisziplin, uns mit der richtigen Art von Kalorien zu füttern: Da der Körper fast jede Nacht Nahrung in Glukose umwandelt, dies aber je nach Lebensmittel in unterschiedlichen Geschwindigkeiten tut, bieten sich vor allem Nahrungsmittel mit einem niedrigen glykämischen Index wie Gemüse, Nüsse, Früchte, Käse, Fisch, Fleisch, Olivenöl und andere gute Fette an. Ernähren wir uns richtig, können wir den Rückgang der Hirnnahrung Glukose verhindern.[34] Viel Sinn macht es aber, auf den schlechten, puren Weißzucker zu verzichten, dessen Aufnahme nur dazu führt, dass wir uns am Ende noch schwächer fühlen.

Da wir bei großer Erschöpfung offensichtlich nach Möglichkeiten suchen, Entscheidungen aufzuschieben oder ganz zu vermeiden, gilt es, diese Erschöpfung nicht zur Gewohnheit werden zu lassen. Neben der richtigen Ernährung ist daher auch entscheidend, im richtigen Maß zum Ausgleich der Ruhe zu finden. Ausreichend Schlaf ermöglicht eine verbesserte Selbstdisziplin. Für eine gute Selbstdisziplin und damit gute Entscheidungen ist beides, gute Ernährung und guter Schlaf, entscheidend.

---

[33] Vgl. ebenda, S.56.

[34] Auf die gesundheitlichen Aspekte der Reisenden auf dem Andersweg zum Erfolg wird in den folgenden Büchern und Workbooks in ausführlicher Form eingegangen.

Erfolgreiche Verkäufer und Verkäuferinnen kennen diese Vor- und Nachteile der Müdigkeit übrigens bestens und nutzen sie auch in ihrem Sinne gegenüber der Kundschaft. Dabei beschäftigen sie das Gegenüber so lange mit Smalltalk, bis bei den Kundinnen und Kunden die Entscheidungsmüdigkeit einsetzt. Genau jetzt neigen die Kunden und Kundinnen dazu, sich einfach den Empfehlungen des Verkäufers anzuschließen, da keine Energie zur Abwehr der Verkaufsargumente mehr zur Verfügung steht.

Sind wir in Sachen Selbstführung entsprechend gut aufgestellt, können wir für einige konkrete Versuchungen besonders viel Gegenwehr in Form von Selbstdisziplin aufwenden:

Die erste Versuchung besteht darin, mit unseren Gedanken nicht bei der Sache zu bleiben.

Die Gedanken wandern die meiste Zeit in unserem Verstand umher, ohne dass wir dafür etwas tun müssen. Damit sie dies gerade nicht tun, müssen wir unser Denken disziplinieren: Die Fähigkeit, dass wir uns auf einen Sachverhalt fokussieren können, stellt daher eine Schlüsselkompetenz dafür dar, Erfolg haben zu können.

Zur Selbstdisziplin gehört deshalb die Eigenschaft, zu lernen, wie wir unsere Gedanken kontrollieren können!

Die Trainingsbedingungen für diesen Teil der Disziplin müssen wir uns in einer Umgebung, in der wir mit Ablenkungsmöglichkeiten überflutet werden, bewusst schaffen – und gegebenenfalls auch den Preis des Rückzuges aus dem Overkill an Themen dafür bezahlen. Gelingt uns das, können wir den Ablenkungen unseres Verstandes entkommen und konzentriert an unseren Zielen arbeiten.

Damit verbunden ist der Erwerb der Fähigkeiten, sich die Zeit sinnvoll einteilen zu können, sich positiv auf eine Aufgabe zu konzentrieren und weiterzumachen, auch wenn man keine Lust mehr darauf verspürt – und damit von Fähigkeiten, die weitere absolute Erfolgsfaktoren sind.

Auch der zweiten Versuchung, nämlich aus einem Affekt heraus zu handeln, müssen wir widerstehen lernen.

Aus unseren Gedanken entstehen Gefühle, und das ist so weit gut und normal, weil damit auch ein Antrieb entsteht. Entscheidend ist die Frage, ob wir es zulassen, dass die starken Emotionen die Kontrolle über unser Handeln übernehmen, weil wir dann aus dem psychologischen Gehirn heraus kontrolliert werden und dessen Affekten ausgeliefert sind, während das Logikgehirn in den Lockdown geschickt wird. Das ›Töten im Affekt‹ ist die vielleicht ultimative Konsequenz dieses Kontrollverlustes, den wir unbedingt schon in seinen Anfängen vermeiden müssen.

Es gibt darüber hinaus zusätzlich Impulse, die uns dazu verleiten, Alkohol, Tabak und Süßigkeiten in problematischen Mengen zu konsumieren. Auch dies stellt eine schwere Versuchung dar, der wir nur durch das Aufbringen von Selbstdisziplin widerstehen können.

Der entscheidende Vorteil einer verbesserten Selbstdisziplin liegt im Ergebnis darin, dass wir weniger Zeit am Tag dafür aufwenden müssen, irgendwelchen Versuchungen widerstehen zu müssen! Wenn wir unsere Person selbstdiszipliniert führen, entwickeln wir uns zu der Persönlichkeit weiter, die als Smartseller überzeugen kann.

Speziell im Verkauf hilft uns das Widerstehen gegenüber der zweiten Versuchung – die im unkontrollierten Zulassen von Emotionen ihre Bühne sucht – mit der Fähigkeit zur Selbstdisziplin dabei, professionell mit der Ablehnung umzugehen, indem wir als Smartseller und Smartsellerin unsere Gefühle lenken und kontrollieren.

Das bedeutet, dass Smartseller und Smartsellerinnen ihren Kunden und Kundinnen in jeder Situation mit Respekt und Höflichkeit begegnen. Dabei vermeiden wir nicht nur den Gefühlseklat, sondern machen mit der Selbstkontrolle unserer Gefühle im bewussten Dienst an der Kundschaft den Unterschied, der zwischen Durchschnitt und der Peak Performance eines Verkäufers und einer Verkäuferin entscheidet.

Stellen wir uns zum Beispiel vor, dass wir uns in einem Premium Hotel aufhalten, wo wir mit dem bereitgestellten Obst in unserem Zimmer unzufrieden sind und uns darum an der Rezeption beschweren. Als Antwort bekommen wir nun zu hören: »Das tut uns leid! Natürlich erhalten Sie umgehend neues Obst auf ihr Zimmer! Entschuldigen Sie bitte die Unannehmlichkeiten!«

Ob unsere Beschwerde nun gerechtfertigt war oder nicht, ist dabei gar nicht entscheidend, weil wir als Kunde und Kundin Recht und Zustimmung erhalten. Das Team des Hotels ist uns mit einer professionellen Einstellung und perfektem Kundenservice begegnet.

Beides wird in der Kommunikation mit Schlüsselwörtern wie »Jederzeit!«, »Selbstverständlich!« und »Gerne!« hervorgehoben.

Egal, was der Kunde und die Kundin äußern, und wie falsch du ihre Anmerkungen vielleicht persönlich auch finden magst, und selbst dann, wenn das Gegenüber sogar objektiv betrachtet falsch liegt: Bringe stets die notwendige Selbstbeherrschung auf und handle danach, dass der Kunde König ist! Wenn der Kunde dir vorhält »Sie sind schuld, dass ich meinen Zug nicht erreiche!«, antwortest du gelassen mit einem »Selbstverständlich, und das tut mir sehr leid!«

Damit das notwendige Level an Selbstdisziplin erreicht wird, auf dem es uns gelingt, uns nicht nur optimal zu beherrschen, sondern sogar stets zuvorkommend zu reagieren, sollten wir im Dienst an der Kundschaft folgende Einstellung verinnerlichen: »Der Kunde macht seine Sache und ich meine!«

Die Kontrolle über deine Gefühle zu erhalten und dies immer im Verkauf vorzuleben ist einer der wichtigen Schlüssel zum Erfolg als Smartseller und Smartsellerin und wird durch eine herausragende Selbstdisziplin erreicht.

Die gute Nachricht dabei lautet: Selbstdisziplin lässt sich wirklich gut trainieren!

Der erste Schritt dazu liegt in der Festlegung von Zielen, wie wir dies bereits im Umgang mit dem Virus der Ziellosigkeit erarbeitet haben. Der zweite Schritt besteht in der Kontrolle unseres Verhaltens. Beides erfordert ein kontrolliertes Ich-Bewusstsein.

Eine mögliche Erklärung dafür, warum wir mit einem solchen Ich-Bewusstsein ausgestattet sind, das uns Menschen ermöglicht, uns unseres Selbst bewusst zu werden und dieses Selbst zu führen, liegt darin, dass wir in großen Sozialverbänden leben. In diesen Gruppen war und ist es überlebenswichtig, dass wir unser Verhalten kontrollieren können, da der Verlust der Kontrolle unweigerlich zur Folge hätte, dass die Gruppe sich aufreibt.

Unser Verhalten richten wir daher an sozialen Standards aus – und dies erfordert immer wieder aufs Neue das Einsetzen von Willenskraft. Der Nutzen des Ich-Bewusstsein liegt darin, diese Willenskraft aufbringen zu können – und damit eine Fähigkeit auszubauen, die bereits unsere frühen Vorfahren für sich nutzten.[35]

Die Challenge ist ein weiterer Faktor, der uns dabei helfen kann, unsere Selbstdisziplin zu verbessern. Wir können uns dabei nicht nur selbst herausfordern, sondern auch den sinnvollen Vergleich mit anderen suchen, um einen Bezugspunkt zu bekommen. Wenn du etwa siehst, wie dein Partner im Fitnessstudio innerhalb weniger Wochen viel mehr abnimmt und mehr Muskeln aufbaut als du, kann dir das Beine machen.

Wenn wir unsere Willenskraft trainieren, so besteht auch dieses Training aus den üblichen Bausteinen des Aufbauprogrammes. David Blaine, ein Magi-

---

[35] Vgl. Roy Baumeister und John Tierney: Die Macht der Disziplin: Wie wir unseren Willen trainieren können. Frankfurt am Main 2012, S.134.

er und Ausdauerkünstler, charakterisiert die Disziplin als eine Aufgabe der Übung und Wiederholung.[36]

Dennoch scheinen wir Menschen so gebaut zu sein, dass wir in einem Bereich unsere Disziplin gut ausbauen können, es uns aber gleichzeitig in anderen Bereichen nicht so gut gelingt, uns selbst zu beherrschen.

Der finale Grund dafür liegt vielleicht schlicht und einfach in unserer Motivation für das jeweilige Feld.

Das schwierigste Moment der Selbstdisziplin besteht darin, dass sie nicht nur über Tage oder Wochen lang bewahrt wird, sondern über Jahre aufrechterhalten wird! Der durchschnittliche Mensch schafft es in der Regel, für drei bis sechs Monate motiviert zu bleiben; Erfolgsmenschen schaffen es dagegen, sich für zwei bis vier Jahre für eine Sache zu begeistern. Die Stars aber erreichen zehn bis zwanzig Jahre höchster Motivation und Begeisterung für ihre Challenge!

Wenn wir die Philosophie der Smartselling Leadership leben, haben wir den Anspruch, ein Star zu werden, um in den Kreis des einen Prozents der Topverkäufer und Topverkäuferinnen aufzusteigen; daher müssen wir auch bereit sein, unsere Selbstdisziplin zu verbessern – etwa mit folgenden Regeln:

[36] Vgl. ebenda, S.150.

Regel Nummer 1: Immer nur ein Ziel setzen!

Unser Fokus muss einem großen Ziel gelten, damit wir bei der Sache bleiben können. Setze dir daher ein großes Ziel, dessen Erreichen du in Etappenziele aufteilen kannst. Wenn es stimmt, dass dein Wille ein Muskel ist, der sich erschöpft, kannst du nicht gleichzeitig Hunderte von Zielen verfolgen.

Konzentriere deine gesamte Energie auf das große Ziel. Wenn du auf dem Weg dorthin deine Etappenziele erreichst, solltest du dich selbst dafür belohnen und dir etwas dafür gönnen, weil dich das motivieren wird.

Nimm dir dafür ein Beispiel am Prinzip der Online-Spiele: Um das gesamte Spiel zu gewinnen und damit das große Ziel zu erreichen, musst du die Etappenziele der verschiedenen Level abschließen, in die das Spiel aufgeteilt wurde. Hast du das Level geschafft, wirst du mit besseren Fähigkeiten belohnt und steigst ins nächste Level auf. Der Spieler scheitert dabei nie grundsätzlich, sondern bekommt so lange eine neue Chance, bis das Level absolviert werden konnte, und wird dabei für richtiges Verhalten belohnt.

Regel Nummer 2: Richtig essen und ausreichend schlafen!

Deine Disziplin ist dann am höchsten, wenn dein Körper über genug Glukose verfügt und du ausreichend geschlafen hast. Nur ein ausgeruhter Wille ist ein starker Wille.[37]

Regel Nummer 3: Ordnung stärkt die Willenskraft!

Ordnung und Strukturen helfen uns dabei, unsere Disziplin aufrechtzuerhalten. Ein unaufgeräumter Schreibtisch kann wie ein ungemachtes Bett auf subtile Weise Signale an dein Gehirn senden – und damit dein Verhalten beeinflussen. Finde heraus, welche Bereiche der Ordnung dich positiv beeinflussen und dazu führen, dass du noch disziplinierter sein kannst.[38]

Regel Nummer 4: Verhalten beobachten und kontrollieren!

Die Selbstbeobachtung ist entscheidend dafür, dein Training zu monitoren. Es macht dann etwa Sinn, jeden Tag dein Gewicht zu kontrollieren oder

---

[37] Vgl. ebenda, S.289.

[38] Vgl. ebenda, S.290.

deine Ausgaben genau zu dokumentieren, um auf dem Weg zur Zielerreichung zu bleiben. Die Selbstbeobachtung verschafft dir dann nicht nur eine unmittelbare Motivation, sondern hilft dir auch bei der langfristigen Planung und verhindert, dass du fatale Abweichungen übersiehst.[39]

Regel Nummer 5: Gewohnheiten implementieren!

Es geht bei der Selbstdisziplin nicht darum, sich einzig zu kasteien und keinen Spaß mehr im Leben haben zu können – es geht vielmehr darum, dass du dein Commitment für dein großes Ziel lebst! Wie das Warum in deinem Leben lautet und was das wichtigste Motiv für dich ist, darüber solltest du dir deswegen klar werden.[40] Dein Motiv wird dein Leistungstreiber sein, mit dem du richtige Gewohnheiten implementierst, um deinem großen Ziel über die Etappenziele näherzukommen. Erreichst du sie, erhältst du deine Belohnungen, die wiederum starke Anreize für die gelingende Umsetzung sind.

Um zu verstehen, wie dieser Prozess aussieht, kann das Beispiel eines Tennisspielers herangezogen werden: Der junge Tennisspieler stellt fest, dass er Talent hat. Er definiert daher das Ziel, eines Tages in einem der vier großen Grand Slam-Turniere mitzuspielen. Um sein Ziel zu erreichen, wird er sich einem täglichen Trainings- und Turnierplan unterwerfen. Da er höchst motiviert ist, hat er kein Problem damit, sich diesem harten Training zu unterziehen, und benötigt dazu nicht einmal eine große Selbstdisziplin. Nach einer gewissen Zeit wird das Training zur täglichen Routine, zur Gewohnheit: In dem Moment, in dem sich die Gewohnheit eingestellt hat, laufen die Prozesse automatisch ab. Ab jetzt muss der Tennisspieler – wie wir, wenn wir uns auf unserem Feld in dieselbe Situation bringen – keine bewusstgemachte Selbstdisziplin mehr aufbauen, da die Disziplin nun automatisch vorhanden ist. Kommt es aufgrund des harten Trainings und der Verbesserung der Fähigkeiten zu Turniererfolgen, verstärken jene Anreize, die durch mehr Anerkennung entstehen, wiederum das Motiv. Diese Feedbackschleife führt zu immer größeren Erfolgen. Die daraus ableitbare Formel lautet:

---

[39] Vgl. ebenda, S.294.

[40] Wie man die persönlichen Motive ermitteln kann, beschreibt das Kapitel ›Die Potentialmaschine‹.

Verhalten V = M (Motiv/Warum) x G (Gewohnheit/Wiederholung) x A (Anreiz/Belohnungen/Etappensiege)

Regel Nummer 6: Selbstverpflichtung!

Verpflichte dich auf ›Wenn-dann-Regeln‹, um deine Selbstdisziplin zu befördern. Wenn du etwa zehn Stunden studiert und gelernt hast, dann gönne dir eine Netflix-Serie. Jetzt praktiziere diese Regel möglichst oft. Solche Selbstverpflichtungen sind das beste Tool, um Disziplin einzuüben.[41]

Wer die Selbstverpflichtung auf diese Weise gut geübt hat, wird in aller Regel kein Opfer der ›Empathie-Lücke‹ werden, womit die verbreitete Unfähigkeit gemeint ist, in Momenten des kühlen Nachdenkens vorhersehen zu können, dass man sich in Momenten des ›heißen Gehirns‹ ganz anders fühlen kann.

Regel Nummer 7: Konzentration auf erhabene Ideale!

Je höher und abstrakter dein Denken ist, desto mehr Disziplin besitzt du. Religiöse Menschen etwa beherrschen sich daher weit besser als der Durchschnitt. Wir profitieren daher von einer Tugendethik mit hochfliegenden Idealen.[42] Religion und Ethik beeinflussen zwei wichtige Mechanismen der Selbstbeherrschung: Sie stärken den Willen und verbessern die Selbstüberwachung. Auch Rituale und Meditationen stärken die Willenskraft.

Regel Nummer 8: Aufgaben erledigen und nicht auflaufen lassen

Liegen nicht erledigte Aufgaben und Ziele vor dir, dann kommen sie dir immer wieder in den Kopf. Schließt du eine Aufgabe ab, dann hört dein Gehirn jedoch sofort auf, daran zu denken, und die Aufgabe wird in deinem Verstand gelöscht. Der unbewusste Teil des psychologischen Gehirns fordert das bewusste Logikgehirn auf, einen Plan zu erstellen, und tut dies so solange, bis du die Aufgaben und Ziele erledigt hast. Daher erledige deine Aufgaben und lass es nicht dazu kommen, dass sie auflaufen![43]

---

[41] Vgl. ebenda, S.293.

[42] Vgl. ebenda, S.190.

[43] Vgl. ebenda, S.96.

Regel Nummer 9: Sich erst gar nicht in Versuchung bringen

Selbstdisziplin hilft uns dabei, Versuchungen zu widerstehen. Setzt du dich Versuchungen erst gar nicht aus, dann benötigst du auch keine Selbstdisziplin. Wie einem Drogenabhängigen beim Entzug nahegelegt wird, sein soziales Umfeld zu ändern, so solltest auch du Dinge in deinem Umfeld entsprechend verändern, wenn sie zur ständigen Versuchung werden.

Menschen mit guter Selbstdisziplin haben stabilere Beziehungen zu anderen; sie zeigen mehr Empathie und sind eher in der Lage, Dinge aus der Sicht der anderen zu sehen. Sie sind emotional gefestigt und neigen weniger zu Angst, Depression, Paranoia, Psychosen, zwanghaften Verhaltensweisen, Essstörungen, Alkoholproblemen und anderen typischen Leiden, die mit dem Mangel an Selbstdisziplin einhergehen. Menschen mit guter Selbstführung reagieren weniger häufig mit Ärger und werden auch seltener aggressiv.

Unsere Persönlichkeit kann enorm wachsen, wenn wir uns selbst zu führen lernen!

Das Virus der Aufschieberitis können wir darum überwinden, wenn wir an Willenskraft gewinnen. Unsere Selbstdisziplin trägt dann als ein wichtiger Faktor zum Erreichen von Zielen bei.

Steve Covey beschreibt uns das Bild eines Eisbergs, dessen Spitze, die über dem Wasser zu sehen ist, nur fünf Prozent seiner Masse ausmacht. Die fünf Prozent einer Erfolgspersönlichkeit sind entsprechend auf das Aussehen, die Kleidung und eine gewisse Art der Kommunikation zurückzuführen und sind als Fähigkeiten als die ›Fake it until you make it-Skills‹ bekannt.

Unter der Wasseroberfläche liegen jedoch nicht sichtbar die restlichen 95 Prozent des Eisbergs – und so auch die 95 Prozent unserer Persönlichkeit, die für den langfristigen Erfolg entscheidend sind: Es sind Charaktereigenschaften wie Anstand, Mut und Bescheidenheit, allesamt Eigenschaften, die durch Selbstbeherrschung und Willenskraft zu Blüte gebracht werden. Fast alle Charaktermerkmale in Coveys Weltbesteller ›The 7 Habits of Highly Effektive People‹ stehen damit in enger Verbindung zum Thema Selbstdisziplin.[44]

Gewinne als Smartseller und Smartsellerin also den Kampf gegen die Viren der Disziplinlosigkeit, sodass dich nichts auf dem Weg in den Kreis der Topverkäufer und Topverkäuferinnen aufhalten kann!

---

[44] Vgl. Stephen R. Covey: The 7 Habits of Highly Effective People: Powerful Lessons in Personal Change. New York 2004.

Das Smartphone summt.

Eine Textnachricht leuchtet auf dem Display auf.

»Lieber Henry!«, steht da zu lesen, »als ich jung war, wollte ich die Welt verändern. Als ich älter wurde erkannte ich, dass dieses Ziel zu ehrgeizig war, darum versuchte ich mein Volk zu verändern. Als ich noch älter wurde, erkannte ich, dass ich auch mein Volk nicht verändern konnte und so fing ich an, mich auf meine Stadt zu konzentrieren.

Doch irgendwann wurde mir bewusst, dass ich nicht einmal das schaffe, und so versuchte ich meine Familie zu verändern. Jetzt, als alter Mann, weiß ich, dass ich damit hätte anfangen sollen, mich selbst zu verändern.

Wenn ich bei mir selbst angefangen hätte, dann hätte ich vielleicht dabei Erfolg gehabt, meine Familie, die Stadt oder sogar mein Volk zu verändern - und wer weiß, vielleicht sogar die ganze Welt. -

Nein, diese Weisheit stammt nicht von mir,[45] aber Du weist ja mittlerweile, man lernt nie aus, weshalb ich Worte wie diese gerne sammle …

Deine Veränderung jedenfalls hat schon begonnen, mein Junge, und wird in der Zukunft fortgesetzt - aber vor allem findet sie jetzt statt!

Und Du wirst sehen, sie betrifft wirklich Dein ganzes Leben!

Wie weit bist Du mit dem Buch gekommen?

Es grüßt Dich herzlich.

Dein Guru Gee!«

Henry lächelt.

Dann beginnt er zu antworten.

»Die Ideen der First Impression-Leadership hab ich verstanden und weiß jetzt auch, was zwischen meinen Ohren abgeht und wie ich es für mich nutzen kann! Wenn ich jetzt noch vom Gehirnbesitzer zum Gehirnbenutzer werde« - Henry fügt ein paar passende Emoji ein - »dann kriege ich wohl auch noch die Saboteure des Erfolges klein!«

Kurz darauf antwortet der Guru mit dem Daumen nach oben.

---

[45] Der Blogtext findet sich auf www.thoughts.simoneundjoachim.de/2011/10/15/die-welt-verandern/ aufgerufen Oktober 2023.

Kapitel 6: **Die Potentialmaschine** Oder: Der Goldstandard der Smartselling-Persönlichkeit

Eine der besten Fragen, die wir uns als Menschen stellen können, ist sicherlich diese: »Kennst du dein Potential?« Potential, das meint in diesem Kontext die Gesamtheit der Mittel, Möglichkeiten, Fähigkeiten, Energien, die uns als Person zur Verfügung stehen – und meint auch im Ergebnis der Ausnutzung dieses Potentials unsere Fähigkeiten, etwas maximal leisten zu können.

Die Frage, ob wir dieses Potential kennen, führt natürlich zu der Annahme, dass diese unsere Kenntnis möglicherweise dazu beiträgt, unser Potential tatsächlich auch leben zu können, nachdem wir es kennengelernt haben.

Auch für Smartsellerinnen und Smartseller ist die Beschäftigung mit unserem Potential ein echter Gamechanger. »Nutze Dein ganzes Potential als Smartseller-Persönlichkeit!« – das ist unser Wahlspruch für den Goldstandard der Smartseller-Persönlichkeit und gibt gleichermaßen die Zielsetzung am Ende des Wegs der Selbsterkenntnis in Bezug auf das Thema Verkauf vor. Doch wie nutzt man sein Potential eigentlich richtig?

Um darauf eine Antwort zu finden, muss das Thema aus verschiedenen Perspektiven beleuchtet werden – und dabei zunächst mit diversen Mythen aufgeräumt werden, um im Anschluss auf die Potentialsebenen der Smartseller-Persönlichkeit einzugehen.

Nach drei Monaten beschließt Henry, dass es so nicht weitergehen kann.

Er war zuletzt einfach nicht vom Fleck gekommen. Doch Henry hat sich auch einfach nicht überwinden können, größere Schritte zu machen. Ihm war schon bewusst, welche Saboteure ihn daran gehindert hatten, sein Ziel bei Julia zu erreichen. Ja, er hatte es versucht – aber stopp! Genau das soll er ja nicht machen, wenn es nach dem Guru geht!

Er hat ja mehr schaffen wollen, aber gerade jetzt, wo es heikel wird, fühlt er sich als Versager.

Da Henry weiß, dass Julia während der kommenden Osterzeit nicht in der Stadt bleiben, sondern zu ihren Eltern fahren wird, die in der Nähe von München leben, hatte er sich schließlich dazu durchgerungen, seine Gefühle auf eine klassische Weise zu offenbaren, wie man das wohl nennt. Ihm war lange nicht eingefallen, wie er gegenüber Julia deutlicher werden konnte, also hatte er schließlich einen Brief geschrieben und an die Adresse geschickt, wo sie bei ihren Eltern wohnte, die er in einer Seminarliste gefunden hatte.

Wie peinlich war das denn! Er weiß nicht, was ihn da geritten hat!

Immerhin muss er wenigstens nicht selbst miterleben, wie Julia reagiert, wenn sie den Brief bei ihren Eltern öffnen wird …

Er ärgert sich über seine Ohnmacht und hofft gleichzeitig, dass Julia auf die alte Liebesbrief-Romantik steht.

Oh Mann!

Was wird sie tun, wenn sie liest, dass es doch irgendwie schön wäre, wenn sie beide sich im nächsten Semester einen neuen Beziehungsstatus geben könnten? Sie verstanden sich mittlerweile doch so gut miteinander, oder? Und bei ihm ist da schon mehr, ja, also vielleicht könne Julia ja jetzt zurückschreiben …

Aber immerhin: Besser jetzt eine Entscheidung erzwingen anstatt zu prokrastinieren!

Lesson learned.

Doch war es nicht schon zu spät dafür?

Hat er die Chance vielleicht schon lange verpasst?

Henry sitzt wieder einmal im Bus und spürt das Gewicht des Buchs vom ANDERSWEG in seinem Rucksack. Wenn er es recht bedenkt, muss er sich eingestehen, dass ihn dieses Buch in einigen Lebensbereichen bereits vorangebracht hat, während er in anderen noch ein wenig hadert.

Vor allem hatte es ihm einen Spiegel vorgehalten!

Aber war es nicht gerade im letzten Kapitel auch um dieses Hadern gegangen, und lag sein Problem nicht letztlich darin, dass er seine Ziele eben in allen Lebensbereichen einmal richtig durchdeklinieren musste, und dabei wirklich ernst machen?

Er nimmt sich vor, dies in den freien Tagen nachzuholen.Und dann doch mal richtig den Hintern hochbekommen dabei!

Lesson learned.

Henry fühlt sich, seit er den Brief eingeworfen hat, hin- und hergerissen, nicht zuletzt deshalb, weil er spürt, dass die Veränderung zwar in der Luft liegt, aber auch ihren Preis kosten wird.

Tatsächlich hat er ja dem Guru zuletzt noch so positiv geantwortet, dass alles so gut läuft. Gerade deshalb fühlt er sich jetzt unwohl damit, wieder Zweifel zu fühlen. Der Guru glaubte offenbar mehr an ihn als er selbst!

»All das gehört dazu und zeigt, dass du auf dem richtigen Weg bist!«, so würde der Guru jetzt argumentieren.

»Das Scheitern macht Dir nun den Erfolg möglich: Mit Selbstführung erreichst Du Deine Ziele! Jetzt erst recht!«

Nochmals: Lesson learned.

Henry ärgert sich und fühlt gleichzeitig, dass er langsam bereit ist, echte Veränderung maximal zuzulassen.

Als er am Abend wieder nach Hause fährt, fühlt er sich zwar immer noch aufgewühlt, aber auch entschlossener.

Henry rückt sich die Brille zurecht und schlägt erneut das Buch auf:

Vielleicht wird er jetzt gleich noch auf ein paar gute Ideen gebracht, das kann er jetzt gebrauchen!

Vielleicht hat er doch noch Potentiale in sich, die er noch nicht nutzt, vielleicht muss er sich einfach noch besser kennenlernen und wäre dann auch eine selbstbewusstere Person … eine Verkaufsmaschine, jemand, der Erfolge wie am Schnürchen haben wird, im Beruf und, ja, auch im Liebesleben …

Ja, er wird es allen zeigen!

Wie eine Maschine wird er ab jetzt verlässlich performen, das wäre doch gelacht!

Apropos Maschine: Die »Potentialmaschine« im nächsten Kapitel war ja wohl so etwas wie der ideale Smartseller, oder?

Henry setzt die Lektüre fort.

Und dann beschließt er nach wenigen Seiten des neuen Kapitels, sich jetzt erst recht aufzurichten und sein wahres Potential zu entdecken!

Warum unser Bewusstsein unsere DNA erweitert

Ein Kirschbaum ist immer nur Kirschbaum – und kann immer nur ein Kirschbaum sein: Diese Beobachtung ist offensichtlich, wenn wir die Natur des Kirschbaums untersuchen. Das ist das Potential eines Kirschbaums – und liegt an seinem Bauplan als Baum. Ein Löwe kann andererseits ein Löwe sein, aber immer nur das. Das ist das Potential eines Löwen – und liegt ebenso in seiner DNA begründet.

Denken wir an die Funktionsweise von DNA, dann könnte uns zuerst in den Sinn kommen, dass sie analog zum Beispiel des Kirschbaums und des Löwen unser Wesen vorherbestimmt. Und für uns Menschen gilt ja auch in der Tat: Unsere DNA bestimmt, welche Haarfarbe wir haben oder mit welcher Nasenlänge wir unterwegs sind. Das ist ein Teil des Potentials, das wir auf diese Welt mitbringen.

Doch damit ist gerade nicht erfasst, was uns im Gegensatz zum Kirschbaum und zum Löwen besonders macht: Der Mensch kann noch viel mehr sein als die gegebene DNA ihm zunächst vorgaukelt. Der Mensch kann – mit und manchmal trotz seiner DNA – alles sein, was er sich vorzustellen vermag! Denn es gehört gerade zum Wesen des menschlichen Potentials, dass jeder Mensch sich seiner selbst bewusst werden kann!

Jede und jeder hat damit die Möglichkeit, über sich selbst nachzudenken, und sich zu etwas anderem, sogar zu etwas Besserem weiterzuentwickeln. Dabei gilt gleichzeitig: Je bewusster der Mensch sich seiner selbst wird, desto größer wird dieses Potential, desto mehr Möglichkeiten bieten sich für unsere Entwicklung. Und wenn wir den Mut aufbringen, die Entwicklung bewusst zu leben, haben wir gleichzeitig das Potential, dabei erfolgreich zu sein – wir handeln dann nach und mit unserem Potential.

Das Potential, das dabei in uns steckt, könnte man auch mit dem Begriff Talent fassen. Üben wir unser Talent darin, etwas konkret zu tun, entwickeln wir dieses Talent gemäß unseres Potentials weiter – und lernen wir dabei zugleich etwas Neues, erweitern sich unsere Möglichkeiten zusätzlich. Das Wissen, das wir uns aneignen, schließt dabei die Türen zu neuem Potential auf, das wir ohne zu lernen vielleicht noch nicht nutzen könnten.

Was bedeutet das für uns Smartsellerinnen und Smartseller? Ganz einfach: Unsere Talente müssen gepflegt werden, um richtig zum Vorschein zu kommen!

Die Beschäftigung mit den Prinzipien der Smartseller Leadership, wie sie in den vorangestellten Kapiteln erarbeitet wurden, helfen uns dabei, unsere Persönlichkeit in Hinblick auf unser Smartseller-Potential kennenzulernen und unser Potential zu leben.

Was aber kann uns dabei den wirklichen Potential-Boost verschaffen?

Die Geschichte des smarten Eisanglers gibt uns eine vielleicht gar nicht so überraschende Antwort darauf:

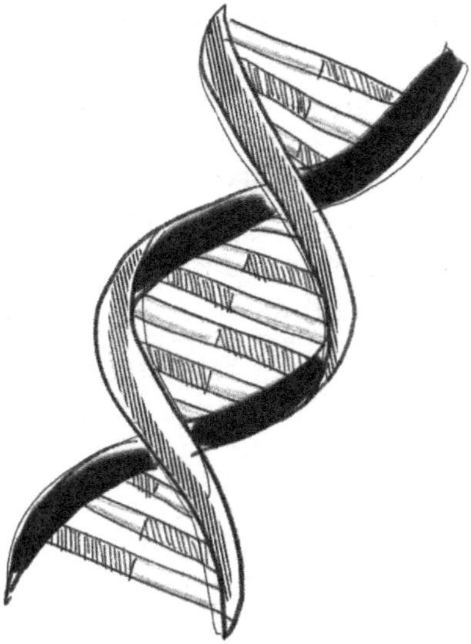

Der smarte Eisangler

An einem kalten Wintermorgen ging ein alter, sehr erfahrener Mann zum See, um dort im Eis zu fischen. Es war zehn Uhr morgens, als er bedächtig ein kleines Loch ins Eis hackte, das genau die Größe hatte wie die Löcher in den fünfzig vorangegangenen Jahren, in denen der alte Mann zuvor zum Eisfischen ausgezogen war..

Nun setzte er sich wie immer mit ein paar Dosen Bier neben das Loch und warf seine Angel aus. Es war still – und er wartete.

Nachmittags, es war schon nach sechzehn Uhr, war der Korb noch immer leer; das Bier war zu Ende und kein Fisch gefangen.

Da kam ein junger Kerl über die Eisfläche heran. Er hatte einen riesigen Ghettoblaster dabei, aus dem ohrenbetäubende Heavy Metal-Musik dröhnte. Der junge Mann fackelte nicht lange, hackte grob ein großes Loch ins Eis und warf die Angel aus, währenddessen die Musik in voller Lautstärke weiterlief.

Der Alte betrachtete ihn mit kaum verhohlener Verachtung und lachte in sich hinein: »Der junge Trottel wird nie einen Fisch fangen!«

Doch zu seinem Erstaunen zog der junge Kerl nur zehn Minuten später einen riesigen Fisch aus dem Wasser – und noch weitere zehn Minuten später einen weiteren großen Prachtburschen!

Nun ging der Alte zu dem Jungen hinüber und fragte nach seinem Geheimnis. Der junge Angler spukte einen merkwürdig aussehenden Klumpen in seine Hand – und sagte, das Geheimnis bestehe eben darin, dass man die Würmer warm hält!

Die Geschichte des Eisanglers ist eine Erzählung darüber, dass persönliche Talente und Erfahrungen natürlich zum Erfolg beitragen – aber dass erst der Einsatz von Systemen als strukturiertes Wissen und erweiterte Anleitung dazu führt, das Potential richtig ausschöpfen zu können! Sie lehrt uns auch, dass nur wahres Wissen dazu beiträgt und falsche Annahmen zu keiner Verbesserung führen.

Denken wir über das Potential eines Smartsellers nach, dann erschöpft sich dessen Talent nicht allein im Umgang mit Mitmenschen – obgleich es natürlich von Vorteil ist, wenn wir als Smartseller ein Menschenspezialist sind und immer besser darin werden. Ebenso wichtig ist jedoch, dass Smartsellerinnen und Smartseller die Fähigkeit erwerben und besitzen, skalierbare Systeme aufzubauen, auszuprobieren und zu verbessern, um damit das Potential ihrer Umsatzfabrik zu multiplizieren. Das ist der Potentialhebel eines Smartsellers – und eine wichtige Lernetappe auf dem ANDERSWEG zum Erfolg!

Diese Philosophie der Smartselling Leadership wird uns in der Geschichte vom Eisangler verdeutlicht: Mit dem richtigen System und dem Wissen über eine funktionierende Lösung gelang es dem jungen Kerl, den alten Mann, der sein ganzes Leben nicht auf die eigentlich entscheidende Lösung gekommen war, mit seinem Erfolg zu verblüffen.

Aus der Geschichte lernen wir auch, dass wir zwar Talent und Erfahrung in etwas haben können, so wie es sicherlich für den alten Mann zutraf, doch wenn wir dabei nicht das entscheidende Richtige tun, werden uns die Ergebnisse trotzdem enttäuschen. Wer kein funktionierendes System nutzt, der hat allenfalls zufällig Erfolg, mehr noch, sein Anglerglück ist tatsächlich nichts als Glückssache. Fast zwangsläufig wird dieser Angler immer und immer wieder vor dem leeren Korb sitzen.

Das richtige Tun folgt jedoch aus der Kenntnis des richtigen Systems – das wiederum der kreative Rahmen ist, in dem wir unser Smartseller-Potential so richtig entfalten können. Du kannst ohne ein passendes System dein Potential weder ausschöpfen noch herausragende, wiederholbare Resultate erzielen!

Es ist wichtig zu verstehen, dass diese Wechselwirkung von Talent, Entwicklung und System existiert – und unser Erfolg entsteht, wenn wir alles zu verbinden wissen. Dann gelingt es uns, der Akteur unseres Potentials zu werden – andernfalls bleiben wir ein hoffnungsvolles Talent oder ein Gefangener des vielleicht sogar falschen Systems, was beides keine erfolgsversprechende Option wäre.

Es gilt deshalb, unser wahres Potential als Akteur zu leben – indem wir unser persönliches Talent kennenlernen und bestimmen, um es dann durch das Wissen und die Grundlage eines System zu voller Blüte zu entwickeln.

Unser Potential als Smartsellerin und Smartseller zu nutzen umfasst in der heutigen Zeit in der Folge auch die Eigenschaft, eine unbändige Lust auf Leistung zu entwickeln – und dabei fokussiert zu bleiben. Indem wir unser Potential in viele Richtungen ausbauen könnten, besteht die Gefahr, uns in diesen Möglichkeiten zu verlieren und im Gesamten medioker zu bleiben. Auch hier hilft uns der Blick aufs passende System: Wir müssen die richtigen Prioritäten setzen, um unser Potential klug zu entwickeln.

Wo viele in einer Welt der unbegrenzten Möglichkeiten im Überangebot ihrer beruflichen Alternativen ertrinken, verlieren einige darüber ihre Lust auf Leistung. Unseren Fokus müssen wir als Smartseller deshalb auf ein klares Ziel gerichtet sehen: Wir wollen Sicherheit darüber gewinnen, welche Fähigkeiten wir benötigen, um unseren Weg nach oben, hinein in den Kreis des einen Prozents der Top-Verkäuferinnen und Topverkäufer, gut zu gehen!

Deshalb müssen wir lernen, auch in Hinblick auf unser Smartseller-Potential klar zu sehen – und falsche Mythen, die uns auf die Irrwege des Pseudopotentials verführen, das in Wirklichkeit aber ein Nullpotential darstellt, von den wirklichen Möglichkeiten zu unterscheiden lernen:

Mythos 1: Angestellte können allein durch Topleistungen bis zum CEO aufsteigen!

Von Goethe stammt der Satz: »Wünsche sind Vorboten unserer Fähigkeiten, was wir uns wünschen, tun wir gerne, was wir gerne tun, tun wir gut!"[1] Der Schriftsteller machte damit deutlich, dass unsere Motive die Qualität unserer Arbeit beeinflussen. Und dass unsere Motive uns weit tragen, wenn wir ihnen mit Mut folgen, bestätigte Walt Disney mit einem anderen berühmten Bonmot: »Alle Träume können wahr werden, wenn wir den Mut haben, ihnen zu folgen.«[2]

So schön die Vorstellung ist, mit der richtigen Einstellung einfach alles erreichen zu können – sie ist uns unter anderem in einer Variante als ›The American Dream‹ vertraut –, so selten funktioniert das Konzept in Wirklichkeit in der platten und traumhaften Art und Weise, wie sie uns die Walt-Disney-PR verkaufen will. Und das hat einen recht einfachen Grund: Findet die Auswahl der Besten in einer Gesellschaft nicht (mehr) über Leistung und messbare Ergebnisse statt, sondern vielmehr über soziale Ähnlichkeiten und Schulnoten, dann bringen uns Mut und Talent alleine nicht weiter im Leben.

Auch wenn wir bereits verstanden haben, dass unser Bildungssystem krankt und der teure Erwerb des sozialen Status problematisch ist, so ist doch immer noch Fakt: Über vier Fünftel aller Führungskräfte in der Wirtschaft entstammen einer Bevölkerungsschicht, der nur drei Prozent der Gesellschaft angehören. Innerhalb dieser Gruppe haben wiederum Angehörige der oberen fünf Promille die Nase vorn, etwa Sprösslinge von Großunternehmern, Vorstandsvorsitzenden oder Staatssekretären – so das eindeutige Ergebnis einer Studie der Universität Darmstadt.[3]

---

[1] Zitiert nach https://www.zeitblueten.com/news/zitate-von-goethe/ aufgerufen November 2023.

[2] Zitiert nach https://beruhmte-zitate.de/zitate/1969844-walt-disney-alle-traume-konnen-wahr-werden-wenn-wir-den-mut-h/ aufgerufen November 2023.

[3] Vgl. Artikel »Soziale Herkunft schlägt Zeugnisse«, auf www.spiegel.de/lebenundlernen/uni/karriere-soziale-herkunft-schlaegt-zeugnisse-a-112766.html, aufgerufen Oktober 2023.

Michael Hartmann verglich in der Studie als Soziologe und Elitenforscher die Karrieren von 6.500 Akademikern, die in den Jahren 1955, 1965, 1975 und 1985 jeweils in Jura, den Wirtschafts- oder Ingenieurwissenschaften ihre Doktortitel erwarben. Das eindeutige Ergebnis: »Harte Fakten wie Studiendauer oder Abschlussnoten zählen wenig gegen die ›Soft-Faktoren‹ aus der Biografie.« Die soziale Herkunft war der »wirklich maßgebende Erfolgsfaktor«[4]. Entscheidend für den Erfolg der Karrieren war letztlich der im jeweiligen Umfeld erlernte soziale Habitus, der ausdrückte: Ich bin so wie du, also stelle mich als Führungskraft ein! – was dem Prinzip der Ähnlichkeit Folge leistet.[5]

Dieses psychologische Prinzip der Ähnlichkeit führt zur Annahme, dass das Gegenüber auch die ähnlichen uns geeigneten Talente besitzt. Doch kann das eigentlich ernsthaft stimmen?

Tatsächlich wird soziale Ähnlichkeit meistens ohne jede evidente Grundlage mit dem Potential eines Talents gleichgesetzt – und damit ein entscheidender Fehler begangen, der viel zu wenig beachtet wird.

Die Geschichte eines jungen Basketballspielers der fünfziger Jahre in den Südstaaten der USA zeigt das Problem auf: Der Junge galt als begnadeter Basketballspieler – und jeder, der ihn spielen sah, war voll des Lobs und begeistert über seine Art des Spiels. Ein Spaziergänger, der ihn beobachtete, ging auf ihn zu und fragte: »Junge, warum spielst Du immer hier auf der Straße? Bei Deinem Talent musst Du in einen Verein gehen!« Daraufhin antwortete die junge Person of Color: »Die nehmen mich da nicht!« Der Spaziergänger zog überrascht seine Augenbrauen hoch und fragte verwundert: »Warum das denn?« »Na, weil ich ein Schwarzer bin!«, lautete die lapidare Antwort.Nicht das Talent – das der Sportler eindeutig besaß – entschied über seinen Lebensweg, sondern vielmehr die soziale Ähnlichkeit, obendrein auch durch die Äußerlichkeit der Hautfarbe sichtbar – die er nicht vorweisen konnte.

Dem Phänomen der sozialen Ähnlichkeit und seinen Auswirkungen verbunden ist der ›Rüstungswettlauf der Zertifikate‹. Es geht gar nicht mehr um den

---

[4] Vgl. ebenda.

[5] Michaek Hartmann im Interview mit Christopher Schwarz: »Am wichtigsten ist Souveränität«, auf www.wiwo.de/erfolg/beruf/elitenforscher-michael-hartmann-am-wichtigsten-ist-souveraenitaet/24027930.html, aufgerufen Oktober 2023.

Inhalt eines Studiums, sondern vielmehr nur noch darum, von welcher Universität das Zertifikat mit dem Abschluss stammt. Darin findet eine Potentialauslese ihren vorzeitigen Höhepunkt, die nichts mehr mit dem eigentlichen Talent zu tun hat, sondern lediglich mit einem sehr vordergründigen Beweis, dass eine Person einen bestimmten Weg beschritten hat, der ihren Status untermauert. Es geht um den Status des Abschlusses einer Institution und weniger darum, welche Fähigkeiten eine Person dort erworben hat!

Für viele ist der Abschluss einer Eliteuniversität darum vergleichbar mit einem Porsche oder einer Gucci-Tasche: Es geht nicht um Kenntnisse, sondern einen abstrakten Nachweis, dazuzugehören!

Ist dieser Status durch einen Abschluss bezeugt, wirkt wieder das Prinzip der Ähnlichkeit. Im Ergebnis wird derjenige eingestellt, der dieselbe Universität besucht hat wie der Einstellende oder einen ähnlich prestigeträchtigen Zertifikate-Status vorweisen kann.

Kann der Status also über ein Talent Auskunft geben? Natürlich nicht! Doch das psychologische Prinzip der Ähnlichkeit liefert eine Erklärung, die wir allzu leicht für bare Münze nehmen – in Wirklichkeit untermauert es aber eine Talentlüge.

Dabei ist der Schlüssel für außergewöhnlichen Erfolg in Wirklichkeit nachweislich in der Unterschiedlichkeit zu finden. Dies zeigte eindrücklich eine Studie auf, in der fünfzig marktbestimmende Firmen der USA untersucht wurden, die den höchsten Grad an Unterschiedlichkeit in Bezug auf die Mitarbeitenden aufwiesen.[6] Das Ergebnis: Die Firmen, in denen die Diversität am größten ist, performen um 25 Prozent besser als alle restlichen S&P 500-Firmen[7] zusammen!

Die Vorstellung, dass du es als Angestellter nur aufgrund deiner Leistung in die Chefetage schaffst, ist daher nichts Weiteres als ein Mythos. Eher stimmt,

---

[6] Herbert Einsiedler: Diversity in Unternehmen und dessen Einfluss auf den Erfolg, Artikel auf https://roconsulting.de/diversity_in_unternehmen/, aufgerufen November 2023.

[7] Der ›S&P 500‹ oder auch ›Standard & Poor´s 500‹ ist ein Aktienindex, der die Aktien von 500 der größten börsennotierten US-amerikanischen Unternehmen umfasst.

dass du ohne den gleichen Habitus erst gar nicht bei den Topfirmen beginnen kannst. Allerdings gibt es Ausnahmen, in der mit Diversität gepunktet wird.

Deshalb gilt: Wir müssen die richtigen Erwartungen an das System stellen, auch wenn wir um seine Schwächen wissen. Unser Potential entfalten wir am besten, wenn unsere Strategie um den Zustand des Business weiß. Als Smartsellerinnen und Smartseller sollten wir das verstehen, um uns nicht in hoffnungslosen Unterfangen zu verkämpfen, sondern unseren ANDERSWEG im Fokus zu behalten.

Mythos 2: Man muss als Firma nur genügend Stars einstellen – und schon gewinnt man jedes Spiel gegen die Konkurrenz!

Wer das beste Team zusammenstellt, gewinnt am Ende jedes Spiel! Nicht nur Fußballclubs machten sich diesen Ansatz zu eigen, um das höchstmögliche Potential freizusetzen. Doch funktioniert das automatisch?

Der französische Meister Paris Saint-Germain verfolgte jedenfalls den Masterplan, mit den besten Spielern der Welt der große Gewinner zu werden. Mit unglaublichen finanziellen Ressourcen hatten die Scheichs, die den Club finanzieren, dazu rund um den Stürmerstar Kylian Mbappé ein wahres All-Stars-Team zusammengekauft: Lionel Messi, Neymar und viele weitere Fußballgrößen versammelten ihre gigantischen Marktwerte in einer Mannschaft – und doch gelang es ihnen nicht, die europäische Champions League zu gewinnen. Messi und Neymar verließen den Club inzwischen wieder. Das Projekt des gekauften Titels mit diesem Team war zumindest in Paris gescheitert.

Auch in der Businesswelt gibt es die PSGs der Branche – zum Beispiel das Unternehmen Enron. Unter dem Einfluss der Beratungen von McKinsey und ihrem Konzept des ›War of Talent‹ wurden dort nur Top-Absolventen mit höchstem IQ eingestellt. Die Idee dahinter fußte auf der Überlegung, dass eine Firma, die nur die brillantesten und klügsten Köpfe einstelle, am Ende auch die größten Erfolge feiern müsse.[8] Doch Enron ging letztlich trotz (oder vielleicht sogar wegen) ihrer ganzen Stars im Jahr 2001 in die Insolvenz.

Die Geschichte von Enron ist vielleicht das bekannteste und renommierteste Beispiel dafür, dass die These, dass das Team, das die besten Individuen versammelt, damit automatisch die Meisterschaft gewinnen wird, schlichtweg falsch ist.

Auch dem Hedgefonds LTCM stieß ein ähnliches Schicksal zu: Der Fonds war ein Team der akademischen Superlative und gespickt mit Nobelpreisträ-

---

[8] Vgl. Michael Gladwell: The Talent Myth. Are smart people overrated? Artikel aus The New Yorker, 2002, auf www.inspiringspace.com/wp-content/uploads/2018/02/The-Talent-Myth-Gladwell.pdf, aufgerufen Oktober 2023.

gern – und doch geriet LTCM in die ›Falle der Logiker‹: Die extrem intelligenten und renommierten Mathematiker hatten sich auf ihre vergangenheitsbezogenen Modelle verlassen. Dabei hatten sie nicht berücksichtigt, dass es externe Schocks geben kann, die zu einem Austrocknen der Liquidität führen können. Diese Selbstüberschätzung der (vermeintlichen) Experten führte Ende 1998 fast zu einem Crash der Weltfinanz.[9]

Dass eine Mannschaft, die nur mit Stars gespickt ist, auch die größten Siege feiern wird, ist also ein Mythos. Auch dieser Weg wird nicht dazu beitragen, das wahre Potential aller Beteiligten zu entfalten – es ist vielmehr die Diversität, die zur vollständigen Ausschöpfung des möglichen Potentials führt!

---

[9] Vgl. Daniel Schäfer: Der Schock durch den Fonds der Nobelpreisträger, Artikel auf www.faz.net/aktuell/finanzen/fonds-mehr/historische-finanzkrisen-ltcm-1998-der-schock-durch-den-fonds-der-nobelpreistraeger-1236212-p2.html, aufgerufen Oktober 2023.

Mythos 3: Man kann durch Tests und Auswahlverfahren die besten Talente finden!

Wenn es in Amerika um die Auswahl der besten Sportlertalente geht, setzt man dort auf die legendären ›Combine Tests‹. Diese Auswahltests sind speziell dafür entwickelt worden, die Leistungsfähigkeit von Profisportlern in ihrer jeweiligen Sportart messbar zu machen – und um damit Vorhersagen für die spätere Karriere des einzelnen Sportlers und der Sportlerin treffen zu können.[10]

Es wird zwar mit differenzierten Methoden versucht, durch die systematischen Tests die besten Talente zu finden und ihre spätere Karriere vorherzusagen, doch zeigt sich, dass die Tests trotzdem nur eine begrenzte Aussagekraft haben.

Das wird etwa dann deutlich, wenn man die Ergebnisse der ›Wonderlic Tests‹ im American Football betrachtet, bei denen es darum geht, die kognitiven Fähigkeiten eines Quarterbacks zu testen. Die Idee hinter dem Test ist einfach: Es sollen möglichst viele intelligente Quarterbacks identifiziert werden, da man annimmt, dass diese intelligenten Quarterbacks im Spiel aufgrund ihrer Intelligenz besser spielen können als der Rest – und somit bessere Ergebnisse erzielen werden als ein unterdurchschnittlich begabter Quarterback.

Was sich in der Theorie noch schlüssig anhört, funktionierte im wahren Leben aber nicht: Diejenigen Quarterbacks, die im Test am besten abschnitten, zählten zu den unbekannteren Spielern in der NFL, während die sieben Spieler, die als Quarterbacks im Test am schlechtesten abgeschnitten hatten, zu echten Stars avancierten!

Ähnliches gilt für die Stars in den Sportarten Basketball oder Eishockey: Aus Gründen, die dem Testverfahren intrinsisch betrachtet völlig unerklärlich sind, sind die besten Akteure der Auswahlverfahren später nie in den All Star-Teams wiederzufinden. Dieses Phänomen bezeichnet man als das ›Miss-Matching-Problem‹.

---

[10] Vgl. die Übersicht auf www.wikipedia.org/wiki/NFL_Combine#Kritik, aufgerufen Oktober 2023.

Das MissMatching-Problem tritt aber nicht nur dann auf, wenn begabte Sportler und Sportlerinnen identifiziert werden sollen. Es taucht auch bei der Auswahl von Lehrerinnen und Lehrern oder Anwälten und Anwältinnen auf.[11]

Aus Studien ist bekannt, dass gute Lehrkräfte die Leistung ihrer Schülerinnen und Schüler im Durchschnitt um fünf bis zehn Prozentpunkte steigern können, während sich das Leistungsniveau der Schülerinnen und Schüler bei schlechten Lehrern gar nicht verbessert oder sogar verschlechtert.

Dieses Wissen führte dazu, dass die Voraussetzungen, die man erfüllen muss, um Lehrerin oder Lehrer zu werden, immer weiter nach oben angehoben wurden. Wieder war die Idee dahinter: Stellt man die am besten getesteten Personen als Lehrerinnen und Lehrer ein, wird der Outcome der Lehre doch bitte auch maximal gut ausfallen!

Doch obwohl immer bessere Ausbildungen für Lehrerinnen und Lehrer angeboten werden, nachdem man die vorgeblich besten Kandidatinnen und Kandidaten eingestellt hat, verbessert sich die Qualität der Lehre nur selten. Offensichtlich sind die derzeit verwendeten Methoden nicht die richtigen, um wirklich gute Lehrerinnen und Lehrer zu identifizieren und das MissMatching-Problem zu beheben!

Ein anderer Ansatz wurde an der amerikanischen Universität von Michigan gewählt, wo man ein Programm einführte, das auch Studentinnen und Studenten mit schlechten Noten ermöglichte, ein Jurastudium zu beginnen. Die Karrieren der Absolventen analysierte man über dreißig Jahre – und stellte erstaunt fest, dass es offenbar keinen Zusammenhang zwischen dem beruflichen Erfolg und dem Abschneiden bei der Vorauswahl der Studentenschaft gab! Die notenbezogen schlechten Studenten waren im Durchschnitt genauso erfolgreich (oder nicht erfolgreich) wie die notenbezogen sehr guten Studenten!

Das Zulassungsverfahren war indessen überhaupt kein Indikator für späteren Erfolg.

Der Ansatz der Universität von Michigan zeigte positiv auf, dass das MissMatching-Problem weiterhin besteht und dazu verführt, auf falschen Kriterien

---

[11] Vgl. Malcolm Gladwell at TIBCO NOW 2014: The Right Attitude, Vortrag auf www.youtube.com/watch?v=zlfdIJR309c, aufgerufen November 2023.

zu beharren, die wenig oder gar nicht zur Entdeckung von echten Potentialen geeignet sind – und dass die ›Talentlügen‹ im Allgemeinen ein großes Problem sind. Warum also werden die problematischen Verfahren trotzdem weitgehend beibehalten?

Malcolm Gladwell postuliert, dass das Beachten der Ergebnisse von Eignungstests und Auswahlverfahren auf dem menschlichen Wunsch nach Sicherheit beruhen. Man weiß zwar längst, dass jene Ergebnisse eigentlich nichts aussagen, beruft sich aber dennoch auf diese Referenz, um Entscheidungen letztlich mit einem Verfahren um des Verfahrens willen begründen zu können. Das erzeugt zwar den Anschein einer vorgeblichen Sicherheit und einer Argumentationsgrundlage – hat aber wenig mit dem wahren Potential zu tun, das man dabei viel zu oft übersieht.

Denn alle Auswahlverfahren scheitern letztlich an der Komplexität der menschlichen Psyche und der Komplexität der heutigen Berufsanforderungen![12]

Tests können vielleicht einen ersten Eindruck oder den Hinweis auf ein mögliches Potential aufzeigen – aber mehr auch nicht, da sie letztlich stets nur eine Kompetenzvermutung begründen! Es ist nichts als ein weiterer Mythos, wenn Menschen darin ihren Glauben setzen, aufgrund von Eignungstests die richtigen Talente finden zu können – denn die wahren Potentiale erkennt man dabei selten.

---

[12] Vgl. The New Yorker: Malcolm Gladwell on the Challenge of Hiring in the Modern World, auf www.youtu.be/gLQC3EzDGr4, aufgerufen Oktober 2023.

Mythos 4: Lückenlose Lebensläufe sagen zukünftige Topleistungen voraus!

Die Kompetenzvermutung ist aufgrund ihrer negativen Folgen, bestimmte Personen auszuschließen, ein Denkfehler, der die Zukunft kosten kann. Sie wird dann zum echten Problem, wenn sie dich glauben macht, dass du nicht gut genug für etwas bist! Noch schlimmer ist es, wenn du aufgrund eigentlich ungeeigneter Überprüfungsverfahren anfängst zu glauben, dass du tatsächlich ein Loser bist – und das nur deshalb, weil das System an dir versagt.

Bist du ein Loser, weil du in der Schule scheiterst? Natürlich nicht! Vielmehr ist es die Schule selbst, die konstant und immer wieder an unternehmerisch denkenden Menschen scheitert. Die Schule scheitert dabei meist an der Art, wie Unternehmer denken und die Welt wahrnehmen – und ist dabei selbst oft nur ein System, das zu Bewertungen innerhalb einer Blase taugt.

Unternehmerinnen und Unternehmer sind als wahre Smartseller nicht an bloßem Schulwissen interessiert. Sie interessieren sich immer für das Wissen, das ihre Ziele in der Zukunft voranzubringen hilft – und das die Möglichkeit des Scheiterns und Wiederaufstehens – wie es bereits in den vorangegangenen Kapiteln analysiert wurde – mit einschließt.

Die Erfahrung zeigt, dass Kinder aus vermögenden Familien mit hervorragenden Schulabschlüssen weniger oft zum Unternehmertum tendieren; dies ist vielleicht deshalb so, weil das Scheitern nicht im Lebenslauf dieser jungen Akademiker vorgesehen und angelegt ist. Das erstrebenswerte Leben ist lückenlos und perfekt – aber auch für die wenigsten möglich: Nur wer mit dem goldenen Löffel geboren wird, kann sich diesen lückenlosen Lebenslauf leisten, um dann mit wunderbaren Voraussetzungen in einem Konzern Karriere zu machen. Eine erfolgreiche Smartseller-Karriere sieht zumeist anders aus – sogar oft gegenteilig!

Der Erfolg als Unternehmerin und Unternehmer und der Erfolg im Verkauf im Speziellen beinhaltet nämlich fast ausnahmslos die Geschichte des Scheiterns. Wer die Biographien erfolgreicher Menschen des Business studiert, findet immer wieder ähnliche Muster in den Lebensläufen:

Die meisten erfolgreichen Unternehmer waren keine geborenen Gewinner. Sie kommen oft aus ärmlichen Verhältnissen. Eine große Mehrheit teilt Erinnerungen an ein Elternhaus, bei dem entweder Vater oder Mutter die Familie verlassen haben.

Einige der erfolgreichsten Wirtschaftsakteure haben mit gravierenden Nachteilen wie etwa einer Legasthenie zu kämpfen: In den USA haben laut Studien fünfunddreißig Prozent aller Unternehmer mit einer Lese-Rechtschreibschwäche zu leben! Erstaunlich ist dabei, dass die Mehrheit der betroffenen Unternehmer gerade ihr Handicap als Erfolgsvorteil betrachten: Offensichtlich entwickeln Menschen mit Legasthenie eine hervorragende Menschenkenntnis. Denn zu wissen, wer es wirklich gut mit einem meint, im Gegensatz zu denen, die Mobbing betreiben, ist essentiell, um als Kind und Teenager unbeschadet durch die Schule zu kommen. Zusätzlich lernen Kinder mit einem solchen Handicap sehr früh, Aufgaben zu delegieren. Wer nicht richtig schreiben und lesen kann, ist darauf angewiesen, dass andere für ihn oder sie diverse Dinge erledigen.

Das Ergebnis verblüfft: Alle aufgezählten Fähigkeiten sind absolut wichtige Leadership-Skills, die später unternehmerischen Erfolg garantieren.

Diese Fähigkeiten sind nicht an einer Universität zu erwerben. Sie sind nicht in standardisierten Tests erfasst. Vielmehr erwachsen diese Stärken aus der Schwäche – und sind genau deshalb die Stärken, die zu außergewöhnlichem Erfolg führen!

Tatsächlich weiß man das natürlich auch längst an den Universitäten. In Harvard und anderen Elite-Universitäten gilt unter den Professorinnen und Professoren der Grundsatz: »Sorge dich gut um die Studentinnen und Studenten mit Noten im Bereich gut und sehr gut, denn sie bringen der Universität eines Tages viel Geld ein. Sorge dich aber besonders gut um die Chaoten und ›Partygoer‹! Denn sie werden es sein, die später im Leben Millionen aus ihren Unternehmensgewinnen spenden werden!«

Mit diesem Wissen stehen die Personaler und Personalerinnen vor so mancher Entscheidung. Auf ihren Schreibtischen finden sie etwa den folgenden Lebenslauf eines jungen Mannes: Er hat kein abgeschlossenes Studium, wurde von seinen Eltern zur Adoption freigegeben, hat einen offenbar unsteten Lebenswandel mit vielen unterschiedlichen Jobs und einen Jahresaufenthalt in Indien vorzuweisen. Seine Bewerbung enthält sogar Rechtschreibfehler. Daneben liegt die getunte Bewerbung des Musterschülers, dessen Lebenslauf bis zum Diplom total clean und angepasst ist.

Werden sie den unsteten jungen Mann einstellen oder eher den Hochschulabsolventen?

Wer wie die meisten Personalverantwortlichen tickt, geht nun kein Experiment ein – und stattet den Musterschüler mit dem Vertrag aus. Und geht damit gleichzeitig dem Mythos des lückenlosen Lebenslaufs auf den Leim!

In diesem Fall wäre das übrigens ein folgenschwerer Fehler gewesen, weil der junge Mann mit dem krummen Lebenslauf Steve Jobs war – und damit immerhin einer der bedeutendsten Unternehmer aller Zeiten …[13]

Lebensläufe gehören letztlich dorthin, wo sie am wenigsten anrichten können – nämlich in den Papierkorb. Wer wahres Potential entdecken möchte, muss Menschen eine Chance geben und einen Job ausprobieren lassen. Das stimmt übrigens für beide Seiten des Schreibtisches!

Darum gilt das auch später für dich, wenn es an eine Smartselling Leadership-Strategie geht: Gib motivierten Menschen eine Chance! Du wirst damit eher die Richtigen finden als mit herkömmlichen Testungen – und damit dein Unternehmen auf das nächste Level bringen.

---

[13] Vgl. Andreas Weck: Steve Jobs‹ mieses Bewerbungsschreiben: Das halten HR-Manager davon, Artikel auf www.t3n.de/news/steve-jobs-schlechte-bewerbung-hr-manager-gefragt-bewerbungsschreiben-bewertung-1366119/, aufgerufen Oktober 2023.

Mythos 5: Die Anstellung ist einer selbstständigen Tätigkeit vorzuziehen!

Bewerberinnen und Bewerber in Casting-Gesprächen formulieren häufig zwei Narrative. Das erste Narrativ lautet wie folgt: »Ich habe Chemie studiert, deshalb muss ich doch auch im Chemiebereich arbeiten. Sonst war das Studium ja umsonst!« Das zweite Narrativ hat folgende Aussage: »Ich habe nicht studiert, um dann selbstständig zu arbeiten. Dann hätte ich ja nicht studieren müssen!«

Das erste Narrativ unterliegt der Annahme, dass ein Studium die Inhalte dessen vermittelt, was später beim Arbeiten eins zu eins gebraucht wird. Da das Erlernen dieser Inhalte zudem einen hohen Energieaufwand nötig gemacht habe, sei es gerechtfertigt, dass der Bewerber und die Bewerberin ihre vermeintlichen Kenntnisse nun auch in genau diesem Bereich einsetzen.

Man darf getrost bezweifeln, dass ein Studium je so funktioniert hat – zumindest in den seltensten Fällen.

Heute dient es jedenfalls in erster Linie dazu, eine erweiterte Alphabetisierung und ein gewisses Durchhaltevermögen nachzuweisen – zumal mit der Verschulung der Bachelor-Studiengänge die Forschung und der Erwerb exklusiven Wissens quasi ausgeschlossen wird. Das Wissen über und für einen auszuübenden Beruf gewinnt man heute bei der Arbeit selbst!

Hinzu kommt, dass man das praktische Wissen um die Dinge, die man nicht täglich anwendet, sehr schnell verlieren kann. Das drückt sich in dem Motto »Use it or lose it!« aus. Und selbst die wenigen Inhalte, die wir als praktisches Wissen täglich anwenden, sind dem ständigen Druck zur Veränderung unterworfen. Die Haltbarkeit des Wissens sinkt somit dramatisch; eine beständige Weiterbildung ist nötig, um auf dem laufenden Wissensstand zu bleiben.

Lebenslanges Lernen ist damit die Voraussetzung dafür, in einer Welt im konstanten Wandel bestehen zu können. Die Vorstellungen, dass heute ein Studienfach und die Wahl eines großen Unternehmens als Arbeitgeber für die Arbeit im restlichen Leben ausreichend sind, sind irrige Annahmen!

Der Veränderungsdruck lastet aber nicht nur auf dem Einzelnen, sondern auch auf Wirtschaft und Gesellschaft an sich: Wer kann heute noch davon ausgehen, ein Leben lang in dem einem, einmal erlernten Beruf oder in einer einzigen Firma tätig zu sein? Die wenigsten von uns werden in diese Situation kommen. Dieser Trend der schnellen Veränderung, die unser Berufsleben einschließt, ist global und zeigt sich in der Unternehmenswelt einheitlich: Aufgrund der immer schnelleren Kapital- und Innovationszyklen bewegen sich Berufsbilder und Märkte immer schneller.

Gleichzeitig steigt der Wettbewerbsdruck damit in allen Bereichen an – und schrumpft die Lebensdauer von Berufen und Unternehmen. So zeigt beispielsweise ein Blick auf die durchschnittliche Verweildauer amerikanischer Unternehmen im marktbreiten Börsenindex S&P 500, dass sich die Lebenszyklen von Konzernen in den letzten Jahrzehnten drastisch verkürzt haben.

Abzulesen ist das an der durchschnittlichen Verweildauer der Index-Mitglieder im S&P 500: Verweilten US-Konzerne aus dem Jahr 1965 noch rund dreiunddreißig Jahre im Index, galt es für die Unternehmen des Jahres 1990 nur noch für zwanzig Jahre. Für das Jahr 2026 wird prognostiziert, dass Unternehmen im Schnitt nur noch rund vierzehn Jahre im S&P 500 verweilen. Damit wird rund die Hälfte der fünfhundert aktuell im S&P vertretenen Firmen in den nächsten zehn Jahren nicht mehr im Index zu finden sein.[14]

Die damit verbundene Transformationsgeschwindigkeit von Unternehmen verändert natürlich auch die Arbeitsplätze an sich: Wenn wir heute in einem Unternehmen mit der Arbeit beginnen und diese Firma nach durchschnittlich zehn bis zwanzig Jahren nicht mehr am Markt tätig ist – zumindest nicht in der Form, die sie hatte, als wir unsere Arbeit aufgenommen hatten –, ist der Wechsel in jedem Job vorprogrammiert.

Mit einem Wechsel zu einer anderen Art von Unternehmen sind jedoch immer auch neue und andere Tätigkeiten verbunden, die sich am spezifischen Bedarf der jeweiligen Firma orientieren.

Wenn es also zutrifft, dass man sich nie auf dem Wissenstand des Studiums oder der Ausbildung einrichten kann, sondern alles im Wandel ist – wie sinnvoll ist es dann, an diesem Narrativ festzuhalten?

---

[14] Vgl. Artikel »Unternehmen werden im Schnitt nur 9 Jahre alt«, auf www.wirtschafts-kurier.de/artikel/unternehmen-werden-im-schnitt-nur-9-jahre-alt.html, aufgerufen Oktober 2023.

Das zweite Narrativ – »Ich habe studiert, will deshalb eine angestellte Tätigkeit ausüben und nicht selbstständig sein!« – fußt auf einer verwandten Annahme des Stillstands, dem ein bestimmter Status zugeschrieben wird. Dieser vorgeblich unveränderliche, erstrebenswerte Status wird einerseits aus einer lohnabhängigen Tätigkeit abgeleitet; er wird andererseits dem Unternehmer und der Unternehmerin nicht zugestanden. Die angestellte Tätigkeit wird damit besser und höher bewertet als die Rolle eines Unternehmers, der den Angestellten jeden Monat ihren Lohn überweist.

Woher diese Überzeugung und eine Abwertung des Status von Unternehmerinnen und Unternehmern letztlich kommen, kann im Einzelfall nur gemutmaßt werden; die gesellschaftlichen Gründe dafür wurden in den vorangegangenen Kapiteln bereits untersucht. Letztlich ist es auch egal, denn der entscheidende Punkt ist im Zusammenhang mit dem zweiten Narrativ die Frage, wofür ein Studium oder eine Ausbildung eigentlich gedacht ist:

In der Regel wird damit ja versucht, eine Möglichkeit zu finden, sich auf dem Arbeitsmarkt möglichst attraktiv präsentieren zu können, oder in anderen Worten: Mit einer Ausbildung wird versucht, sich für einen möglichst guten Job zu qualifizieren.

Mit diesem Job soll ein finanziell und gesellschaftlich gut aufgestelltes Leben ermöglicht werden, oder archaisch formuliert: Es soll das Überleben gesichert werden. Dabei gilt: Je besser die Ausbildung ist, desto mehr erhofft man sich, sein Leben schöner gestalten zu können und dabei einen in der Hierarchie möglichst hohen sozialen Status zu erreichen.

Folgt man diesen Argumenten, die begründen sollen, dass das Unternehmertum deshalb nicht gelebt werden möchte, weil es nicht dem hohen Status eines Angestellten entspricht, so manövriert man sich logisch betrachtet allerdings ins Abseits.

Erfolgreiche Unternehmerinnen und Unternehmer besitzen im kleinen wie im großen nicht nur oftmals einen höheren Freiheitsgrad als Angestellte. Das durchschnittlich höhere Einkommen findet sich nämlich ebenfalls auf Unternehmerseite wieder. Der Unternehmer kann jederzeit durch Eigeninitiative seinen Umsatz und damit sein Einkommen erhöhen. Der Unternehmer kann sogar seine Firma verkaufen und damit zu Geld machen. Unternehmerinnen und Unternehmer stellen daher nicht von ungefähr den höchsten Anteil von Millionären in der Gesellschaft.

Und auch die höhere Sicherheit des Arbeitsplatzes findet sich objektiv betrachtet auf der Unternehmerseite wieder: Wer will den Unternehmer entlassen?

Ein Angestellter ist dagegen letztlich immer unbeteiligter Dritter und Spielball anderer – auch dann, wenn er einem kurzsichtigen Narrativ aufgesessen ist. Er kann selten aktiv in die Entscheidungen über seinen Beruf und die Firma eingreifen – und geht letztlich eine unsichere Wette ein, die darauf fußt, dass man den Angestellten braucht, und er deshalb seinen Status sichert. Selbst die gehypten Fachkräfte sind diesen Mechanismen unterworfen.

Fakt ist: Das Potential, das in uns steckt, kann in der unternehmerischen Freiheit, mit Mut und Beharrlichkeit als Smartseller-Unternehmerin und Smartseller-Unternehmer mit den objektiv besten Chancen freigelegt werden. Unser Potential kann sich in der Anstellung dagegen in den wenigsten Fällen frei entfalten – was zur Folge hat, dass du als Angestellter zwangsläufig fast immer unter deinen Möglichkeiten bleiben wirst.

Weshalb also sollte jemand freiwillig überhaupt Angestellter werden, wenn er oder sie diese Argumente kennt? Die Antwort ist vielleicht darin zu finden, dass wir mit verschiedenen Talentlügen konditioniert worden sind, um die es im Folgenden geht.

Die Talentlügen und ein Rattenexperiment

Diverse Experimente mit Ratten sind aufschlussreich, wenn es um die Erforschung von Verhaltensmustern geht.

In einem ersten, recht drastischen Experiment wird eine Ratte in einen Käfig eingesperrt. Der Käfig ist fest verschlossen und ausbruchssicher. Nun wird der Boden des Käfigs unter Strom gesetzt, sodass die Ratte unkontrollierbare Stromstöße auf ihre Füße erleiden muss. Das Tier ist dabei vollkommen hilflos und den Stromschlägen ohne Unterbrechung ausgesetzt.

Die Ratte gibt sich, nachdem sie einige Tage in Ohnmacht den Stromstößen ausgesetzt war, schließlich auf: Sie zeigt psychosomatische Erkrankungen und agiert letztlich suizidal, indem sie zu fressen und zu trinken aufhört. Das Tier zerbricht an der gequälten Existenz als unlustiges Opfer, dem etwas zustößt, was außerhalb seines Einflusses liegt, und gegen das es nichts unternehmen kann.

Lässt man in einem alternativen Versuchsaufbau die Käfigtüre offen, kommt es nicht zur Selbstaufgabe. Vielmehr rennt die Ratte – nicht ganz überraschend – hinaus und flieht vor der Situation.

In einem letzten Versuchsaufbau setzt man nicht nur eine, sondern vielmehr zwei Ratten in den abgeschlossenen Käfig und verabreicht beiden Tieren unregelmäßige Stromstöße. Die Tiere zeigen jetzt ein Verhalten, das vorher nicht zu beobachten war: Es zeigt sich nämlich, dass die beiden Ratten damit beginnen, sich zu bekämpfen. Die Ratten beißen und kratzen sich gegenseitig, bis sie blutig sind. Auffällig und interessant dabei ist aber, dass beide Ratten sich nicht aufgeben, wie dies das Tier im ersten Experiment getan hat, sondern weiterhin fressen und trinken, sodass geschlussfolgert werden kann, dass die Rattenpsyche in der dritten Versuchsanordnung nicht gebrochen worden ist.

Aus den Experimenten wird ersichtlich: Fliehen (wie es die Ratte des zweiten Versuchsaufbaus tut) und Kämpfen (wie es die Tiere im dritten Experiment tun) sind Notprogramme, die die Ratten in ihrer Eigenmacht halten.

Wenn selbst Ratten aufgrund ihrer Eigenmacht den Unterschied zwischen Tod und Leben wählen können, ist eine vergleichbare Eigenmacht auch für uns Menschen bedeutsam.

Das Experiment mit den Ratten macht uns in diesem Zusammenhang den Unterschied zwischen dem Typ des selbstbestimmenden Unternehmers und eines passiven Angestellten überdeutlich: Es erscheint logisch, dass Unternehmerinnen und Unternehmer in eigenverantwortlicher Eigenmacht handeln können, wohingegen Angestellte in der Mehrzahl ihrem Job-Schicksal passiv ausgesetzt bleiben.

Die Folge für unsere Psyche ist klar: Solange du aktiv bist, selber handeln kannst und damit die Situation psychologisch im Griff behältst, bleibst du gesund und am Leben! Haben wir jedoch keine Möglichkeit, unser Schicksal in die eigenen Hände zu nehmen – oder anders gesagt: Bleibt uns der Zugang zu unserem Potential dauerhaft verwehrt –, dann sind Unzufriedenheit, Depression und Sorge eine wahrscheinliche Folge.

Trotzdem wird uns in unserer Gesellschaft von Kindesbeinen an das Narrativ des sicheren, intelligenten, angepassten und damit vorgeblich sozial besser gestellten Lohnsklaven erzählt. Im Ergebnis lebt unsere Gesellschaft mit einer tief verankerten Psychose, die einen surrealen Wunsch nach planbarer Kontrolle im Leben einschließt. Es scheint aber auch, dass diese falsche Gewissheit in Bezug auf die kommenden Generationen an ihr Ende gelangen muss – und damit auch die Talentlügen vom besseren Leben des abhängigen Lohnsklaven als solche erkannt werden:

Es geht dabei um die Talentlüge, dass man als Angestellter alles werden kann. Das ist falsch: Denn es ist die soziale Ähnlichkeit und das gesellschaftliche Milieu – mit anderen Worten: die Größe des Geldbeutels der Eltern –, die noch maßgeblich über das spätere Einkommen und die Position als Angestellter entscheiden.

Ebenfalls als Talentlüge entlarvt ist die Behauptung, dass man nur die schulisch Besten, die Personen mit dem höchsten IQ, einstellen müsse, um damit automatisch die Konkurrenz zu überflügeln: Das Beispiel Enron zeigte eindrucksvoll, dass viele Häuptlinge noch keinen guten Stamm abgeben.

Auch die Talentlüge, dass man durch Auswahlverfahren und Tests die besten Talente findet oder aufgrund eines lückenlosen Lebenslaufs auf spätere

Leistungen schließen kann, ist nur eines: falsch! Das MissMatching-Problem zeigt auf, woran die Verfahren letztlich kranken.

Ebenso falsch ist der Irrtum der Talentlüge, dass man sein Berufsleben automatisch in einem Bereich fristen soll oder muss, dem man sich in einer Ausbildung oder einem Studium genähert hat. Die Arbeitswelt ändert sich so schnell, dass man sich vielmehr ein Leben lang weiterentwickeln und dazulernen kann, muss und darf.

Die Talentlüge, dass eine lohnabhängige Beschäftigung einen sichereren und angenehmeren Lifestyle verheißt, ist vielleicht am gefährlichsten: Denn nichts macht psychisch kränker als die erlebte Ohnmacht, die man im Angestelltenstatus erfahren kann.

Es wird Zeit, dass wir die Talentlügen, mit denen noch immer in der westlichen Welt junge Menschen einer unbewussten Gehirnwäsche unterzogen werden, hinter uns lassen! Es wird Zeit, dass gerade Berufseinsteiger und Berufseinsteigerinnen diese Zusammenhänge verstehen und durchschauen, um im Ergebnis die vermeintliche, nicht existierende Jobsicherheit eines Angestellten nicht länger als erstrebenswerteren Status oder wertvolleres Lebensziel ansehen, sondern ihr wahres Potential leben wollen.

Ein rundum selbstständiger Mensch zu sein, das wird dir nur gelingen, wenn du deine Selbstständigkeit auf allen Ebenen lebst – auch der beruflichen!

Drei Ebenen des Potentials sollten wir dabei entfalten, um die Smartseller-Potentiale freizusetzen – und damit das echte Potential des Verkaufs auszuleben:

Die Potentialebene 1: Das individuelle Potential

Dein individuelles Potential definiert deine Stärken. Sie sind der Ausgangspunkt deines persönlichen Wegs und fußen in deinen ureigenen Motiven, mit deren Energie du dein Ziel verfolgst. Kein System und noch so viel Lust auf Leistung machen dich erfolgreich, wenn du kein Talent für deine ausgeübte Tätigkeit mitbringst; vielmehr helfen dir das Leistungsprinzip und Systeme dabei, auf der Basis deines individuellen Potentials aufzubauen.

Die alten Geschichten aus der Tierschule verdeutlichen uns, was es mit unserem individuellen Potential auf sich hat:

Dort sitzt das Eichhörnchenkind Elli im Klassenzimmer, als die Lehrerin Frau Storch meint: »Heute lernen wir zu fliegen wie ein Adler!« Elli, das Eichhörnchen, versucht zu fliegen – und scheitert.

Der nächste Tag bricht an und Lehrerin Frau Storch gibt die Losung aus, dass heute geschwommen wird. »Wir schwimmen wie die Enten!« Elli, das Eichhörnchen, stellt frustriert fest, dass es auch nicht besonders gut schwimmen kann.

Zu Hause weint Elli bitterlich. Heulend wendet sie sich an ihre Mutter: »Ich kann nichts, gar nichts!«

Am nächsten Tag geht Elli niedergeschlagen in die Tierschule. Frau Storch erklärt zu Beginn der ersten Schulstunde, dass heute geklettert wird. Elli klettert um ihr Leben, hoch und herunter geht es, und immer höher … Elli kann gar nicht genug davon bekommen. Ihre Schulkameraden bewundern sie für ihr Talent, so wunderbar elegant und zielsicher klettern zu können! Am Ende des Schulunterrichts platzt Elli fast vor Stolz. Sie fühlt sich unbeschreiblich glücklich und stark!

Mit strahlendem Gesicht kommt Elli nach Hause und erzählt ihrer Familie begeistert von ihrem fantastischen Tag. »Ach, heute hätte ich den ganzen Tag in der Schule bleiben können«, tönt sie ausgelassen. »Mama, das war der tollste Tag in meinem Leben! Ich freue mich schon auf morgen!«

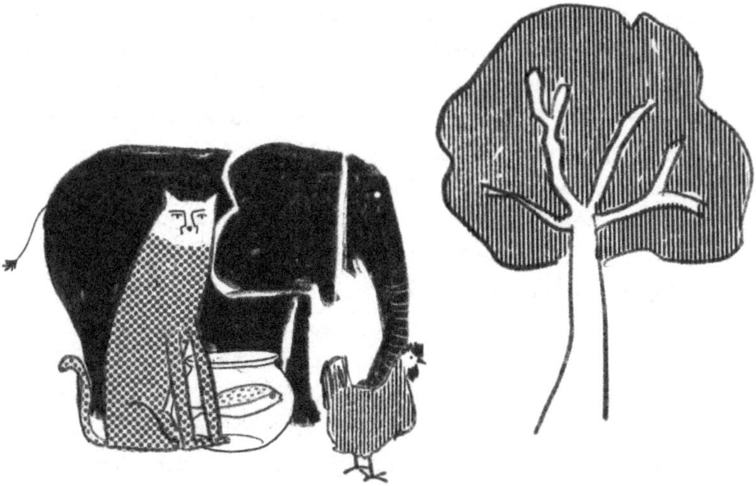

"DAMIT ES GERECHT ZUGEHT, ERHALTEN ALLE DIE GLEICHE AUFGABE: KLETTERN SIE AUF DIESEN BAUM!"

Aus der Geschichte des Eichhörnchens Elli können wir lernen, was geschieht, wenn wir etwas für uns entdecken, bei dem wir besser sind als alle anderen: »... and the magic happens!«

Jede und jeder bringt Talente mit auf diese Welt: Erkennst und entdeckst du dein Talent, und setzt du es für dich ein, dann feierst du wahre Siege!

Die Tatsache, dass es natürliche Begabungen gibt, können wir an unseren Händen ablesen. Wir sind entweder Rechtshänder oder Linkshänder. Es ist ein angeborenes Talent, welche Hand wir bevorzugen. Als Kind haben wir etwa einen Schlüssel, ganz natürlich und ohne nachzudenken, in die eine oder andere Hand genommen – und uns automatisch damit gut gefühlt. Über die Zeit haben wir dann diese Präferenz trainiert, indem wir unsere natürlich bevorzugte Hand immer wieder benutzt haben. Unser Talent – auch wenn wir es in diesem Fall mit vielen anderen Menschen teilen, aber eben nur den Rechts- oder den Linkshändern! – wurde durch ständiges Trainieren und Üben perfektioniert.

Stellen wir uns nun einmal vor, was passieren würde, wenn wir einen Unfall an unserer präferierten Hand erleiden würden – und in Folge dessen anstelle dieser Hand in Zukunft die andere benutzen müssten. Wir würden schnell feststellen, dass selbst die einfachsten Abläufe mit der anderen Hand viel langsamer von sich gehen; zudem erfordert der Einsatz der anderen Hand mehr Energie und Konzentration, und trotzdem leidet die Qualität noch sehr!

Das Beispiel des Schreibens bietet uns einen einfachen Selbsttest an: Nehmen wir ein leeres Blatt Papier und einen Stift in unsere präferierte Hand. Jetzt schreiben wir unseren Namen auf das Papier. Danach nehmen wir den Stift in unsere ›schwache Hand‹ und schreiben ebenfalls unseren Namen auf das Blatt. Wir stellen mit Sicherheit fest, dass die Ergebnisse der falschen Hand wesentlich schlechter sind!

Das Beispiel der Hände zeigt uns eindrücklich: Wer kein Talent hat und nutzen kann, dessen Produktivität ist stark verringert, und derjenige oder diejenige muss einen enormen Energieaufwand betreiben, um zu einem Ergebnis zu gelangen. Tatsächlich ist dieses Prinzip ubiquitär.

Es ist deswegen nicht überraschend, dass es sich mit der Wahl eines passenden Jobs genauso verhält! Ein Beruf, der nicht unsere Talente und Stärken abbildet, bleibt immer ein Energiefresser und kostet enorme Kraft und Anstrengung; darunter wird unsere Produktivität leiden. Im Ergebnis bleiben wir damit unter unseren beruflichen Möglichkeiten, und schlimmer noch: Psychologisch führt es zu einem mentalen und physischen Ausbrennen. Wer den falschen Beruf hat, setzt sich einem enormen Burn Out-Risiko aus!

Mathematisch lassen sich die Konsequenzen einer falschen Berufswahl anhand der Zehntausend-Stunden-Regel ableiten:

Die falsche Berufswahl nach der 10.000-Stunden-Regel:

Du erledigst einen Verkaufsjob, für den du wenig oder kein Talent mitbringst. Das bedeutet, dass du durch dein fehlendes oder zu geringes Potential im Bereich des Verkaufs schneller ermüdest, als es diejenigen tun, denen der Job einfach von der Hand geht. Der höhere Energieverbrauch sorgt dafür, dass du permanent angestrengt bist – und mit der Zeit ein Gefühl der Überforderung entsteht. Zusätzlich bleiben deine Ergebnisse hinter den gesteckten Erwartungen zurück. Dies führt zu einer geringeren Wertschätzung seitens der Vorgesetzten – und das löst wiederum einen weiter steigenden Druck bei dir aus. All dies führt letztlich zu genereller Unlust und einem Dienst nach Vorschrift. Die 40-Stunden-Woche erlebst du in der Folge als sehr harte Zeit. Der Workload, der sich über ein Jahr ergibt, umfasst 1.600 Stunden bei zehn Monaten effektiver Arbeitszeit.

Die 10.000-Stunden-Regel besagt, dass du über sechs Jahre dafür benötigst, bis du diesen deinen Job professionell ausüben kannst.

Ganz anders sieht die Situation aus, wenn du stattdessen entsprechend deinem Talent arbeitest:

Die richtige Berufswahl nach der 10.000-Stunden-Regel:

Als Smartsellerin und Smartseller erzielst du mit deinem Verkaufstalent herausragende Ergebnisse. Anerkennung und Wertschätzung sind die Folge. Du steckst dir immer ambitioniertere Ziele und bist hoch motiviert. Es kommt dabei zur selbsterfüllenden Prophezeiung, die sich wie folgt darstellt: Erfolg erzeugt Anerkennung! Die erhaltene Wertschätzung motiviert dich, noch höhere Ziele anzustreben. Erfolg nährt den Erfolg – und es fällt dir leicht, dafür eine Arbeitszeit von 60 bis 70 Stunden pro Woche zu investieren. Die höhere Investition an Arbeitszeit bei gleichzeitig guter Leistung führt zwangsläufig auf ein höheres Level an Professionalität und Produktivität. Das hohe Level an Wissen und Fähigkeiten macht dich mit der Zeit zum einerseits hochgeschätzten, andererseits auch hoch bezahlten Experten.

Je mehr Zeit und Energie du investierst und je länger du bereit bist, diesen Einsatz zu bringen, desto weiter wirst du es als Smartseller bringen. Möglich ist dieses Arbeitspensum immer dann und deshalb, wenn und weil die Begeisterung für einen Job mit dem notwendigen Talent übereinstimmen. Talent und Fleiß machen dich zur Legende in deinem Markt.

Der Weg in den Kreis des einen Prozents der Topseller dauert für dich aufgrund der zusätzlich geleisteten Stunden nur noch drei bis vier Jahre.

Der Steckbrief für das Smartseller-Potential

Smartseller haben das Potential, andere Menschen begeistern zu können – und sie können von ihrem Angebot so überzeugen, dass das Gegenüber einen Kauf tätigt. Dabei sind sie als Verkäuferinnen und Verkäufer resilient gegen die Ablehnung, die ihnen seitens ablehnender Kunden und aus der Gesellschaft entgegenschlägt. Sie verfügen gerade deshalb über das Mindset eines Optimisten, was bedeutet, dass für einen Smartseller das Glas immer halb voll ist anstatt halb leer wahrgenommen zu werden.

Smartseller beherrschen die Kunst der Neukundengewinnung ebenso wie die einer schönen Verführung. Sie sind außerdem echte Menschenspezialisten – und deshalb auch Motivatoren, die andere mit ihrer Begeisterung anstecken.

Smartseller sind Macher, die gute und schnelle Entscheidungen treffen können. Als Verkäuferinnen und Verkäufer haben sie die Eigenschaft, dass sie Dinge schaffen und erledigt bekommen. Smartseller übernehmen deshalb Verantwortung für ihr Tun – und geben nicht anderen Menschen die Schuld an den widrigen Umständen, mit denen sie dabei vielleicht konfrontiert werden.

All dies liest sich natürlich wie ein idealisierter Steckbrief – doch sind damit die Felder eines persönlichen Potentials ausgeleuchtet, die tatsächlich die gesuchten Talente und Eigenschaften von Topverkäufern ins Scheinwerferlicht rücken. Ob du ganz persönlich deine Talente in diesen Feldern hast, weißt du vielleicht schon intuitiv – und auf der anderen Seite lassen sich diese Talente methodisch identifizieren.

Eine rein theoretische Evaluierung wird dabei zum MissMatching-Problem führen – weshalb die SmartsellING Leadership-Methode darum einen abduktiven Zugang wählt, der Vorüberlegungen mit dem praktischen Ausprobieren kombiniert.

Neben deinen intuitiven Antworten werden dabei eine Beobachtungsphase in der Praxis und überdies eine wissenschaftlich fundierte Optimismus- und Persönlichkeitsanalyse ausgewertet.

Gerade diese unterschiedlichen Herangehensweisen erlauben in der Auswertung, dass ein möglichst breites, aber auch möglichst exaktes Bild gezeichnet wird.

Die eigenen Motive bestimmen

Was treibt uns eigentlich an? Diese Frage zu beantworten hilft dabei, unsere persönlichen Talentfelder intuitiv und intrinsisch zu bestimmen – und uns danach ihrer Bedeutung als persönliches Potential bewusst zu werden. Eine Methode, uns diesem persönlichen Potential anzunähern, besteht darin, unsere ureigenen Werte und Grundmotive zu bestimmen.[15]

Werte und Grundmotive treiben uns ganz tief aus unserem Inneren heraus an. Wenn wir etwas wirklich wollen, helfen uns unsere Grundmotive enorm dabei, unsere Ziele zu erreichen – wenn die Werte und Motive zu diesem Ziel passen. Unsere ureigenen Motive wirken dabei stark in unserem Unterbewusstsein und bewässern deshalb den Pool unseres besonderen Potentials. Das ist auch deshalb so, weil es uns am Ende meist dann am besten gelingt, uns selbst maximal zu motivieren, wenn wir von etwas wirklich angetrieben werden.

Tatsächlich haben unsere Werte und Grundmotive sehr viel mit der Resonanz zu tun, die wir aussenden, um den Aggregatszustand des ›Okay – Okay‹ erreichen zu können, mit dem wir uns bereits beschäftigt haben. Die Werte und Grundmotive bilden oftmals den Resonanzboden, auf dessen Basis wir senden und empfangen.

Teilen wir mit einem Gegenüber jene Werte, dürfen wir fast sicher sein, dass dann auch eine erfolgreiche Kommunikation möglich ist.

Auch deshalb sollten wir unsere Energiequelle kennen und wissen, womit sie angetrieben wird.

Was eigentlich recht banal und logisch klingt, wird im Alltag oft zu wenig beachtet. Die Energie, die in uns steckt, sollte gerade nicht verschwendet werden, weil wir alles für selbstverständlich nehmen, oder sogar gegen uns arbeiten, indem wir gegen unsere Grundmotive handeln.

---

[15] Vgl. hier und im folgenden Abschnitt: Andreas Nau mit Martin Gehring: WERTvoll in die Zukunft: Revolutionen beginnen im Kopf: Was mich und mein Unternehmen veränderte. Meßkirch 2017, Teil II: Wertvolle Werte. (Die Zitate des Abschnitts werden aufgrund der identischen Autorenschaft nicht eigens ausgewiesen.)

Wer dagegen seine persönlichen Antriebe kennt, kann die Energie, die in unseren persönlichen Werten und Motiven schlummert, dazu gebrauchen, dieses energetische Potential zu entfalten.

Wer sich seinen Antrieb, seine Motive, seine Werte – tatsächlich sind die Konzepte, die hinter diesen Schlagworten stecken, miteinander verknüpft – bewusst macht, kann feststellen, dass sie erstaunlicherweise das Individuum mit dem großen Ganzen in Verbindung bringen, womit im Besonderen das unternehmerische Umfeld gemeint ist.

Das zeigt uns auch die Sprache auf – zum Beispiel, wenn es um ›Werte‹ geht: Im Englischen wird der Begriff doppelt gefasst: Während ›values‹ sich eher auf abstrakte Vermögenswerte bezieht, meint ›virtues‹ die persönlichen Werte, die erarbeiteten Tugenden, die man in seiner Person vereinnahmt – im Lateinischen meint ›virtutes‹ gar die persönlichen Verdienste eines Menschen, die die Gesellschaft als positiven Beitrag zur Gemeinschaft wertschätzt.

Fest steht: Sowohl ›values‹ als auch ›virtues‹ können einen antreiben, wenn man sein Potential abruft und seinen persönlichen Zielekatalog aufstellt.

Das Wort ›Motiv‹ geht wie die ›Motivation‹ auf das lateinische Verb ›Movere‹ zurück und bedeutet ›sich bewegen‹ – oder auch ›etwas bewegen‹. Ein Motiv ist deshalb etwas, das uns bewegt – und als Potential etwas aktiv anstoßen kann. ›Motivation‹ ist darum, was unsere Motive als Potential mit uns tun: Sie halten uns in Bewegung und sind eine Kraft im Alltag, die uns konstant antreibt. Wenn wir diese Kraft bewusst einsetzen, kommt Dynamik in unser Leben; und treibt uns ein Wert bereits unterbewusst an, fällt es uns leicht, ein damit verbundenes Ziel zu erreichen.

Zu entdecken, wohin wir unterbewusst mit stetiger Energie streben, kann einen wahren Energiestrom freisetzen. Es lohnt sich darum, uns unsere Antriebe und Motive bewusst zu machen – und damit das Potential kennenzulernen, das wir freisetzen können, wenn es uns gelingt, gemäß unseren positiven Werten zu leben.

Den persönlichen Motivkatalog kann man dabei etwa erstellen, indem man eine Liste mit Werten erstellt, die grundsätzlich zutreffen.[16]

---

[16] Vgl. den Fragenkatalog ebenda, S.90f.

Wenn man die Auswahl beisammen hat, ist in der Regel festzustellen, dass einige Werte sich dabei ähnlich sind, sodass man die Auswahl vereinfachen kann, indem man Wertegruppen zusammenfasst. Ziel ist es nun, auf maximal zehn Wertefelder zu kommen, die einen besonders antreiben; eine nochmalige Priorisierung auf drei bis maximal fünf Werte ermöglicht es, sich seinen Antrieb zu visualisieren und deutlich zu machen.

Besser als diese oberflächlichere Methode ist es, sein eigenes Verhalten zu analysieren. Dabei zeigt sich: Gerade in Extremsituationen lassen wir uns intuitiv von unseren Werten leiten. Wenn wir uns an die besonders einschneidenden Erlebnisse in unserem Leben zurückerinnern, können wir aus unserem Verhalten in diesen Situationen unsere Werte recht zielsicher ableiten.

Überdies macht es Sinn, einmal das Experiment zu wagen, im persönlichen Umfeld nach der Wahrnehmung der eigenen Stärken zu fragen. Denn auch aus der Wahrnehmung der anderen können wir wertvolle Erkenntnisse ziehen, wenn es um unser Potential geht.

Am besten fragen wir dabei direkt und ganz spontan in einem möglichst diversen Umfeld, welche drei bis fünf Stärken uns zugetraut werden. Am besten funktioniert das, wenn wir unser Gegenüber darum bitten, gar nicht lange nachzudenken, sondern direkt aus dem Bauch heraus zu antworten. Die Ergebnisse können wir dann mit unseren eigenen Antworten abgleichen: Wer dabei viele Personen angesprochen hat, wird wahrscheinlich auf der einen Seite die eine oder andere Antwort erhalten, die für sich alleine steht, anderseits aber vielleicht auch überrascht davon sein, dass es viele Übereinstimmungen in den Antworten gibt.

Es empfiehlt sich, dass wir unsere Antriebe schriftlich festhalten, um sie visualisieren zu können. Denn später gilt: »Werte brauchen Hitze.«[17] Bill Hybels wies mit dieser Feststellung darauf hin, dass wir uns in unserer Selbstführung unsere Werte immer wieder bewusst machen müssen – und dass sie deswegen im Alltag immer wieder ›aufgewärmt‹ werden müssen, damit wir uns ihr

---

[17] Vgl. Bill Hybels: Die Kunst des Führens: Meine Führungsprinzipien auf den Punkt gebracht. Wetzlar 2009.

Antriebspotential auch immer wieder aufs Neue bewusst machen. Wir versichern uns damit verlässlich und kontinuierlich unserer Stärken.

Wenn wir uns dabei klarmachen und wahrnehmen, wie unsere Werte intuitiv wirken, entfalten wir in der Folge durch unser Denken und Verhalten unser Potential. Das Bewusstmachen dieser Antriebe hilft uns dabei, unser Mindset im bewussten Denken zu entwickeln und durch Iteration an der Schwelle zum Unterbewusstsein in unserem psychologischen Gehirn zu verinnerlichen: Wenn wir wissen, was es genau ist, was für uns von großer Bedeutung ist, werden wir dann nicht nur unterbewusst, sondern auch im Logikgehirn davon profitieren. Die Vergewisserung der eigenen Stärken kann dann sehr wertvoll sein, wenn wir uns mutig neuen Aufgaben stellen.

Fest steht, dass jeder von uns von Werten angetrieben wird und ein Potential besitzt, das in aller Regel zu wenig beachtet wird. »Die wahre Tragödie des Lebens ist nicht, dass wir nicht genügend Stärken haben, sondern dass wir die, die wir haben, nicht anwenden«, stellen Marcus Buckingham und Donald O. Clifton fest[18]; dies mahnt uns, dass wir über unser Potential nachdenken müssen, um es tatsächlich nutzen zu können:

Wer sich seine Werte und daraus abgeleitet seine konkreten Stärken bewusst macht, der kann Dinge konkret und leichter erreichen, wobei eine große Dynamik entstehen kann. Diese Dynamik bringt uns dann in den ›Flow‹ – und stattet uns mit einer positiven Energie aus, auf die im Anschluss noch genauer eingegangen wird. Die Dynamik, die mit unserem Potential an Werten und Stärken freigesetzt werden kann, führt fast automatisch zu einer Haltung, die uns zum erfolgreichen Agieren antreibt, und uns als Smartseller und Smartsellerin erfolgreich macht.

Unsere persönliche Wertebasis, persönlichen Stärken und Einstellungen als die Aspekte unseres Potentials kennenzulernen ist kein Selbstzweck, sondern hilft uns dabei, einen aktuellen Status quo zu bestimmen. Wenn wir uns unserer Grundeinstellung und damit der Haltung, mit der wir den ANDERSWEG zum Erfolg angehen, bewusst werden, kann unsere Entwicklung als Smartsellerin und Smartseller daran anschließen. Zu wissen, wo man aktuell steht,

---

[18] Vgl. Marcus Buckingham, Donald O. Clifton: Entdecken Sie Ihre Stärken jetzt! Frankfurt am Main 2002.

und zu wissen, wo man stehen möchte, ist die Voraussetzung dafür, dass man weiß, wohin man geht und wohin man gehen möchte.

Unsere Haltung, unser Status quo wird damit gleichzeitig ein Bezugspunkt für unsere Wünsche, Träume, Pläne und Ziele einerseits, andererseits auch für die konkreten kleinen Schritte, die wir als Smartseller und Smartsellerin bei der Umsetzung der großen Ziele gehen müssen.

Machen wir uns unsere Werte, unsere Stärken und unsere Einstellung dagegen nicht bewusst, verschwenden wir mit Sicherheit unser wahres Potential. Vielleicht würden wir dann trotzdem nach bestimmten Werten leben und auch bestimmte Stärken nutzen, würden aber dann keinesfalls alle unsere Möglichkeiten erkennen und ausschöpfen. Wir könnten nicht über uns hinauswachsen und würden sogar Blockaden und Sackgassen begegnen, wenn es schlecht läuft, weil wir gegen uns selbst arbeiten.

Wer seine persönlichen Werte bestimmt hat und sie mit seinen Stärken abgleicht, entwickelt sich als Person enorm weiter. Wir finden damit eine Einstellung zum Leben, die uns nachhaltig prägt und in der Smartseller Leadership antreibt.

Unsere Werte, unsere Stärken, unsere Einstellung sind dabei mehr als nur die Summe ihrer selbst, sondern multiplizieren sich zu einer Potenz: Sie eröffnen die Möglichkeit zu einer riesigen Steigerung, bei der wir tatsächlich über uns hinauswachsen können. Indem wir uns Werte und Stärken bewusst machen, können wir auch die bewusste Haltung der Selbstführung einnehmen, die dieses besondere Wachstum ermöglicht.

Das Smartseller-Potential im Praxistest und in der psychologisch-wissenschaftlichen Einordnung

Wer seine persönlichen Motive kennengelernt hat, weiß Bescheid um seine aus Motiven abgeleiteten Stärken – und damit auch um die Potentialfelder, in denen ein besonderes Wachstum der Persönlichkeit gelingen kann.

Wer diese Eigenschaften bestimmen konnte und feststellt, wo die Überschneidungen zu den Potentialen des idealen Smartsellers liegen, sollte sich unbedingt trauen, seine Potentiale in der Praxis zu erproben. Das bedeutet, dass potentielle Verkäuferinnen und Verkäufer die Chance nutzen sollten, den Beruf des Smartsellers mutig auszuprobieren – und dann ihre Performance analysieren. Das funktioniert am besten, wenn sie dazu die Chance erhalten und sogar entsprechend begleitet werden – zum Beispiel von einem Mentor, der selbst der Philosophie der Smartselling Leadership verbunden ist.

Die Praxisphase kann dann durch einen Optimus-Test und eine Talentanalyse ergänzt werden, bei der eine wissenschaftliche Methodik angewendet wird.[19] Sie hilft dabei, die entsprechenden Beobachtungen klug einzuordnen.

---

[19] Weitere Informationen zu den Tests findest du in unseren begleitenden ANDERSWEG-Workbooks, in denen du die Learnings dieses Buchs konkret anwenden kannst. Alle verfügbaren Bücher der Reihe DER ANDERSWEG ZUM ERFOLG kannst du als E-Book und gedruckte Ausgabe auf Buch.Der-Andersweg-zum-Erfolg.de oder www.PastorundProphet.de direkt bestellen, wo auch weitere Informationen zum Thema Smartselling Leadership und zu entsprechenden Workshop-Möglichkeiten bereitgestellt werden.

Der Smartseller in der Optimismus-Analyse

Mitte der Achtzigerjahre stand die amerikanische Versicherungsgesellschaft Metropolitan Life vor einem ernsthaften Problem: Sie stellten jedes Jahr fünftausend Verkäufer ein – doch davon kündigte die Hälfte bereits im ersten Jahr wieder. Nach einer Zeitspanne von vier Jahren arbeitete nur noch einer von fünf Verkäufern in der Firma. Der Grund dafür wurde in der mangelnden Frustrationstoleranz vermutet: Führte der Schmerz der Ablehnung, verursacht durch die Absagen von Interessenten und Kunden, zur Kündigung der Verkäuferinnen und Verkäufer?

Die Versicherung engagierte den Experten Dr. Martin Seligman, um die geeigneten Verkäuferinnen und Verkäufer zu finden und die Hintergründe der Sitaution zu erforschen. Er sollte dabei helfen, dass Personen identifiziert werden könnten, die gut darin wären, mit Ablehnungen klarzukommen – und die ein Nein vielmehr als positive Herausforderung begriffen. Schließlich sollten sie auch in der Lage sein, langfristige Lösungen für dauerhaften Erfolg zu finden.

Aufgrund dieser Annahmen untersuchte Dr. Seligman den Optimismus der Bewerberinnen und Bewerber – und konnte im Ergebnis die Grundannahmen bestätigen: Mittels des Optimismus-Tests, der eingeführt wurde, stellte sich heraus, dass die Kandidatinnen und Kandidaten mit den höchsten Optimismus-Werten auch die größten Verkaufserfolge erzielten!

Die Optimisten verkauften im ersten Jahr im Durchschnitt um acht Prozent besser als diejenigen, die im Test mediokre Optimismus-Werte erzielt hatten. Im zweiten Jahr steigerte sich der Absatzerfolg um mehr als fünfunddreißig Prozent gegenüber den wenig optimistischen Kolleginnen und Kollegen.

Das erstaunlichste Ergebnis des Settings war, was die Gruppe der Super-Optimisten erreicht hatte: Dr. Seligman hatte nämlich auch eine Gruppe von Verkäufern eingestellt, die im bis dahin üblichen Bewerbungsverfahren durchgefallen waren, deren Mitglieder sich aber im Optimismus-Test als Super-Optimisten herausgestellt hatten: Es zeigte sich, dass die Gruppe der Super-Optimisten besser als alle anderen Verkäufer verkauften! Sie übertrumpften die pessimistischen Verkäufer im ersten Jahr um einundzwanzig Prozent und im zweiten Jahr um siebenundfünfzig Prozent.

Die Forschungen von Dr. Seligman zeigten außerdem, dass Verkäuferinnen und Verkäufer mit einer ausgeprägten optimistischen Grundeinstellung, wenn man die herausragenden Einzelfälle betrachtete, fast doppelt so gut verkauften wie ihre pessimistischen Kollegen. Dies stellte sich heraus, als Dr. Seligman die Ergebnisse der zehn Prozent der Verkäufer, die die höchsten Optimismus-Werte erreichten, mit der Gruppe von Verkäuferinnen und Verkäufern verglich, die die zehn Prozent mit den geringsten Werten für Optimismus ausmachten.

Das Ergebnis war erstaunlich: Die Top-Optimisten verkauften achtundachtzig Prozent mehr als ihre pessimistischen Kollegen!

Diese eklatanten Unterschiede sind sicher der stärkste Beweis dafür, dass die Bedeutung einer optimistischen Grundhaltung für den Erfolg als Smartsellerin und Smartseller essentiell ist!

Dr. Seligman konnte auch eine Eigenschaft als entscheidend identifizieren, der wir bereits in den vorangegangenen Abschnitten begegnet sind: Optimisten glauben daran, selbst der Akteur ihres Schicksals zu sein.

Es stellte sich in den Studien heraus, dass Optimisten, sofern sie scheitern, ihren Misserfolg äußeren Umständen zuschreiben – die sie jederzeit ändern können. Verkäuferinnen und Verkäufer, die mit solch einem Mindset ausgestattet sind, können bei Rückschlägen folglich eher handlungsfähig bleiben – weil sie eine Option zur Änderung sehen und ziehen können, die dem Pessimisten verborgen bleibt.

Fakt ist, dass sich das Potential eines Smartsellers durch überdurchschnittlich hohe Optimismus-Werte auszeichnet. Es lohnt sich deshalb unbedingt, herauszufinden, wie ausgeprägt unser Optimismus-Mindset ist – und damit das Potential, mit dem wir als Verkaufsunternehmerin und Verkaufsunternehmer durchstarten können.

Gleichzeitig zeigt uns die Analyse auch, wo sich ein Wachstum lohnt – dahingehend, ein Mindset so weit zu entwickeln, dass Erfolg möglich wird, aber auch, um weitere Erfolge wahrscheinlich zu machen.

Die AECdisc-Analyse[20] ist eine auf dem deutschen Markt führende Persönlichkeitsanalyse, die vielen Menschen schon einmal begegnet ist. Ihre Systematik erlaubt eine Zuordnung von Eigenschaften zu Farben und Werten, die eine Einordnung des Persönlichkeitsprofils möglich machen und visualisieren soll.

Die Methode fußt letztlich auf der Typologien-Lehre des frühen Psychologen Carl Gustav Jung und ist nicht unumstritten; im Alltag hat sie dennoch einen Nutzen, indem sie auf sehr einfache Weise die vorrangigen Verhaltensweisen von Menschen und damit ihre Talentfelder aufzuzeigen hilft.

Die Methode ordnet die Probantinnen und Probanten acht unterschiedlichen Typen zu: dem Typ des Organisators, dem Typ des Initiators, dem Typ des Motivators, dem Typ des Kommunikators, dem Typ des Beraters, dem Typ des Unterstützers, dem Typ des Koordinators bis hin zum Typ des Analytikers.

Auch der Motive-Struktur eines Menschen soll mit der Methode systematisch auf den Grund gegangen werden. Die Typologisierung, die hierbei herangezogen wird, geht zurück auf Eduard Spranger und unterteilt sechs Basismotivationen: Sie reichen vom kognitiven Motiv des Lernens über das ästhetische oder soziale Motiv bis hin zum traditionellen, individuellen und ökonomischen Motiv.

Wer ein hohes kognitives Motiv besitzt, wird als Person von der Aneignung von Wissen als dem stärksten Motor angetrieben. Wer ein ästhetisches Motiv hat, folgt dem Interesse für Formen, Harmonie und Anmut, wohingegen das soziale Motiv das Maß einer angeborenen Menschenliebe misst. Das traditionelle Motiv gibt an, wie stark oder schwach der Wunsch eines Menschen ausgeprägt ist, alles beim Alten zu belassen. Das individualistische Motiv treibt dazu an, Macht zu erringen und auf der Karriereleiter nach oben zu steigen. Das ökonomische Motiv sorgt zuletzt dafür, dass eine Person nach Zeiteffizienz und persönlichem Nutzen strebt und an Geld und Reichtum interessiert ist.

---

[20] Vgl. die programmatische Vorstellung des Konzepts auf www.aec-disc.de, aufgerufen Oktober 2023.

Erneut können wir uns an den Steckbrief des idealen Smartsellers setzen, und dabei seine Eigenschaften mit den Kategorien und Begriffen der AECdisc-Analyse beschreiben:

Was macht eigentlich einen Topverkäufer aus, wenn er als Typ charakterisiert wird? Welche Motive treiben den idealen Smartseller an, um erfolgreich werden zu können, ja, erfolgreich zu werden? Und was unterscheidet Smartseller aus Sicht der Methode von mittelmäßigen Verkäufern? Auch diese Antworten können zur Potentialbestimmung beitragen:

Der ideale Smartseller besitzt zunächst wie alle Topverkäufer einen extrem ausgeprägten ökonomischen Antrieb. In einer Studie der Zeitschrift Acquisa wurde das ökonomische Motiv als das Motiv Nummer eins für Verkäuferinnen und Verkäufer identifiziert. Es wird deshalb davon ausgegangen, dass 90 Prozent aller Smartseller von einem ökonomischen Motiv angetrieben werden.[21] Aber auch das kognitive und das individualistische Motiv kommen beim Smartseller zum Tragen. Wer Lust auf ständiges Weiterlernen hat, wie es das kognitive Motiv nahelegt, und dabei sein eigener Chef sein möchte, der muss sich mit dem Thema Verkauf auseinandersetzen.

Wer deutliche Motiv-Ausprägungen in den drei Bereichen ökonomisches Motiv, kognitives Motiv und individualistisches Motiv hat, der besitzt wahrscheinlich ein enormes Potential für den Verkauf. Wer dazu noch in der Typisierung im Bereich Organisator und Initiator punktet, scheint prädestiniert dafür zu sein, ein Smartseller zu werden.

Solltest du im Ergebnis einer persönlichen Talentanalyse also eine Motive-Struktur vorfinden, die in ihren drei wichtigsten Ausprägungen das ökonomische, individualistische und theoretische Motiv abdecken, und befindest du dich auf der Verhaltensebene irgendwo zwischen dem Initiator und dem Unterstützer, dann solltest du zumindest einmal in den Beruf des Verkäufers hineinschnuppern und testen, ob du im Verkauf glücklich wirst.

---

[21] Vgl. Martina Schimmel-Schloo: »So sieht ein Topverkäufer aus!« Artikel in acquisa – Die Zeitschrift für Führungskräfte in Verkauf und Marketing auf www.christian-ploy.at/images/downloads/aquisa.pdf, aufgerufen Oktober 2023.

Rot, grün, blau und rot

Schwieriger ist allerdings die Frage zu beantworten, worin das Potential der Art und Weise liegt, die dem typischen Verhalten einer Person entspricht. Diese Verhaltensebene wird innerhalb der Talentanalyse über das DISG-Modell beleuchtet und mit seinen vier Farben dargestellt. DISG, das steht für die Anfangsbuchstaben von ›dominant‹, ›initiativ‹, ›stetig‹ und ›gewissenhaft‹, denen als Bereiche wiederum bestimmte Farben zugeordnet werden, die eine Visualisierung ermöglichen. ›Dominant‹ wird rot dargestellt, ›initiativ‹ gelb, ›stetig‹ bekommt Grün zugeordnet und ›gewissenhaft‹ wird durch die blaue Farbe dargestellt.

Erneut entstehen Idealtypen, die bezogen auf Verkäuferinnen und Verkäufer wie folgt aussehen:

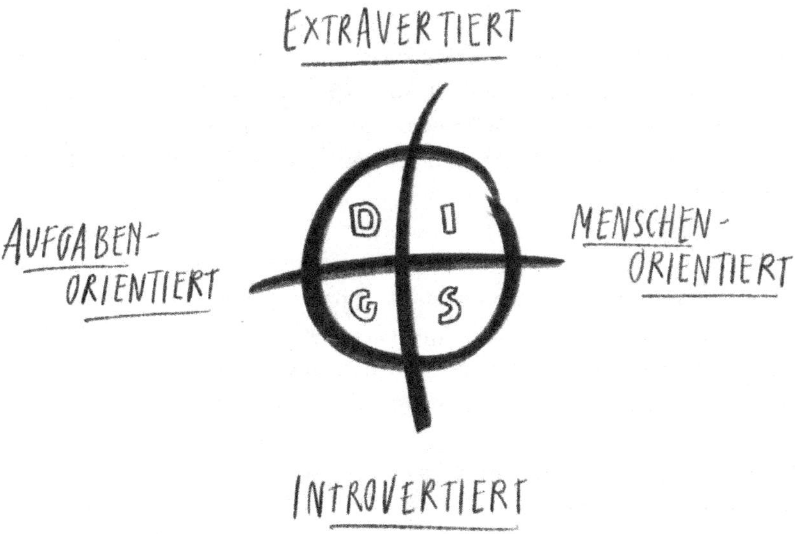

EXTRAVERTIERT
AUFGABEN-ORIENTIERT
D
I
G
S
MENSCHEN-ORIENTIERT
INTROVERTIERT

Der rote Verkäufer

Der rote Verkäufertyp ist ein Macher und wird dem extrovertierten Lager zugeschrieben. Er agiert aufgabenbezogen, korrekt und kühl. Er ist an Fakten interessiert; kennt er sie, kann er schnell Entscheidungen treffen. Der rote Typ ist ein Closer!

Dieser Persönlichkeitstyp findet seine Entsprechung in Personen wie Donald Trump oder Uli Hoeneß. Sie sind als rote Typen autoritär und am Ergebnis interessiert. Sie lieben den Wettbewerb und ihre beherrschende Emotion ist Wut und Ärger. Mit ihrer Wucht an brachialer Emotion können sie die Dinge nach vorne bringen.

Sie werden allerdings von der Angst getrieben, dass die Ressourcen knapp werden – weshalb sie um sie kämpfen, ganz nach dem Motto: Besser ich habe sie als du! Da sie nur das Ergebnis vor Augen haben, vergessen die roten Verkäuferinnen und Verkäufer allzu gern und allzu leicht die Menschen, die an ihrer Seite stehen. Das ist die größte Schwäche der Rotdominanzen.

Wer als Verkäufer rotdominant ist, gehört zu den aufgabenorientierten, extrovertierten Persönlichkeiten.

Der gelbe Verkäufer

Der gelbe Verkäufer ist der Sunnyboy in der Typologie und Motivator und Kommunikator zugleich. Für ihn sind Fremde lediglich Freunde, die er noch nicht kennt. Er ist der geborene Entertainer und Akquisiteur. Er hat tausend Ideen, die er mit sprachlichen Superlativen vermarkten kann. Er ist menschenorientiert und interessiert sich für das große Bild. Details langweilen ihn eher. Spaß und Begeisterung zeichnen den gelben Typen aus.

Angetrieben wird er durch seine Neugierde: Das macht die Personen mit hohen Gelbanteilen so wertvoll für den Verkauf. Wer mehr über den anderen erfahren möchte, der muss den anderen auch kennenlernen. Der gelbe Typ ist daher auch ein Finder, der loszieht, um stetig irgendwelche neuen Bekanntschaften in die Firma einzubringen.

Die Gelbdominanzen sind Träumer und entwickeln jeden Tag Hunderte von Ideen. Diese Stärke ist gleichzeitig auch die große Schwäche eines gelben Typen: Denn die Umsetzungsstärke eines visionären Motivators ist nur mäßig ausgeprägt, sodass er sich dadurch leicht verlieren kann. Findet die Gelbdominanz allerdings einen Rahmen, der ihr Orientierung und Struktur gibt, funktioniert sie hervorragend im Verkauf. Erhalten gelbe Typen Hilfe, indem sie ein wiederholbares System in die Hand bekommen, erzielen sie als gelbe Verkäufer Rekordumsätze.

Die Gelbdominanz gehört zu den menschenorientierten und extrovertierten Persönlichkeiten.

Der grüne Verkäufer

Der grüne Typ ist der geborene Berater und Unterstützer, indem er ein stetiger, auf Kontinuität bedachter Persönlichkeitstyp ist. Der grüne Verkäufer kann sich zurücknehmen, zuhören und ist am Menschen interessiert. Gründominanzen erstellen tolle Konzeptlösungen für Kunden und bauen stabile und nachhaltige Beziehungen auf. Einen grünen Typen kannst du heiraten, denn er geht mit dir durch dick und dünn. Loyalität zeichnet ihn aus: Er wird dich nie verraten und viel verzeihen. Er ist menschenorientiert, ein Unterstützer, perfekter Berater, Mediator und ein Developer von Angeboten und Strategien.

Harmonie ist der Antrieb des Grünen. Er weiß, dass Menschen nicht perfekt sind, und sieht daher über vieles hinweg. Er drängt Kunden nicht zum Abschluss – was auch sein größtes Problem im Verkauf ist. Grüne Typen führen tolle Gespräche, Closen am Ende aber wenige Abschlüsse.

Da der grüne Verkäufer auf Harmonie aus ist, fällt ihm auch die Akquise und eine damit verbundene Ablehnung zu ertragen schwer.

Ein Job als unterstützender Key Accounter ist im Verkauf genau sein Ding: Mit den richtigen Motiven ausgestattet hat auch die Gründominanz Smartseller-Potential! Aufpassen muss die Gründominanz darauf, dass sie nicht von anderen ausgebeutet wird. Da ein grüner Typ nicht gerne in Konfrontation mit anderen tritt, gibt er zu oft nach – und stellt seine eigenen Bedürfnisse hinter anderen an.

Die Gründominanz gehört zu den menschenorientierten introvertierten Persönlichkeiten.

Der blaue Verkäufer

Als Letzter in der Reihe des DISG-Modells findet sich der gewissenhafte blaue Verkäufer wieder. Die Blaudominanz liebt Zahlen, Daten und Fakten. Ein blauer Typ vertieft sich als introvertierter Experte in die schwierigsten Sachverhalte.

Da sein Antrieb die Emotion der Angst ist, kann er sehr schlecht Entscheidungen für sich treffen. Er hat das berüchtigte Pokerface und kaum Gesichtsmimik. Da er sehr vorsichtig und introvertiert ist, benötigt er sehr lange, um aktiv zu werden. Er prüft alle Optionen und denkt jeden Sachverhalt durch.

Dieser Persönlichkeitstyp eignet sich am wenigsten als Verkäufer. Denn gerade die Eigenschaften eines Smartsellers, der optimistisch nach der Try and Error-Methode arbeitet, auch unter unsicheren Bedingungen schnell Entscheidungen trifft und wagemutig neue Menschen und Netzwerke aufschließt, passen so gar nicht zu den Eigenschaften der Blaudominanzen.

Die Blaudominanz gehört zu den aufgabenorientierten, introvertierten Persönlichkeiten.

Und, fühlst du dich bereits jetzt einem Idealtypus verbunden?

Vielen Menschen geht es so, dass sie sich einer der vier Farbdominanzen auch spontan zugehörig fühlen; manchmal werden die Ergebnisse der Tests damit auch vorweggenommen. Gleichzeitig stellen sie bei einer näheren Betrachtung fest, dass manche Eigenschaften, die dem Idealtypus ganz logisch zugeordnet werden, gerade nicht ihre eigenen sind. Sie kritisieren zudem, dass andere Eigenschaften wenig oder gar keine Beachtung finden und das letztlich binäre Konzept der Zuordnung gerade deshalb schwierig bleibt, weil es die individuellen Stärken, wenn sie in einem Graubereich liegen, als Schwarz-Weiß-Modell schlecht beleuchten kann.[22]

Hinzu kommt, dass die Talentanalyse letztlich einen Zustand abbildet, der im Moment der Testung festgehalten wird. Die Dynamik, die eine Persönlichkeitsentwicklung hat, wird dabei wenig abgebildet, obwohl gerade das Changieren der Möglichkeiten das eigene Verhalten prägen kann – und gerade diejenigen, die stetig dazulernen, dieses Verhalten aus einem wachsenden Pool der Möglichkeiten ableiten. Die Ergebnisse können deshalb nicht als maximal final und unumstößlich richtig behandelt werden.

Es macht daher Sinn, die Talentanalyse nicht als letzte, exakte Bestimmung zu verstehen – sondern vielmehr als eine Annäherung. Die Kategorien, die in der Analyse abgefragt werden, ermöglichen dabei einen systematischen Zugang der Be- und Zuschreibung, weil erst die Kategorisierung mit ihren Bezugspunkten Unterschiede erkennen lässt – und damit auch den Raum für Entwicklung und Möglichkeiten aufzeigen kann. Sie stellt den Versuch dar, Unterschiede deutlich zu machen – und damit kleinere, größere und unwahrscheinliche Potentiale zu ergründen.

Es empfiehlt sich daher unbedingt, auch diese Annäherung, die mit einem System wie der AECdisc-Analyse und dem DISG-Modell arbeitet, als einer der Perspektiven der Potentialbestimmung eine Sicht zuzugestehen, die unser Blickfeld im Gesamten erweitert.

---

[22] Beachtet werden sollte zudem, dass die Typologien von C.G. Jung und Eduard Spranger, die der Methode zugrunde liegen, als Ausgangspunkte wissenschaftlich gesehen wie auch ideologisch betrachtet durchaus umstritten sind.

Die Methode sollte auch gleichermaßen als nützlich wie kritisch betrachtet werden, wenn es darum geht, mit bestimmten Werten die Art der Ausprägung einer Eigenschaft abzubilden. Dazu werden in einer Auswertung der individuellen Tests bestimmte Konstellationen einem bestimmten Stil zugeordnet.

Dabei wird gerade in diesem Punkt der Versuch unternommen, einen zu einfachen Dualismus zu überwinden – wobei gleichzeitig eben hierin die Schwierigkeit jedes Tests liegt und dort sicherlich die individuelle Fehlertoleranz der Testung am höchsten ist.

Die Talentanalyse mit dem vorgestellten Modell bleibt dabei einem Spannungsfeld unterworfen – und ist gleichzeitig spannend. Gerade eine idealtypische Argumentation im Sinne C.G. Jungs kann dabei hilfreich sein, seine eigenen Dispositionen mit einem theoretisch hergeleiteten Bezugspunkt abzugleichen.

Da das Verfahren relativ verbreitet ist, besehen sich auch viele Personalverantwortliche die grafischen Auswertungen. Tatsächlich finden sie eine Mehrzahl aller erfolgreichen Verkäufer in ihren Verhaltenspräferenzen in dem Bereich wieder, der in der Farbenlehre der Typologie im roten, gelben und grünen Bereich liegt: Hier ist die Wahrscheinlichkeit hoch, dass man Potentiale hat, die einen Erfolg im Verkauf uneingeschränkt möglich machen.

Das Farbspektrum wird in der Auswertung in einem Kreis dargestellt, bei dem der rote Bereich auf 14 Uhr liegt, während der grüne Bereich bei 19 Uhr liegt; gleichzeitig wird dem Farbspektrum jeweils ein Typ zugeordnet, sodass die Topverkäufer in den Bereichen gefunden werden, die zwischen dem Initiator bis hin zum Unterstützer liegen.

Es liegt dann an der Branche, dem spezifischen Unternehmen und der eigentlichen Tätigkeit, ob eher ein Verkäufer oder eine Verkäuferin im roten, gelben oder grünen Spektrum bevorzugt wird.

Wir sollten bei der Bewertung aller Ergebnisse dabei stets im Blick behalten, dass es wie bereits gesehen nicht um das einmalige, statische Feststellen von Dispositionen geht, sondern vielmehr darum, Bezugspunkte für die Analyse einer Dynamik zu erhalten, von denen wir ausgehen können. Unsere persönliche Analyse versteht sich somit nicht als das Ende, sondern vielmehr als Ausgangspunkt und Ansatz einer Entwicklung.

Wenn wir dies verstehen, werden wir auch nicht vom Problem des MissMatching aufgehalten, sondern erkennen gerade dann, wenn es zu einem MissMatching kommt, dass eine Entwicklung stattgefunden hat! Ein positives MissMatching zeigt uns gerade, dass wir uns in unserer Praxis zum besseren entwickelt haben.

Das Problem des MissMatching sollten wir deshalb nicht nur als Problem des spezifischen Testverfahrens begreifen, sondern auch als Indikator dafür, dass eine Entwicklung möglich ist!

Zugleich zeigt es uns auf, dass unser Potential meistens größer ist und auch in Bereichen abgerufen werden kann, die unsere standardisierten Verfahren nicht erfassen können.

Wer ganzheitlich argumentiert, stellt ohnehin fest, dass das MissMatching nicht die einzige Schwierigkeit ist, die uns im Umgang mit diversen Testverfahren begegnet. Während das MissMatching zeigt, dass es offensichtlich nicht immer ausreicht, noch vor dem praktischen Versuch des Umgangs mit einer Aufgabe bestimmte Fragen dazu zu beantworten, um tatsächliche Ergebnisse vorauszusagen, so geht es letztlich bei allen Tests auch darum, welche Fragen nicht gestellt werden – oder anders gesagt: Können die gestellten Fragen das ganze Untersuchungsfeld beleuchten, oder bleibt ein blinder Fleck, der vielleicht entscheidend ist?

Testungen jeder Art haben in diesem Sinne stets eine begrenzte Aussagekraft und vermitteln niemals das ganze Bild. Gleichzeitig gilt, dass die Aussagekraft für das Setting der Testung einen gewissen Sinn ergibt; und je differenzierter dabei gearbeitet wird, desto differenzierter wird eine Bewertung ausfallen.

Der perfekte Test existiert dagegen nicht – und muss es auch nicht tun, wenn er entsprechend eingeordnet wird.

Das liegt kulturphilosophisch betrachtet auch daran, dass die Tests jeweils eine eigene Art der Kommunikation einführen – und wir nicht den Fehler machen dürfen, diese Art der Kommunikation in jedes andere Kommunikationsfeld übertragen zu können.[23]

Eine multiperspektivische Herangehensweise der Potentialbestimmung ist sich dessen bewusst, zumal es von der Situation abhängt, ob wir unser Potential abrufen können oder nicht. Unsere Talente liegen buchstäblich oft in verschiedenen Feldern – und müssen jeweils in diesem Feld gelebt werden.

Es empfiehlt sich daher auch, dass man Testverfahren wie die Optimismus- und Talentanalysen im Abstand gewisser Zeiträume wiederholt. Interessant ist dann der Vergleich der Ergebnisse deshalb, weil sich den Ergebnissen dann einerseits die Potentiale, die kontinuierlich abgerufen werden, ablesen lassen, und anderseits die Entwicklung und Entdeckung neuer Eigenschaften.

---

[23] Philosophen wie Ernst Cassirer haben gezeigt, warum das so ist: Das Feld der symbolischen Form, das seine eigene Kommunikation umfasst, indem es etwa eine mythische Geschichte aufschließt, arbeitet mit den symbolischen Formen des Mythos; die symbolische Form der Kommunikation, die mit dem Kunstwerk einer Symphonie entsteht, wird in der symbolischen Form der Musik wirken; und die Sprache der Wissenschaft wird innerhalb des Feldes Sinn machen, aber nicht dann, wenn die Menschen über ihren persönlichen Glauben kommunizieren. Die symbolischen Formen – die Kommunikation innerhalb des Feldes – sind nicht immer miteinander kompatibel. Vgl. dazu das Hauptwerk Ernst Cassirers: Philosophie der symbolischen Formen. Nachdruck, Darmstadt 1964. – Als eine Einführung empfiehlt sich Ernst Wolfgang Orth, Urs Büttner, Martin Gehring, Mario Gotterbarm, Lisa Herzog, Matthias Hoch: Potentiale der symbolischen Formen. Eine interdisziplinäre Einführung in Ernst Cassirers Denken. Würzburg 2011.

Potentialebene 2: Das Potential des Systems in Verkaufsprozessen

Wer sich klarmacht, dass wir über fünfzig Prozent der Lebenszeit mit Schlafen und der Versorgung unseres Körpers und weitere fünfundvierzig Prozent der Zeit mit immer wiederkehrenden, abgespeicherten Denk- und Lebensgewohnheiten zubringen, macht sich bewusst, dass für das Erreichen unserer beruflichen Ziele im Gesamten betrachtet nur ein kleiner Anteil von Zeit zur Verfügung steht. Umso wichtiger ist es deshalb, diese Zeit gut auszufüllen.

Die effektive Nutzung von Verkaufspotentialen bekommt vor dem Hintergrund der verfügbaren Zeit eine weitere Bedeutungsdimension. Unser Verkaufspotential zu bestimmen bedeutet in diesem Kontext, zu erfahren, in welcher Zeit wir einer bestimmten Anzahl an potentiellen Kundinnen und Kunden von unserem Angebot erzählen können. Dabei arbeiten wir buchstäblich gegen die Zeit: In jeder Minute, in der wir nicht an der Ausschöpfung unseres gesamten und gesamtmöglichen Verkaufspotentials arbeiten, verlieren wir letztlich Umsatz und Marktanteile.

Es gilt daher, das vorhandene persönliche Potential auszuschöpfen und auch bestmöglich zu verbessern – und dazu braucht es ein gutes System. Die Kombination des persönlichen Potentials mit dem Systempotential eröffnet neue Möglichkeiten: Systeme vergrößern als externe Faktoren unser persönliches Potential – und ermöglichen es erst, unser Potential zu skalieren.

Die Erarbeitung eines Systems, das die bestmögliche Automatisierung aller Abläufe zum Ziel hat, wird über Fragen designed. Wer die richtigen Fragen stellt und abarbeitet, kann systematisch verkaufen.

Wie das funktionieren kann, macht uns McDonalds vor: Als Erfinder der Systemgastronomie erkannte der Konzern um Gründer Ray Kroc als eine der ersten Firmen, dass mit einem immer gleichen Vorgehen – angefangen beim Angebot der Speisen über den Bestellvorgang bis hin zur Zubereitung – vor allem Zeit gespart werden kann – und die Zielgruppe dann optimal bedient wird.

Ein einmal implementiertes System eröffnet also die Möglichkeit, Zeitersparnisse zu realisieren!

Die richtigen Fragestellungen schaffen dabei ein Bewusstsein dafür, wie ein Geschäftsmodell jene ›McDonaldisierung‹ erfahren kann. Die Zeitersparnisse sorgen für Planbarkeit und Skalierbarkeit – und können damit die Basis für das weitere Wachstum des Geschäftsmodells legen.

Smartsellerinnen und Smartseller stellen sich folgende Fragen, um ihre eigene McDonaldisierung voranzutreiben:

M
M
M
COPY &
PASTE

Der Fragekomplex zur Gewinnung von Interessenten innerhalb der Zielgruppe lautet:
Wer ist meine Zielgruppe?
Was möchte diese Zielgruppe?
Wie gewinnt man diese Zielgruppe für sich?
Wie erfährt die Zielgruppe von unserem Angebot – und wie erfährt sie, dass es uns gibt?
Wie werden Leads in der Zielgruppe gewonnen?

Ein weiterer Fragenkomplex betrifft die Kontaktansprache und Terminvereinbarung:
Wie werden Termine mit den Zielpersonen der Zielgruppe vereinbart?
Wie funktionieren die Abläufe bei einer telefonischen Terminvereinbarung?
Erhalten Interessenten vor dem Termin eine Erinnerung?
Gibt es einen Ablaufplan zur Terminierung der Leads?
Sind Telefonskripte und vorgefertigte E-Mail-Bestätigungen vorhanden?

Auch in Hinblick auf das Verkaufsgespräch sind diverse Systemfragen zu beantworten:
Wie wird das Verkaufsgespräch aufgebaut?
Existiert eine Verkaufspräsentation mit Skript?
Wie erzeugt unsere Verkaufspräsentation Vertrauen beim potentiellen Kunden?
Ist die Verkaufspräsentation verkaufspsychologisch aufbereitet?

Daran schließt sich der Fragekomplex zur Angebotserstellung an:
Wie ist das Angebot gestaltet?
Wie transparent ist das Angebot aufgebaut?
Welcher Logik folgt die Ausarbeitung des Angebotes?
Sind Musterkonzepte ausgearbeitet, die ein Copy & Paste-Verfahren ermöglichen?
Gibt es Muster-E-Mails zum Angebot?

Weiter geht es mit den Fragen zum Abschluss:
Wie wird das Closing durchgeführt?
Gibt es ein Drehbuch und Skript dazu?
Ist das Closing verkaufspsychologisch aufgebaut?

Die Fortsetzung findet der Katalog mit den Fragen zum After Sales-Prozess:
Wie ist der After Sales-Service aufgebaut?
Erhält der Kunde eine Zusammenfassung des Closing-Gesprächs?
Erhält die Kundin eine Aufmerksamkeit nach dem Kauf?
Wie reduziert man einerseits Kaufreue im After Sales-Prozess und belohnt andererseits die Kaufentscheidung?
Wie begeistert man die Kunden und Kundinnen nach dem Kauf und wie fragt man nach Empfehlungen?

Nicht zu vergessen ist der Fragenkomplex zum Bestandskunden-Management:
Wie hält man vier bis sechs Mal im Jahr den Kontakt zum Kunden?
Welche Touchpoints zum Kunden werden gepflegt, etwa an Geburtstagen, Weihnachten, Serviceterminen und weiteren Anlässen?
Wie können wir die Beziehung zu Kunden und Kundinnen vertiefen, um Anschluss-Verkäufe zu realisieren und weitere Empfehlungen zu erhalten?

Smartseller und Smartsellerinnen, die wirklich Erfolg haben möchten, entwickeln aus den Antworten auf diese Fragenkomplexe Systeme, die möglichst automatisiert funktionieren. Denn sie verstehen eines schnell: Mit funktionierenden, möglichst einfachen Systemen kann eine smarte Umsatzfabrik exponentiell wachsen und das Einkommen vervielfachen – und all dies passiert garantiert nur, wenn das System überzeugend aufgebaut wurde.

Nehmen wir an, du beginnst ganz neu in deinem Beruf als Verkäufer: In deinem ersten Jahr erzielst du ein Einkommen von 16.000 Euro. Im zweiten Jahr verdoppelt sich dein Einkommen aufgrund verbesserter fachlicher, persönlicher und verkäuferischer Fähigkeiten, die mit der Einführung des Systems und bestimmter Techniken zusammenhängen, auf 32.000 Euro. In den kommenden Jahren verfeinerst du in allen Bereichen deine Qualitäten – und du wirst sehen, wie dein Einkommen weiter ansteigt.

Der größte Hebel in den späteren Jahren deiner Tätigkeit ist das Finetuning deiner Systeme! Klug eingesetzt, führt dieser Hebel zur Verdopplung deines Einkommens auf 64.000, 128.000, 256.000, 500.000 bis hin zu einer Million Euro.

Fakt ist, dass Topverkäuferinnen und Topverkäufer mit diesem Hebel in nur sieben Verdopplungsschritten bereits den Status eines Einkommensmillionärs erreichen können.

Stelle also möglichst früh sicher, dass du dir Systeme aufbaust, die Schritt um Schritt eine siebenmalige Verdopplung deines Einkommens ermöglichen!

Ein übergeordnetes Ziel ist es dabei, seine Tätigkeit meisterlich auszuüben. Als Faustregel gilt, dass es eines Zeitinvestments von zehntausend Stunden bedarf, bis man diese Meisterschaft erreicht. Das gilt auch für den Umgang mit meisterlichen Systemen, der neben der kontinuierlichen Weiterentwicklung der fachlichen, persönlichen und verkäuferischen Qualitäten so wichtig ist.

Unterstellt man, dass alle drei Jahre die 10.000-Stunden Regel erfüllt werden kann, wenn es um die Meisterschaft eines Systems geht, dann werden einundzwanzig Jahre benötigt, bis alle sieben Verdopplungsschritte des Einkommens bis zur Millionengrenze erreicht worden sind. Dazu bedarf es, wie bereits ausgeführt, der Ausschöpfung aller fachlichen und persönlichen Potentiale und ebenso der ständigen Verbesserung aller umsatzrelevanten Prozesse.

Smartseller und Smartsellerinnen sind sich daher der Macht der McDonaldisierung ihres Geschäftsmodelles bewusst: Neben unserem Talent entscheiden gerade die implementierten Systeme über unseren Erfolg, weil sie als die wichtigsten Potentialtreiber dafür verantwortlich sind.

Potentialebene 3: Das Leistungspotential des Flow

Der Verhaltensbiologe Felix von Cube geht in seinem Buch ›Lust auf Leistung‹ den notwendigen Bedingungen auf den Grund, die Spitzenergebnisse im Leben ermöglichen.[24] Er geht dabei auch der Frage nach, wie das motivatorische Potential eines ›Flowkanals‹ gehoben werden kann.

Die von Felix von Cube vertretene These lautet dabei: Erfolgreich wird, wer die gleichen Abläufe über Jahre, immer wieder, mit derselben Intensität und Begeisterung durchführt – mit Lust auf diese Leistung.

Das führt zu der Fragestellung, welche Bedingungen gegeben sein müssen, damit außergewöhnliche Leistungen überhaupt erst ermöglicht werden – und wie die Lust darauf am Leben gehalten wird.

Bei seiner Beschäftigung mit diesen Bedingungen stellt von Cube fest, dass – egal ob im Sport, im Business oder der Kunst – außergewöhnliche Erfolge sich immer in einem Zustand des Flow offenbaren, einem Zustand, bei dem diese Lust auf Leistung ganz von selbst eintritt.

Das Gefühl des Flow stellt sich ein, wenn Menschen in einer Tätigkeit, bei der sie weder überfordert noch unterfordert sind, vollkommen aufgehen. Im Umkehrschluss führt dies auch zum Postulat, dass ohne die Lust auf Leistung keine Spitzenergebnisse realisierbar sind.

Es ist erstaunlich, dass diese Lust auf Leistung, die immer auch eine extreme Anstrengung bedeutet und beinhaltet, von vielen Menschen erlebt werden kann – und dies, obwohl wir in einer Überflussgesellschaft leben, in der unser bloßes Überleben auch ohne die Leistungen der Extraklasse mehr als gesichert ist. Die Erklärung dafür ist in den Glücksgefühlen zu suchen, das ein Flow-Zustand auslöst!

Es ist wirklich ungeheuer spannend, der Frage auf den Grund zu gehen, weshalb wir mit dem Gefühl des Flow ausgestattet werden. Warum empfinden wir Menschen überhaupt den Flow?

---

[24] Vgl. hier und im Folgenden: Felix von Cube: Lust an Leistung: Die Naturgesetze der Führung. München 1997. – Vgl. hierzu auch: ›Lust an Leistung und Führung durch Fordern – Naturgesetzte der Führung – Die BioLogik des Erfolgs«, auf youtu.be/9HW-KO-k7K2A, aufgerufen Oktober 2023.

Die Antwort findet Felix von Cube im menschlichen Verhalten, das er von starken Trieben abhängig sieht – und nimmt dabei einen Trieb besonders in den Fokus, wenn es um den Flow geht.

Mit dem Beispiel des Bergsteigens kann besonders gut illustriert werden, worum es dabei geht. Immer wieder berichten Menschen davon, dass sie während einer Tour im Hochgebirge ein Gefühl des Flows erleben. Allerdings stellt sich, da auf einem Berg nichts wächst und dort auch niemand dauerhaft lebt, die Frage, woher das Flow-Gefühl beim Bergsteigen stammen könnte, gerade weil die Tätigkeit erst einmal keinen ausgewiesenen Nutzen hat? Sowohl der Nahrungstrieb als auch der Fortpflanzungstrieb scheiden offensichtlich als Begründung aus.[25]

Felix von Cube identifiziert daher den Trieb der Neugierde als den Auslöser des Flows. Seine Erklärung dazu ist etwas diffizil:

Wie fast alle Tiere gehen auch wir Menschen auf das Neue vorsichtig zu. Das Neue stellt jedoch einen Reiz dar, auf den Menschen stets besonders reagieren. Das reizvolle Neue ist zugleich aber unbekannt – und aus biologistischer Argumentation heraus gefährlich für das Überleben des Menschen. Trotzdem ist der Reiz des Neuen so stark, dass er oftmals die Oberhand über das Zurückweichen vor der Gefahr gewinnt. Der evolutionäre Vorteil des Neugierdetriebs besteht nun in der Möglichkeit, aus dem gefährlichen Unbekannten etwas Vertrautes und Sicheres zu machen. Damit geht der Neugierdetrieb letztlich einher mit dem Sicherheitstrieb. Das Flow-Prinzip stelle sich daher ein, wenn eine Umwandlung von Unsicherheit in Sicherheit stattfindet, argumentiert Felix von Cube.

Wir Menschen suchen daher permanent nach der Erweiterung des Sicherheitsbereiches: Je mehr Probleme wir in unserem Leben lösen, je mehr Menschen wir kennenlernen, je besser wir unsere Umwelt studieren, desto gesicherter ist unser Überleben.

---

[25] Gerade die biochemischen Untersuchungen der Hormonhaushalte von Höhenbergsteigern legen nahe, dass sie die einzige Sportart betreiben, bei der es zu ähnlichen Ausschüttungen kommen kann wie beim Geschlechtsverkehr! Welcher Einfluss gerade ein Aufenthalt im Gebirge auf den Menschen hat, gehört auch zu den neueren medizinischen Forschungsfeldern, in denen über die Bedeutung von ›Green, Blue und White Spaces‹ interessante Beobachtungen gemacht werden.

Der Zugewinn an Sicherheit wird dann mit dem berauschenden Flowgefühl belohnt.

Um das volle Potential des Flows zu erleben, bedarf es zweier Voraussetzungen: Zum einen braucht es viel Unsicherheit, oder anders gesagt: neue Herausforderungen, zum anderen viele unbekannte Situationen. Wer dieselben Situationen wieder und wieder in gleicher Weise erlebt, der wird feststellen, dass er den Flow weniger und weniger spüren kann. Erst dann, wenn wir eine neue Herausforderung suchen und zulassen, werden wir wieder in den Flow-Kanal finden.

Gerade Profis haben über die Jahre des theoretischen und praktischen Studiums gelernt, aus Unsicherheit viel Sicherheit zu erschaffen. Damit ein Profi über die Jahre jedoch weiterhin ein Gefühl des Flows erleben kann, bedarf es immer schwierigerer Herausforderungen, denen man sich stellen muss. Das wiederum lässt Profis immer besser werden. Denn je mehr Flow wir erzeugen wollen und dann auch tatsächlich erzeugen, desto kreativer werden wir.«

Experten und Profis erzielen neue und überraschende Erfolge gerade aufgrund des Flows – und gleichzeitig im Bestreben, den Flow wieder und wieder zu erleben.

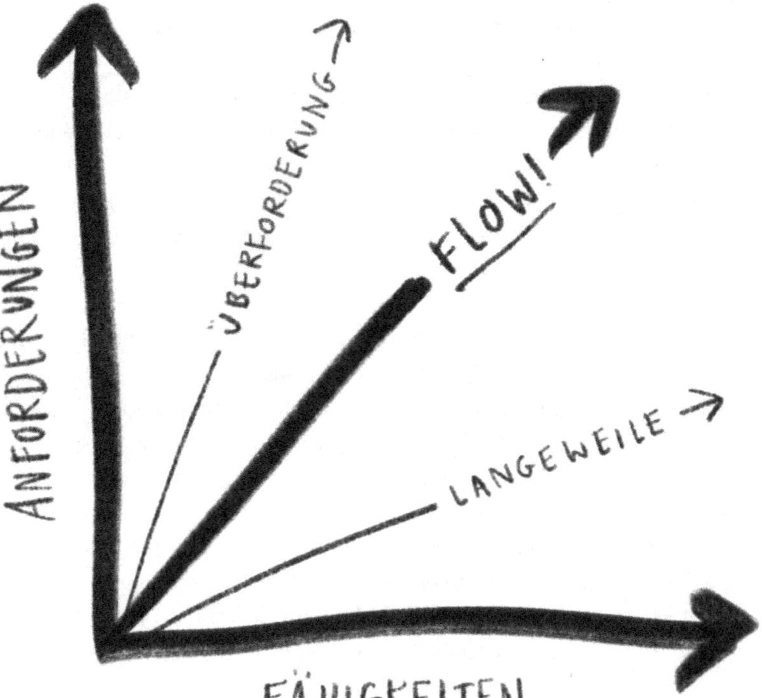
ANFORDERUNGEN
ÜBERFORDERUNG →
FLOW!
LANGEWEILE →
FÄHIGKEITEN

Die Flow-Motivation findet aus biologistischer Sicht ihre Entsprechung in allen Triebmotiven. Menschen streben nach Erfolg, Geld und Macht, um ihren Status in der Hierarchie zu erhöhen. Schaut man sich Tiersozietäten an – zum Beispiel Löwen oder Wölfe – können auch dort die Bemühungen um Status beobachtet werden, die sich in Rangordnungskämpfen bemerkbar machen. Das Ziel dieser Rudelkämpfe liegt immer darin begründet, zum Ersten des Rudels aufzusteigen. Wer Boss des Rudels wird, erhält Fress- und Sex-Privilegien.

An der Spitze einer Hierarchie ist das Überleben und das Fortpflanzen angenehmer gestaltet als am unteren Ende – und das findet in der Menschenwelt seine Entsprechung im »Schneller! Weiter! Höher!«

Dabei ist es der Natur egal, ob du oder ein anderer den Alpha-Status innehat: Die Raffinesse der Natur liegt vielmehr darin, dass die Akteure im Biotop stets ihre volle und beste Leistung abrufen müssen, um nach oben zu kommen! In der Tierwelt wird durch dieses Prinzip die Leistungsfähigkeit der gesamten Population angespornt und damit die Überlebenswahrscheinlichkeit dieser Gesamtpopulation größer.

Dem Konzept des Flows können selbst diejenigen, die seiner biologistischen Herleitung kritisch gegenüberstehen, viel abgewinnen. Die Freude an der Verschiebung von Grenzen, die sich ausbreitet, wenn man eine neue Herausforderung bewältigt, kann als Phänomen auch als soziale Errungenschaft erklärt werden. Das Streben nach Meisterschaft und Expertentum macht uns nämlich zu etwas Einzigartigem, etwas Besonderem!

Die Mittel und Felder, auf denen wir diese Meisterschaft erringen, sind viel weiter gefasst als die eines tierischen Rudels: In der menschlichen Gruppe können wir uns nicht nur durch bloße Stärke auszeichnen, sondern auch mit den außergewöhnlichen Soft Skills überzeugen.

Eben deshalb müssen wir als Smartsellerinnen und Smartseller auch zum Experten für menschliches Verhalten werden. Unser Erfolg wird sich dann einstellen, wenn es uns gelingt, zu den Besten zu werden, und gleichzeitig unsere Mitmenschen für uns zu gewinnen.

Vielleicht sollte es deshalb unser Ziel sein, zuvorderst in den Wettbewerb mit uns selbst zu treten, wenn wir nach dem Zustand des Flows streben. Denn die Überwindung von Grenzen kennt zunächst den Bezugspunkt, der in uns selbst schlummert: Es geht letztlich darum, unsere persönlichen Grenzen zu erweitern. Wenn wir unsere Komfortzone verlassen und das Neue wagen, stellt es sich meist ganz von selbst ein, dass wir dabei auch die Grenzen überwinden, die für viele Menschen bestehen.

Gerade diese Wahrnehmung – unsere Meisterschaft als Prozess der Persönlichkeitsentwicklung, die auch von anderen deutlich gesehen werden kann – zeigt uns letztlich, dass wir unsere Ziele tatsächlich erreichen. Denn wenn sich der Flow einstellt, so spüren wir intuitiv, auf dem richtigen Weg zu sein und unseren Antrieb maximal zur Zielerreichung einzusetzen.

Bestleistung lohnt sich – und nicht nur in Bezug auf unser berufliches Fortkommen, sondern auch für die Entwicklung unserer Persönlichkeit. Großes Wachstum ist dann möglich, wenn wir groß denken und handeln; bleiben wir von vornherein ohne Ambition, werden wir keine Meisterschaft erreichen und unser Potential des Besserwerdens somit auch nicht abrufen.

Bestleistung ist zudem nötig, wenn wir das Potential des Flows für uns nutzen möchten. Fakt ist, dass Smartseller einen hohen ökonomischen Wert besitzen, der stetig ausgebaut werden kann. Das Resultat ist, dass Smartseller im Verkauf mutig neue Netzwerke erschließen; und das führt wiederum bei einem Leben, das über lange Zeit mit Mut am Rand der Überforderung gelebt wird, aber auch beständig im Flow-Kanal.

Wer einmal im Flow-Kanal gewesen ist, sucht sich als Smartseller und Smartsellerin ständig selbst höhere Verkaufsziele, um bei ihrer Erreichung durch die Überwindung des Unmöglichen und die Eroberung des Unbekannten immer wieder aufs Neue jenen Flow zu erleben. Der Flow sorgt somit dafür, dass Smartsellerinnen und Smartseller lernen, mit der Zeit ihre tiefliegenden Potentiale immer besser ausschöpfen zu können. Das macht sie zu den erfolgreichsten ihrer Branche.

Neben unserem persönlichen Talent und einem implementierten System trägt das Flow-Konzept dazu bei, unser volles Leistungspotential entfalten zu können.

Der Epilog: **Henrys Moment der Epiphanie**
Oder: Smartseller Zero ready for next steps

Als Henry an diesem Montagabend von der Universität nach Hause kommt, ist er erschöpft, aber auch glücklich. Die letzte Klausur des Semesters liegt hinter ihm. Zwar lief nicht alles optimal, doch Henry ist mit sich zufrieden - er ist ganz gut durchgekommen, da ist er sich schon jetzt sicher.

Die letzten beiden Semester haben sich groß angefühlt - und das weniger, weil Henry in der Universität so richtig durchgestartet wäre. Aber heute Mittag, als alle Studentinnen und Studenten aus dem Hörsaal geströmt waren und viele von ihnen noch aufgeregt über die Inhalte der Prüfung und die besten Antworten diskutiert hatten, fast alle aufgekratzt und irgendwie nervös bis nach der Prüfung, fühlte er sich dagegen plötzlich von einer großen Ruhe - oder vielmehr: einer Gewissheit! - erfüllt.

Wie ein solider Stein, der sich vom unsteten Uni-Leben umflossen sieht, stand Henry einige Momente still - und genoss den Augenblick einer kleinen Epiphanie. Natürlich war ihm da, inmitten der anderen Studierenden, keine Heilige erschienen, aber für einen Moment sah er ganz deutlich, wie er zu einem Punkt gefunden hatte, an dem ihm plötzlich klar wurde: Ich habe jetzt einen Plan!

Henry war plötzlich bewusst geworden, was sich im letzten Jahr verändert hatte: Er selbst war es! Dabei hatte er ein Mindset ausgeformt, das im besten Sinne eines war: ANDERS und mutig, überzeugt davon, dass dies erst der Anfang war und viel passieren wird.

Er hatte seine Persönlichkeit durchleuchtet und eine Ahnung von dem Potential bekommen, das er eigentlich besitzt.

Vielleicht schreibt das Leben die besten Zufälle, doch hatte Henry passend dazu am frühen Morgen noch vor der Prüfung, als er den Hausflur entlang geschaut hatte, schon von Weitem einen Schimmer von Gold entdeckt, der halb aus dem Schlitz seines Briefkastens hervorschaute. Neugierig war Henry nähergetreten. Im Kasten lag ein goldfarbener Umschlag aus teurem, schwerem Papier, auf dem in bekannten geschwungenen Lettern zu lesen war:

FÜR DAS NEUE MITGLIED
LOGE DER SMARTSELLER

Es folgte die bekannte Adresse aus der besseren Gegend, und auch dieses Mal schloss sich noch ein Spruch an:

Entwickle die Philosophie der SMARTSELLING LEADERSHIP.
Wachse auf dem ANDERSWEG zum Erfolg und werde ANDERSPRENEUR.

»Lieber Henry!«, fing der Brief an, den Henry aus dem Umschlag gezogen hatte. »Es ist so weit: Du bist bereit für das nächste Level. Du hast Deine Potentiale als Smartseller für Dich entdeckt und Dein Mindset geschärft, sodass Du gewachsen bist, seit wir uns das erste Mal begegnet sind.

Ich war damals schon ganz sicher, dass Du diesen Weg schaffen würdest. Sicherlich ist Dir inzwischen klar, was es mit dem ANDERSWEG auf sich hat:

Es ist dies ein Weg, der mit Mut begangen werden muss!

Es braucht Mut, die Fehler im System zu finden und zu kennen, und es braucht Mut, daraus die richtigen Schlüsse zu ziehen!

Wer den ANDERSWEG zum Erfolg geht und die Philosophie der Smartselling Leadership verinnerlicht, der wird damit beginnen, frei und selbstverantwortlich sein eigenes Leben in die Hand zu nehmen. Nicht nur als freie, selbstbestimmt handelnde Person im Allgemeinen, sondern auch als Verkäufer im Besonderen!

Zugleich wird er verstehen, wie viel in Zukunft möglich sein wird - wenn wir diese Zukunft in die eigenen Hände nehmen. Wir müssen Mythen und Talentlügen hinter uns lassen, und uns auch von den falschen Versprechungen und den Zwängen des Systems frei machen, um es gleichzeitig zu verändern und unsere Chancen proaktiv zu ergreifen.

Übrigens hast Du dies bereits jetzt getan - am Anfang Deiner großen Karriere!

Für Deine Prüfungen an der Universität wünsche ich Dir das Beste - aber vielmehr noch für das, was später folgt, was wirklich wichtig ist. Du hast das Buch ja inzwischen gelesen und weißt, worum es geht: Das macht uns Lust auf das, was noch kommt - eine Lust auf Leistung im Flow! Wir können es kaum erwarten, so richtig einzutauchen in diesen Fluss und weiterzumachen!

Wenn wir dies verstanden haben, so wie Du, mein lieber Junge!« - Henry musste schmunzeln, als er das las - »dann können wir unsere eigene Welt verändern. Verkaufen, das ist dann weit mehr als nur ein Beruf: Es wird zu einer Berufung, mit der man sein wahres Potential lebt. Was ein Smartseller kann, darf in so vielen Bereichen des Lebens angewendet werden – und natürlich auch gerade dann, wenn man sich dafür entscheidet, den Verkauf als ein Versprechen auf diese Zukunft zu begreifen …

Doch ich schweife ab, und will an dieser Stelle auch nicht zu viel schreiben. –

Deshalb, lieber Henry, bist Du herzlich eingeladen auf unser rauschendes Sommerfest in der Loge der Smartseller! Ich verspreche Dir nur so viel: Du wirst dort nicht nur andere Deiner Art treffen, sondern auch den nächsten großen Schritt beginnen. Are you ready for take-off?

Herzlich und manisch,
Dein Guru Gee«

Henry hatte den darunter genannten Termin sogleich in seinen Kalender eingetragen – und war mit einem guten Gefühl zur Prüfung aufgebrochen.

Es ist ein lauer Sommerabend, als das Sommerfest beginnt. Guru Gee strahlt mit dem Schein der Fackeln, die den parkähnlichen Garten erleuchten, um die Wette.

An stilvollen Stehtischen stehen kleine Gruppen von Menschen, die sich neugierig umschauen und Gespräche führen, als Henry die Bildfläche betritt. Der eine und die andere lächelt ihn sogar an.

»Henry, mein Junge, da bist Du ja!«

Guru Gee eilt winkend und wie aus dem Ei gepellt durch die Menge auf Henry zu und begrüßt ihn überschwänglich, sobald er ihn erspäht hat.

»Ist das nicht schön? Sieh Dich um, mein Lieber: lauter tolle Menschen, und alle unseresgleichen!«

Henry bedankt sich artig für die Einladung zum Fest, und der Guru strahlt. »Du hättest auf keinen Fall fehlen dürfen, mein Junge. Schließlich bist Du mein Mann der Zukunft – zusammen mit einigen anderen, die sich hier versammelt haben! Ich muss Dich unbedingt vorstellen!«

Schon führt der Guru Henry von Tisch zu Tisch. Er ist ganz in seinem Element, als er diese und jenen vorstellt, wobei es sich vor allem um junge Menschen handelt, die meist nicht viel älter als Henry sind.

Der Guru weiß zu fast jeder Person eine Anekdote zu erzählen und lacht herzlich, als er den anderen erzählt, wie verloren Henry auf ihn wirkte, als er ihn damals vor der Universität zum ersten Mal angesprochen hatte. »Damals noch, in seinem vorigen Leben war das! Da wusste ich gleich, dass dieser Bursche genau richtig ist«, betont er nicht nur einmal.

Etwas abseits stehen ein drahtiger Mann mit einem Kurzhaarschnitt im besten Alter, der ein besonders breites Lächeln hat und aussieht wir ein Model, und sein kleinerer Gesprächspartner mit Vollbart, dessen wirre Haare von einem leuchtenden Band zu einem Man Bun zusammengehalten werden. Guru Gee schleppt Henry heran.

»Lieber Pastor, da bist Du ja! Das, mein lieber Henry, ist mein guter Pastor: Die Stimme der Vernunft, der gesunde Menschenverstand unserer Loge der Smartseller! Eine Stimme, die auch unbedingt gehört werden muss! Auch Du wirst noch von ihm hören.

Und da steht auch der Doktor - halt, lass ihn nicht ins Reden kommen, sonst wirst Du den ganzen Abend in Beschlag genommen! Du wirst noch früh genug auch mehr von ihm hören, und das nicht zu knapp!«

Die beiden Männer lachen fröhlich miteinander, als sie dem verdutzen Henry hinterherschauen, der im Schlepptau des Gurus schon zum nächsten Meet & Greet geführt wird.

Zum Glück werden dann die Schnittchen gereicht, sodass Henry nicht nur durchschnaufen kann, sondern auch etwas gegen sein Magenknurren unternehmen kann.

Als der Abend schon etwas fortgeschritten ist und die Besucherinnen und Besucher sich in Grüppchen um die kleinen Stehtischchen versammelt haben, wo inzwischen eine lockere Atmosphäre herrscht, werden formschöne Sektgläser an die Versammlung verteilt.

Guru Gee hebt sein Glas in die Höhe und schlägt mit seiner Gabel dagegen, bis der glockenhelle Klang die Gäste zum Verstummen gebracht hat. Henry steht da und wartet auf die große Rede – und schon fängt Guru Gee an, strahlend und voller Energie:

»Liebe Smartseller, liebe Freundinnen und Freunde der Loge der Smartseller!

Ihr alle habt meine Challenge angenommen: Als Smartseller Zero habt Ihr jeweils damit begonnen, den ANDERSWEG zum Erfolg zu bereisen. Ihr habt beschlossen, die Philosophie der SMARTSELLING LEADERSHIP zu studieren und zu praktizieren! Die Belohnung ist Euch gewiss!«

Die Ersten klatschen, als Guru Gee innehält.

»Der Applaus gilt nicht mir, sondern Euch allen!«, ruft Guru Gee, als Beifall aufbrandet, und es wird wieder stiller.

»Ja, Ihr alle seid dem Ruf des ANDERSWEGS gefolgt, der wie der Ruf der Wildnis bereits von Beginn an in Euch selbst zu hören war (auch wenn zu Beginn unserer Reise noch nicht jeder die Mittel hatte, richtig hinzuhören)!

Ihr seid als Smartseller Zero aufgebrochen auf die Reise auf dem ANDERSWEG zum ERFOLG! Und die ersten Erfolge habt ihr bereits erreicht, wenn ihr diesem Weg konsequent gefolgt seid: Ihr habt dabei Euer Potential als Smartseller Zero ausgelotet und festgestellt, dass es die Reise wert sein wird! Ihr habt verstanden, dass das Thema Verkaufen allgegenwärtig ist – und trotzdem viel zu wenig beachtet wird, sodass ihr das ändern wollt. Ihr habt verstanden, dass der Gamechanger darin liegt, in diesem Feld zum eigenverantwortlichen Akteur und zur selbstgeführten Akteurin zu werden, anstatt nur passiv die Dinge an sich vorbeifließen zu lassen!«

Der Guru schaut sich intensiv um, gerade so, als würde er sich überzeugen, dass jede und jeder Einzelne auch ganz gewiss da ist – und zeigt dann auf eine Person, die etwas abseits steht.

Henry fällt fast das Glas aus der Hand, als ihm klar wird: Die Hand zeigt auf ihn!

»Ah, da steht er: Henry, der in Wahrheit Captain Future ist! Weil Dein Weg in eine Welt führt, in der Du Zukunft hast, in der es Chancen gibt, wenn man nur bereit ist, die richtigen Schlüsse aus den Trends unserer Zeit zu ziehen. Weil der Junge das Potential dazu hat, Großes zu leisten, mit der richtigen Haltung, einem Mindset – und natürlich, weil er stets dazulernt!«

Henry wird ein bisschen rot, aber zum Glück ist es ja bereits ein wenig dunkel, sodass es niemandem auffällt.

»Und wenn ich ihn jetzt direkt anspreche, unseren Smartseller Henry, dann weiß ich, dass er eines verstanden hat: Wir brauchen keine Angst zu haben vor der Niederlage des Scheiterns. Auch das hat er schon selbst erfahren in den letzten Monaten … Das Scheitern aber gehört zum Erfolg dazu, ja, ohne die Überwindung von Hindernissen kann es diesen Erfolg ja gar nicht geben. Die Alchemie des Verkaufs hat uns gelehrt, als gestärkte Persönlichkeiten mutig aufzutreten und Dinge in Gang zu bringen. Wir haben ein Mindset entwickelt, bei dem wir mit der First Impression-Leadership unser Gegenüber für uns gewinnen können. Und wir wissen, wie unsere Potentialmaschine uns voranbringt …

Henry, ich erhebe mein Glas auf Dich und all die anderen, die ihre Smartseller-Persönlichkeit aus verschiedenen Perspektiven betrachtet haben – und damit auch die Möglichkeiten der SMARTSELLING LEADERSHIP gleichsam für sich ausgelotet! Lasst uns deshalb anstoßen auf Euch – dieses innere Fest habt Ihr Euch verdient!«

Jetzt prostet der Guru Henry zu, Henry grinst zurück und viele andere beginnen, mit ihren Sektgläsern untereinander anzustoßen. Nachdem das Klingen der Gläser abklingt, fährt der Guru fort.

»Es ist so schön, Euch an dieser Stelle des ANDERSWEGS angekommen zu sehen!

Aber ihr wisst ja auch, es ist wie beim Sport: Nach dem Wettkampf ist vor dem Wettkampf! Morgen geht es weiter, und zwar erst recht!

Ihr müsst als Smartsellerin und Smartseller gerade jetzt damit fortfahren, zu wachsen und die Kunst der Smartselling Leadership fortentwickeln – über die praktische Anwendung bis hin zur Meisterschaft! Vor Euch liegen weitere spannende Abschnitte des Wegs!

Die Kunst, ein Bestseller zu sein, muss dabei jeden Tag aufs Neue ausgeübt werden! Macht Euch bewusst, dass Ihr auf dem ANDERSWEG seid, und lebt Eure Berufung als ANDERSPRENEUR!

Und es gibt immer noch vieles mehr zu lernen! Deshalb ist Eure Challenge als Smartseller und Smartsellerinnen an dieser Stelle noch lange nicht zu Ende.

Doch seid Ihr jetzt Teil unserer besonderen Community geworden: Aus jedem von Euch, aus jedem Smartseller Zero, wird nun Smartseller Progressive! Aus den fortgeschrittenen Anfängern werden Profis, die Smartseller Advanced, und aus Profis sollen Meister ihrer Kunst werden, Smartseller Allstars. Deshalb: Jetzt erst recht gilt es, am Ball zu bleiben. Und deshalb endet meine Rede ... – aber halt, erst der Umschlag!«

Wie aufs Stichwort taucht jetzt die hübsche Assistentin des Gurus mit einem Korb auf, in dem viele Umschläge liegen, und Guru Gee lässt es sich nicht nehmen, jedem und jeder Einzelnen persönlich einen dieser Umschläge zu überreichen

Henry lächelt – solche Umschläge hat er inzwischen oft bekommen, und das Gesetz der Serie scheint auch an diesem Abend nicht zu reißen. Doch nicht nur er, offensichtlich kennen alle schon die Situation und sind gespannt, was es dieses Mal mit dem Umschlag auf sich hat. »Noch nicht öffnen«, fuchtelt Guru Gee, »gleich ist es soweit ...«

Nachdem alle mit einem Umschlag ausgestattet worden sind, verbeugt sich der Guru leicht und breitet dann feierlich die Arme aus.

»Meine Rede«, ruft er, »endet an dieser Stelle, wenn Ihr den Umschlag öffnet …

… natürlich mit dem nächsten Anfang!«

Der Guru lächelt, als sich jetzt alle mit ihrem Umschlag befassen.

DU BIST SMARTSELLER PROGRESSIVE!

steht darauf geschrieben.

Und als Henry gemeinsam mit den anderen Smartsellern den Umschlag öffnet, liegt darin eine neue Buchseite im bekannten Format, auf der zu lesen ist:

FETTERSCHINKEN

Hier beginnt die Fortsetzung vom

ANDERSWEG

zum Erfolg …

GURU GEE
LOGE DER SMARTSELLER

Es folgt eine Adresse, die sich nach besserer Gegend anhört, und dann noch folgender Spruch:

Entwickle die Philosophie der SMARTSELLING LEADERSHIP.
Wachse auf dem ANDERSWEG zum Erfolg
und werde ANDERSPRENEUR.

Liebe Smartsellerin, lieber Smartseller!

Es gibt nichts Gutes, außer man tut es! Es wird Zeit, dass Du das Wissen, das Du auf dem ANDERSWEG ZUM ERFOLG bereits erworben hast, nicht nur als Dein persönliches Learning einsetzt und damit als Persönlichkeit wachsen kannst, sondern nun auch im praktischen Verkauf anzuwenden lernst.

Deshalb begleite ich Dich nun auf den nächsten Abschnitt des Wegs. Mit unserem zweiten Buch wirst Du mehr und mehr an die Praxis des Verkaufs herangeführt werden (und kannst bereits jetzt in dessen Anfang hineinlesen!). Nun gilt es, nicht nur dein persönliches Potential als Captain Future im Verkauf zu erkennen und mit dem Mindset des Smartsellers und der Smartsellerin Deine Chance ergreifen zu können, sondern ein System zu verinnerlichen, mit dem Du konkrete Verkaufserfolge nach der SMARTSELLING LEADERSHIP-Methode feiern kannst.

Ich begleite Dich dabei durch ein vielfach erprobtes System – und versteife mich dabei sogar zu der Behauptung: Wenn Du als Smartsellerin und Smartseller Dein Talent entdeckt hast und bereit bist, Dich zu entwickeln, wird Dir mit unserem System der Erfolg damit auf den Leib geschneidert!

Du würdest Dich freilich gewaltig täuschen, wenn du jetzt annimmst, das wir Dir eine Methode verkaufen, mit der Du nebenher und ganz ohne Einsatz unendlich reich wirst, ohne einen Finger zu rühren, nur angetrieben von der Kraft deiner Gedanken … Das ist schlichtweg Unsinn. All denjenigen, die Dir den leichten Weg versprechen, solltest Du vielmehr mit großem Argwohn begegnen. Schon Albert Einstein wusste: Zwar ist der richtige Ausgangspunkt immer entscheidend, doch müssen danach ›90 Prozent Transpiration‹ folgen. Das heißt, dass echter Einsatz weiterhin unabdingbar ist.

Damit sich dieser Einsatz auf der Basis der Philosophie der SMARTSELLING LEADERSHIP gelingt, brauchst Du also nicht nur den Willen, sondern auch die Substanz, mit der Du den Marathon mit Mut und Überzeugung bewältigst. Ich bleibe dabei gerne Dein Trainer – und biete Dir nicht nur einen Trainingsplan, der weit über das Thema Verkaufen hinausreicht, sondern vielmehr das System der SMARTSELLER-VERKAUFSFABRIK: ein vielfach erprobtes Vorgehen, das Deinen beruflichen Erfolg, wenn Du die richtigen Stellschrauben bedienst, mehr als wahrscheinlich macht.

Du wirst lernen, Dich in diesem System als Eingeweihte und Eingeweihter souverän zu bewegen, und profitierst dann von einer Sicherheit im Verkauf, die ich Dir weiterhin in vielen fassbaren Schritten vermitteln werde.

Du hast bereits gelernt, das Gute vom Unguten zu trennen; Du hast die Lüge hinter Dir gelassen und die Saboteure des Erfolgs besiegt. Nun hast Du die Voraussetzung erreicht, die Verkaufsfabrik zu betreten – und Dich darin einzurichten:

Du bist jetzt ›Smartseller Progressive‹ und gehörst nun zu denen, die die Philosophie der SMARTSELLING LEADERSHIP in einer SMARTSELLER-VERKAUFSFABRIK nutzen. Fange noch heute an, Deine Berufung als echter Bestseller in der Praxis zu leben: Weiter geht's auf DEINEN ANDERSWEG ZUM ERFOLG!

Dein Guru Geeo anspricht, ist ein gut

P.S.: Die eigentliche Fortsetzung haben wir in unser zweites Buch gepackt … und freuen uns schon darauf, wieder in die Tiefe zu gehen! Aber viel schöner ist es doch, das nächste Kapitel schon jetzt aufschlagen zu können – also blättere am besten gleich um!

Ausblick

Das Verkaufssystem Smartselling

Kapitel 7: **Dein erster Tag in der Smartselling-Verkaufsfabrik**
Oder: Wenn der Heartbeat für Rekordumsätze Fahrt aufnimmt

Wenn du bislang noch eher theoretisch am Thema Verkaufen interessiert warst, wird es nun Zeit, dich endlich in die Praxis hinauszuwagen! Als Smartsellerin und Smartseller hast du dich schließlich bereits mit der Erweiterung deines Mindsets und diversen Learnings dafür vorbereitet – und kannst nun mit dem Smartselling-Verkaufsprogramm konkrete Erfolge in den Blick nehmen.

Der Anspruch, den wir dabei an uns stellen, ist groß – denn nur diejenigen, die groß denken, werden Großes erreichen: Dieses große Maximalziel, auf das wir zuarbeiten, besteht darin, unseren Aufstieg in den Kreis des einen Prozents der bestbezahltesten Wirtschaftsakteure durch das Verkaufssystem Smartselling zu erreichen.

Dabei sollten wir nichts dem Zufall überlassen und unser Glück auch bewusst in die Hand nehmen und damit meistern, indem wir innerhalb von drei bis sechs Jahren diesen Aufstieg bewältigen. Deshalb setzen wir am besten auf das System Smartselling als Potentialmaschine, das nach Fahrplan arbeitet und systematisches Wachstum erlaubt.

Natürlich verhindert kein Fahrplan der Welt, dass es ab und an auch zu Verspätungen kommt oder sogar mit Ausfällen umgegangen werden muss; Gleiches gilt es deshalb auch im Umgang mit deiner Verkaufsfabrik zu meistern.

Hältst du dich aber trotzdem konsequent an das System mit seinen Erfahrungswerten, kannst du sicher sein, mit einem erprobten Modell zu operieren:

Das System Smartselling beinhaltet eine Fülle an Mitteln, Erfahrungen und Wegen, die in bereits erfolgreichen Verkaufsfabriken gesammelt wurden und somit verschiedenen in der Praxis bestens erprobten Pools an Tools entnommen sind. Wir haben auf dieser Grundlage die Möglichkeit, die aus diesen begründeten Vorkenntnissen abgeleiteten Grundsätze für unsere eigene Verkaufsfabrik jeweils konkret zu machen und anzuwenden.

Weil es unter vergleichbaren Bedingungen bereits funktioniert hat, dürfen wir deshalb auch ganz optimistisch annehmen, dass es wieder funktioniert – und müssen uns deshalb nicht die Frage stellen, ob wir es in den Kreis des einen Prozents schaffen können, sondern vielmehr beantworten, wie wir als Smartsellerin und Smartseller dies mit welchem optimalen Vorgehen in welchem Zeitrahmen erreichen!

Folgende konkrete Schritte müssen wir durch verschiedene Bereiche gehen, um als Smartsellerinnen und Smartseller in der Praxis der Smartseller-Verkaufsfabrik überzeugen zu können:

Business Plan und Next Move-Day: Die Architektur der Verkaufsfabrik

Zunächst benötigen wir einen konkreten Businessplan als das Navigationssystem, das uns den Weg zum Erfolg der Verkaufsfabrik weist und visualisiert, wie die notwendigen Schritte aussehen, die wir dabei planvoll abarbeiten. Der Businessplan zeigt somit die Richtung, die Geschwindigkeit und die Produktionsfähigkeit unserer Verkaufsfabrik an und ist daher die unbedingte Voraussetzung dafür, die wahre Stärke einer Verkaufsfabrik im Vorhinein auszudefinieren.

Wer mit diesem Plan als Smartseller und Smartsellerin die richtigen Steuerungskreisläufe innerhalb seiner Verkaufsfabrik implementiert und deren wiederholte Umsetzung bis zur absoluten Perfektion aller automatisierten Prozesse sicherstellt, erarbeitet ein Geschäftsmodell, das tatsächlich skalierbar ist.

Die Skalierung führt im Ergebnis zu stetig wachsenden und immer höheren Provisionserlösen.

Dabei gilt eine einfache Regel: Befinden sich Provisionsgewinne innerhalb eines definierten Zielkorridors, dann stehen der Businessplan und die Umsetzung der nötigen Aktivitäten in einem guten Einklang zueinander!

Weichen die Ergebnisse dagegen von festgelegten Zielwerten ab und stellen wir dies aufgrund der Auswertung unserer Planung möglichst frühzeitig fest, dann gilt es, die auftretenden Störungen innerhalb der Verkaufsfabrik auch möglichst schnell richtig zu identifizieren – und korrigierend einzugreifen.

Ein Businessplan wird idealerweise jährlich in einem Next Move-Day, einem Strategietag, ausgearbeitet beziehungsweise aktualisiert, verändert und weiterentwickelt. So wird sichergestellt, dass der Plan stets aktuell ist und die Strategien einer Verkaufsfabrik nicht nur für das kommende Jahr umfasst, sondern auch die laufenden Jahre zurückblickend dokumentiert und gleichzeitig vorausschauend vordenkt. Du bist dabei der Steuermann, der mit dem Businessplan die Erreichung deiner Ziele vorbereitet.

Die Entwicklung eines persönlichen Businessplans – der auch als Produktions-Fahrplan verstanden werden kann – kann systematisch nach der ›5F-Methode‹ aufgebaut werden. Diese Methode sieht vor, dass man sich in den fünf wichtigsten Lebensbereichen jeweils bis zu drei konkrete Ziele setzt: Man spricht dabei deshalb von der 5F-Methode, weil es bei den fünf Bereichen um Fitness-Energiemanagement, Familie-Freunde, Fortbildung, Finanzen und die Firma geht.[1]

Tatsächlich sollte man daran arbeiten, in allen Bereichen die geforderten Ziele zu formulieren, auch wenn es in Ordnung ist, in manchem der 5F-Bereiche (noch) keine Ziele zu besitzen; allerdings enthält der Businessplan letztlich nur den Arbeitsauftrag, die gewählten Ziele zu entwickeln, sodass man Potential verschenkt, wenn man Bereiche ausklammert.

Der Businessplan sollte dabei tatsächlich verinnerlicht und zugleich visualisiert werden, sodass er als dauerhaftes Projekt stets präsent ist, bearbeitet und fortgeschrieben wird. Passiert dies nicht, verkommt ein Businessplan zur Wunschliste, die allenfalls zu Zufallstreffern führt.

Arbeiten wir dagegen regelmäßig am persönlichen Businessplan, sammeln wir alle Daten aus allen Jahren und werten sie aus, dann wird der Fortschritt oder Stillstand in allen 5F-Bereichen für uns sicht- und messbar.

Das ist deshalb wichtig, weil nur das, was auf diese Weise penibel erfasst wurde, analysiert, verändert oder sogar erfolgreich weiterentwickelt werden kann. Anders als etwa im Sport gilt dabei die Faustregel, dass gerade im Business alle Skills erlernbar sind – und die Learnings zudem in relativ kurzer Zeit zwischen fünf bis sieben Jahren abgeschlossen werden können.

Im Businessplan werden für alle F-Felder vollständige Prozesse ausgearbeitet, die jeweils Ziele und Aufgaben, Herausforderungen und Probleme, Strategi-

---

[1] Eine Vorlage für den 5F-Businessplan findest du in unseren begleitenden ANDERSWEG-Workbooks, in denen du die Learnings dieses Buchs konkret anwenden kannst. Alle verfügbaren Bücher der Reihe DER ANDERSWEG ZUM ERFOLG kannst du als E-Book und gedruckte Ausgabe auf Buch.Der-Andersweg-zum-Erfolg.de oder www.PastorundProphet.de direkt bestellen, wo auch weitere Informationen zum Thema Smartselling Leadership und zu entsprechenden Workshop-Möglichkeiten bereitgestellt werden.

en und Lösungen, Umsetzungen und Handlungsweisen sowie die Kontrolle des Ergebnisses durchdenken.

Das Beispiel eines 5F-Smartseller-Businessplans (SBP) kann in einem Ausschnitt etwa wie folgt aussehen:

Lebensbereich:	*Firma*
Ziel:	*120.000 Euro / per annum (Smartseller-Status)*
Probleme:	*Was muss ich aufgeben, um das Ziel zu erreichen?*
Strategie:	*Welche Aktivitäten/Maßnahmen benötige ich, um das Ziel zu erreichen?*
Umsetzung:	*Wie oft und wie lange muss ich die Strategie anwenden und umsetzen?*
Controlling:	*Verkaufsquoten messbar machen und mit dem Zielwert abgleichen*

Unser Beispiel ist ein One Pager für den Bereich der Firma, der nach einer Konkretisierung der Punkte der schnellen Visualisierung dient und überall sichtbar gemacht werden kann. Ergänzt wird dieser Zugang um das zugehörige Strategiepapier, auf dem alle Punkte detailliert über mehrere Seiten ausgearbeitet werden.

Dabei gilt: Je ausführlicher der Businessplan ausgearbeitet wird, desto mehr werden Prozesse und Aufgaben klargemacht und versteckte Herausforderungen aufgedeckt, zu denen wir Lösungen entwickeln müssen.

Die Technik, einen ›X-Faktor‹ einzusetzen, kann uns ebenfalls helfen, Klarheit für unseren Businessplan zu gewinnen. Dabei wird als Ausgangspunkt eine spezifische Frage formuliert, die mit dem X-Faktor auf besondere Weise beantwortet wird.

Ein Beispiel macht klar, was damit gemeint ist:

Die Frage lautet etwa: »Wie verdoppelt sich mein Einkommen in einem Jahr – und welche besondere Maßnahme ist notwendig, um dieses Ziel zu erreichen?« Der X-Faktor beschreibt als Replik nun stets sowohl das Ziel als auch die besondere Maßnahme oder Aktivität, die umgesetzt werden muss, damit ein positiver Outcome entsteht.

Weitere gute Fragestellungen in Bezug auf den X-Faktor sind: »Was muss ich aufgeben oder opfern, um mein Ziel zu erreichen?«, womit Probleme und Lösungen vorgedacht werden, die sich auf dem Weg zum Ziel ergeben. Einer Strategie kann mit der Frage »Mit welcher besonderen Maßnahme oder Aktivität erreiche ich mein Ziel?« auf den Grund gegangen werden. »Wie oft und wie lange muss ich eine besondere Maßnahme umsetzen, damit das Ziel erreicht wird?« fragt nach der Umsetzung.

Gerade wenn es an die Überprüfung des Plans beim Next Move-Day geht, sollte auch eine Bewertung des bisherigen Wegs vor dem Hintergrund einer möglichen Fortsetzung erfolgen. Auch hier bietet sich an, bestimmte Fragen wieder und wieder zu beantworten, nicht zuletzt deshalb, um eine Vergleichbarkeit herzustellen:

Was ist gut gelaufen in der Vergangenheit?

Was ist schlecht gelaufen?

Wo befindest du dich in Bezug auf deine persönlichen 5F-Bereiche auf einer Skala von eins bis zehn? Was ist zu tun, um künftig auf eine zehn zu kommen?

Welche Gewohnheiten und Habits benötigst du, damit deine Ziele erreicht werden können?

Mit welchen Menschen solltest du dich vernetzen, um deine Ziele zu erreichen?

Welche negativen, destruktiven Menschen halten dich dagegen von deiner Zielerreichung ab?

Welche Skills benötigst du, um dein Umsatzziel – etwa die 120.000 Euro aus dem Beispiel oben – konkret verdienen zu können?

Welches Ergebniscontrolling nutzt du, um deine Verkaufsfabrik zu steuern? Kennst du die wichtigsten Kennzahlen deiner Verkaufsfabrik?

Nutzt du die SWOT-Analyse für dein Business, mit der du Strength, Weaknesses, Opportunities und Threats identifizierst?

Mit der Ausarbeitung eines Smartseller-Businessplans steht dein Navigationssystem am Ende für eine gute Fahrt zur Verfügung. Du hast die Segel gesetzt und kannst den Zielerreichungsprozess starten.

Smartselling als Verkaufssystem

Ein gesundes menschliches Herz schlägt zwischen 60 und 90 Mal in der Minute und besteht aus vier Herzklappen – und ist das Zentrum unseres Systems. Das Smartselling-Verkaufssystem ist das Herz deiner Verkaufsfabrik – und sorgt für den entsprechenden Heartbeat.

Die Implementierung eines möglichst automatisiert ablaufenden und damit skalierbaren Verkaufssystems ist darum unsere nächste Aufgabe. Je besser uns die Umsetzung eines Systems im Verkauf gelingt, desto produktiver wird unsere Verkaufsfabrik sein.

Der Heartbeat, den unser System leisten muss, setzt sich aus der Leadgewinnung, der telefonischen Terminvereinbarung, dem Verkaufsgespräch, der Angebotserstellung, dem Closing als Abschluss und dem After Sales-Prozess zusammen.

Diese Systemschritte finden bei allen typischen Verkaufsprozessen Anwendung; auch wer in einem Spezialbereich des Verkaufs tätig ist und dort weitere Faktoren oder eine andere Gewichtung beachten muss wird aus ihrem Verständnis einen großen Nutzen ziehen und persönlich am systematischen Zugang wachsen können.

Denn ubiquitär gilt: Je professioneller alle diese Prozesse heruntergebrochen in der persönlichen Verkaufsfakrik aufgebaut und miteinander kombiniert werden, umso erfolgreicher wird ein Verkaufssystem arbeiten!

Schaffen wir es, die einzelnen Bestandteile des Verkaufssystems so zu vernetzen, dass sie präzise wie ein Schweizer Uhrwerk ineinander greifen, können unsere Verkaufsleistungen Fahrt aufnehmen und zu wahrer Größe heranwachsen. In der Folge erhalten wir nicht nur hohe Provisionsgewinne und generieren damit Wachstum, es entsteht auch eine Pull-Wirkung, die umso gewaltiger ist, je erfolgreicher das implementierte Verkaufssystem funktioniert. Ein Verkaufssystem sollte deshalb so designed sein, dass es dieselben Ergebnisse verlässlich und wiederkehrend wie ein Fließband produziert.

Wie dieser Systemverkauf im Detail aussehen kann, zeigen wir mit der Skizze des Verkaufsprozess von der Kontaktgewinnung bis zum Abschluss auf, der für viele Bereiche des Verkaufens ganz typisch ist. Selbst für den Fall, dass deine Verkaufsfabrik am einen oder anderen Punkt anders designed werden muss, gibt es dabei universelle Prinzipien, die wir beachten müssen – und deshalb beispielhaft durchdenken.

Dabei lernen wir die Tätigkeiten innerhalb der einzelnen Prozessschritte wie folgt kennen:

Die Akquise und das Gewinnen im Quotenspiel

Um eine Verkaufsfabrik in die erfolgreiche Produktion zu bringen ist die Automatisierung der Kontaktgewinnung die wichtigste Stellschraube: Das Numbers Game, bei dem es um die Anzahl deiner Kontakte geht, bestimmt von Beginn an den Output unserer Fabrik!

Auf den kleinsten Nenner heruntergebrochen stellt jede Art von Verkauf ein simples Quotenspiel dar – und das bedeutet, dass der wichtigste und essentiellste Rohstoff einer Verkaufsfabrik der nie endende Strom aus Neukundenkontakten ist! Genug Nachschub des Rohstoffs Kontakt bedeutet, dass unser Verkaufssystem nie ins Stocken geraten muss und sich der Verkaufsprozess mit dem Ziel eines Abschlusses immer weiter drehen kann.

Damit gilt die Regel, dass mehr Kontakte auch immer mehr Kontrakte bedeuten!

Erfahrungswerte aus der Dienstleistungsbranche legen nahe, dass wir mit etwa eintausend vorhandenen Kontakten einen Provisionserlös von circa 120.000 Euro im Jahr erreichen können. Auf zehn Monate heruntergerechnet heißt dies, dass wir dafür gerade einmal einhundert neue Leads pro Monat erzeugen müssen. Wenn wir dabei zwanzig Arbeitstage im Monat arbeiten, heißt das, dass wir fünf Leads pro Tag benötigen – eine eigentlich recht überschaubare Größe.

Mit nur fünf neu gewonnenen Kontakten am Tag ist es tatsächlich möglich, eine Verkaufsfabrik zu skalieren, als deren Unternehmerin und Unternehmer du 99 Prozent aller sonstigen Verkäufer hinter dir lassen kannst!

Um dies zu erreichen, können wir verschiedene Wege der Leadgewinnung nutzen – und dabei auf Online- und Offline Strategien zurückgreifen:

Die Leadgenerierung online und offline

Der Online-Bereich bietet sich besonders an, um fünf neue Leads am Tag zu generieren. Dabei gibt es unzählige Online-Leadgenerierungs-Strategien.

Sie alle verbindet, dass man im Online-Bereich besonders gut messen und auswerten kann, wie teuer ein gewonnener Kontakt ist. Unser Online-Marketing kann dabei zwei Herausforderungen der Kundenakquise besonders gut begegnen:

Unser Angebot kann zum einen rund um die Uhr an unsere Zielgruppe vermittelt werden – schließlich hat das Internet vierundzwanzig Stunden pro Tag geöffnet. Wenn man so will kann über das Internet Tag und Nacht an unserer Markenbildung, an der Gewinnung von neuen Kundinnen und Kunden sowie am direkten Verkauf unseres Angebotes gearbeitet werden.

Zum anderen haben wir mit einem cleveren Online-Marketing durch zielgruppengenaues Targeting die Möglichkeit, unsere Wunschkunden auf einem Silbertablett serviert zu bekommen.

Das Online-Marketing bietet somit die Möglichkeit, uns sowohl quantitativ wie auch qualitativ ein Fundament an Kontakten zu liefern, mit dem unsere Verkaufsfabrik in kurzer Zeit hochprofitabel werden kann. Automatisieren wir diese unsere Kundenakquise und skalieren sie gleichzeitig über das Internet, gewinnen wir zusätzlich eine Menge an freier Zeit, die wir in Zukunft für andere Aufgaben in unserem Verkaufssystem einsetzen können.

Die Leadgewinnung erinnert damit sehr stark an das Dating-Verhalten der Singles der heutigen Welt:

Die Suche nach einem Partner und einer Partnerin findet heute zu einem wesentlichen Teil in der Online-Welt statt. Ob auf einschlägigen Dating-Plattformen oder in den sozialen Medien, man kann dabei theoretisch eine unbegrenzte Anzahl von Dating-Partnern und -Partnerinnen kennenlernen. Dabei können die Singles auch eine Zielgruppe, Präferenzen und Hobbys zur Grundlage eines Matches machen.

In der Geschäftswelt ist es nicht anders: Auch hier ist die Kontaktsuche nach neuen Kunden und Kundinnen online möglich und eröffnet, wie bereits beschrieben, ungeahnte Chancen.

Doch gleichzeitig ist auch im Privatleben die Begegnung im Offline noch immer ein wichtiger Zugangsweg, um Lebenspartner zu finden. Ob auf Events, in Restaurants, Bars, auf der Arbeit oder direkt auf der Straße, überall kann man potentielle zukünftige Lebenspartnerinnen kennenlernen.

Damit verlieren auch die in der analogen Offline-Welt dominierenden Akquisewege nicht an Anziehungskraft und ergänzen vielmehr das Universum des Online-Marketings. Die klassischen Kundengewinnungsstrategien – nämlich die Direktakquise, das Empfehlungsmarketing, Seminare und Workshops, Messen und Events, Tippgeber-Systeme aus Multiplikatoren in unseren Netzwerk – bleiben nach wie vor wichtig.

Unsere Verkaufsfabrik bauen wir deshalb durch Online- wie Offline-Möglichkeiten auf. Deswegen sollten wir die Kundenakquise in einer Verkaufsfabrik auch als nach wie vor hybride Funktion begreifen, um außergewöhnliche Erfolge erzielen zu können.

Warum das so ist, zeigt uns das Bestsellerbuch ›Die Mäusestrategie für Manager‹ eindrucksvoll auf, das sich 28 Millionen Mal verkaufte. Darin geht es um zwei Mäuse, die in einem Labyrinth ein Käselager entdecken und es sich dort anschließend gemütlich machen.

Beide Mäuse werden immer dicker und fauler und gehen freilich davon aus, dass es niemals wieder an Käse mangeln wird – bis sie eines Tages aufwachen und das Käselager fort ist. Eine der beiden Mäuse kann sich mit letzter Kraft dazu aufraffen, neuen Käse zu suchen, während die andere Maus zu bequem und unfähig geworden ist, sodass sie keine Energieleistung mehr dafür aufwenden kann – und in der Folge sterben muss.

Die erste Maus jedoch sucht das gesamte Labyrinth nach neuem Käse ab, wird fündig – und überlebt mit letzter Kraft.

Nun aber begeht sie nicht mehr den Fehler und macht die irrige Annahme, dass es an diesem Ort auf immer ein Käselager geben wird: Die Maus, die aus ihrer Erfahrung gelernt hat, macht sich deshalb ab sofort jeden Tag aufs Neue auf den Weg, um neue Käsevorräte zu entdecken. Damit stellt sie sicher, dass sie immer genug Käse findet, um überleben zu können.

Die Moral von der Geschichte lautet, dass man sich als Verkäufer und Verkäuferin nie auf nur einen einzigen Weg der Akquise verlassen sollte!

Wir müssen vielmehr sicherstellen, dass viele Wege der Leadgenerierung zu neuen Kundenkreisen zur Verfügung stehen. Ob wir dabei die Strategie der Empfehlungsnahme nutzen, Seminare halten oder die Direktansprache perfektionieren: am Ende ist es stets der bunte Mix aus neuen und alten Konzepten zur Kundengewinnung, der uns zum sicheren Käse führt!

Das Gewinnen neuer Kunden bleibt eine Schlüsselkompetenz, mit der jede Verkäuferin und jeder Verkäufer eine erfolgreiche Existenz vorbereitet.

Dabei gilt stets: Wer gefunden werden möchte, muss sich auch zeigen! Folgt man diesem Gedanken, dann ist es zutreffend, dass es extrovertierte Menschen dabei leichter haben, ihr Glück zu machen; das erklärt sich ganz einfach damit, dass sie es leichter haben, neue Kontakte zu finden und ihre Chance, glückliche Zufallskontakte zu finden, mit jedem neuen Tag neu entsteht.

Die telefonische Terminvereinbarung

Ist der Rohstoff Leads in Form von Kontakten mengenmäßig ausreichend vorhanden, gilt es damit zu arbeiten. Das funktioniert in einer Welt, in der die Zeit einen limitierenden Faktor darstellt, besonders gut am Telefon, das im Wettbewerb um neue Kunden ein zentrales Instrument des Games darstellt.

Mit dem Telefon lässt sich schnell und kostengünstig und auf ein für beide Seiten bequemes Medium zurückgreifen, das einerseits den Vorzug des fernmündlichen Mediums hat, andererseits auch einen direkten persönlichen Kontakt ermöglicht. Smartsellerinnen und Smartseller nutzen die Kombination der Vorzüge.

Die Königsdisziplin der telefonischen Terminvereinbarung ist die Fähigkeit, einen kalten Kontakt aus dem Cold Call heraus in einen verbindlichen Termin für eine Verkaufspräsentation zu transformieren. Gelingt uns das in ausreichender Anzahl, ist uns unser Erfolg garantiert.

Gute Smartseller erreichen im Direktvertrieb Telefontermin-Quoten, die bei dreißig bis fünfunddreißig Prozent liegen: Das bedeutet, dass in der Folge von zehn Cold Calls drei bis vier Verkaufspräsentationen vereinbart werden können.

Völlig normal ist es damit auch, wenn bei über siebzig Prozent aller angerufenen Leads kein Verkaufsgespräch zustande kommt. Die Grundvoraussetzung, um erfolgreich am Telefon arbeiten zu können, ist daher, das Nein eines potentiellen Kunden akzeptieren zu können – ohne dabei den Mut zu verlieren, gerade diejenigen in der Masse zu finden, die dennoch an einem Kauf interessiert sind. Dabei denken wir an das Prinzip der Resonanz mit den möglichen Aggregatszuständen.

»Some will, some won't – so what?!«: Mit dieser Grundeinstellung machst du immer weiter, bis die Alchemie der Quote dein gewünschtes Ergebnis hervorbringt. Das Gesetz der Polarität, wie wir es bereits als Smartseller kennengelernt haben, sorgt dafür, dass wir dabei niemals jeden Kontakt terminieren können und unsere Widerstände überwinden müssen, um gerade dann erfolgreich zu agieren.

Wäre das anders und wäre das Telefonieren stets einfach und leicht, dann zählten Unternehmerinnen und Verkäufer bestimmt nicht zu den am höchsten vergüteten Berufsgruppen der Welt – und jeder würde sich beim Verkaufen die Welt einfach machen können. Wer in der Hitze der Telefonakquise besteht, der gerade kann es zu einer besonderen Meisterschaft bringen.

Um diese persönliche Meisterschaft am Telefon zu erreichen, ist es unabdingbar, dass du dich während deiner Telefonakquise mit einer absolut motivierten und positiven Grundeinstellung ausstattest. Nur wenn du von Anfang an bewusst mit einer begeisterten Tonalität am Telefon auftrittst, sind die Big Points der Terminvereinbarung am Telefon zu erzielen. Sei sicher, dass man am anderen Ende der Leitung wahrnehmen kann, ob du lächelst oder nicht!

Dein Gewinner-Mindset ist daher die Grundvoraussetzung dafür, dass die Vereinbarung von Terminen am Telefon gelingt: Es sorgt dafür, dass echte Smartseller gerade am Telefon mit der Grundstimmung einer nahezu manischen Positivität, die das Gegenüber ansteckt, agieren!

Dieses Mindset macht den entscheidenden Unterschied zwischen einem Durchschnittsverkäufer und Smartsellern aus, deren Vergleich uns vor Augen führt, wie bedeutsam die Wirkung der Herangehensweise ist:

Mister Durchschnitt ist nach einem langen Arbeitstag, durch den er sich hindurchgequält hat, abends erschöpft; er ist froh, keine weiteren Anrufe machen zu müssen. Währenddessen agieren die Smartsellerinnen und Smartseller auf höchstem Niveau und begeistern sich an ihrer Aufgabe. Sie wissen: »You often feel tired, not because you've done too much, but because you've done too little of what sparks light in you!«

Das Resultat des begeisterten Mindsets bedeutet am Ende des Tages, dass unser Smartseller ein bis zwei vereinbarte Telefontermine mehr gemacht hat als der durchschnittliche Verkäufer vereinbaren konnte.

Wer denkt, dass dieser Unterschied minimal ist, hat vergessen, dieses Ergebnis über den Zeitraum zu betrachten, in dem der Smartseller plant: In einer Woche addiert sich dessen Vorsprung auf fünf bis zehn Termine auf. Der Smartseller vereinbart damit pro Monat zwanzig bis vierzig Telefontermine mehr als dies Mister Durchschnitt tut!

Werden aus den zusätzlich vereinbarten Terminen des Smartsellers nur dreißig Prozent neuer Kunden gewonnen, erzielt der Smartseller im Jahr bis zu 100.000 Euro mehr an Provisionserlösen durch das Mehr an Telefonakquise – ein gewaltiger Unterschied!

Der eigentliche Grund für ihren Erfolg ist die Fähigkeit der Smartsellerinnen und Smartseller, dort weiterzumachen, wo der normale Verkäufer schlicht und einfach aufgibt. Smartsellerinnen und Smartseller setzen sich Wochenziele für Telefontermine – und erreichen sie auch. Sie lassen nicht nach, bis sie dort angekommen sind, wohin sie gehören, und gehen erst nach Hause, wenn sie das geschafft haben. Über alle Branchen hinweg generieren Smartseller damit die circa zehn- bis fünfzehnfachen Provisionsvolumen eines Durchschnittsverkäufers.

Durchschnittliche Verkäufer agieren dagegen ohne den bewussten Antrieb: Weil heute kein Kunde erreichbar ist, weil das Wetter zu gut ist, weil es Ferienzeit ist, weil es gerade schlechte Nachrichten im Fernsehen gibt, geht Mister Durchschnitt lieber nach Hause und macht Feierabend! Mister Durchschnitt ist es egal, ob er fünf, sieben oder zwölf Termine in der Woche vereinbart. Er geht heim, wenn er müde ist oder seine Freizeitaktivitäten ihm wichtiger erscheinen – und bezahlt am Ende den hohen Preis der relativen Erfolgslosigkeit dafür.

Du musst dich entscheiden, welchen Weg du gehst: Es gibt nur den einen oder anderen, und willst du dich nicht proaktiv entscheiden, so entscheidest du die Frage sowieso durch deine Passivität.

Fakt ist, dass allein die Mentalität der Kämpferin und des Kämpfers, die den Sieg erringen möchten, als Ausgangspunkt unserer Aktionen und der Spaß an der Aufgabe der telefonischen Terminvereinbarung uns den Erfolg als Smartseller sichern.

Fleiß und Engagement sind am Ende des Tages immer der sicherste Weg zum Erfolg. Mit Glück und Zufall hat dieser Weg nur wenig zu tun, doch wird eine Smartsellerin dieses Glück durch ihre Herangehensweise herbeizwingen und jeden Zufall als gute Gelegenheit dafür nutzen, genau dies zu tun.

Darüber hinaus kann natürlich eine Steigerung der verkäuferischen Fähigkeiten zusätzlich zu enormen Leistungssprüngen beitragen. Durch wiederkehrende Trainings, die tägliche Anwendung in der Praxis und die Arbeit mit stetig verbesserten Telefonskripten lässt sich der Erfolg am Telefon systematisch steigern.

Die richtige Einstellung und eine perfekte Telefonrhetorik machen dich unschlagbar im Verkauf, wenn du zugleich mit den richtigen Tools wächst!

Ein in der Praxis erprobtes und sehr erfolgreich eingesetztes Telefonskript können wir aus den Ideen von Tim Taxis[2] ableiten und mit unseren Erfahrungen ergänzen.

Das Beispiel für einen Smartseller-Telefonleitfaden können wir beliebig ausbauen:

---

[2] Vgl. Tim Taxis: Darf ich gleich zum Punkt kommen?, Video auf www.youtube.com/watch?v=tpKl6udMOss, aufgerufen Oktober 2023.

Der Touchdown der Terminvereinbarung am Telefon

Das Telefon klingelt.

Die Kundin geht ans Telefon: »Hallo, Theresa Meier!«

Der Smartseller: »Hallo, Frau Meier! Frau Meier, ich habe gehört, Sie sind die sympathische Stimme in der Stadt – ist da etwas dran?«

(Der Opener Spruch ist typabhängig, weshalb jeder Smartseller einen oder mehrere passende Opener für sich finden muss.)

Die Kundin lächelt: »Wer ist denn dran?«

Der Smartseller erklärt, wer am Telefon ist: »Hier spricht der Herr Smartseller von der Firma XYZ.«

Der Smartsteller sagt, wie lange es dauert: »Darf ich für Sie gleich auf den Punkt kommen?«

Die Kundin: »Ja, gerne!«

Der Smartseller: »Frau Meier, Sie möchte ich als langfristige Partnerin für unsere Dienstleistung gewinnen, aber nur dann, wenn es für Sie wirklich Sinn macht. Dazu habe ich eine Frage, wenn das okay ist?

(Der Smartseller erklärt damit, was er will, und beantwortet der Kundin die vorgedachte Frage, ob er im Interesse der Kundin arbeitet.)

Die Kundin: »Ja, bitte!«

Der Smartseller: »Frau Meier: Nutzen Sie schon die neuen vielversprechenden Vorteile aus …?«

Die Kundin: »Ich weiß nicht?«

Der Smartseller: »Damit Sie eventuelle finanzielle Nachteile vermeiden und gleichzeitig für sich prüfen können, ob und wie Sie von unserem Service profitieren, habe ich noch eine Frage an Sie: Haben Sie diese oder nächste Woche, Dienstag oder Donnerstag Zeit für sich?«

Die Kundin: »Donnerstag ist gut!«

Der Smartseller: »Donnerstag um 14 Uhr?«

Die Kundin: »Das passt!«

Der Smartseller: »Dann trage ich Ihren Termin ein und schicke Ihnen eine Terminbestätigung via E-Mail zu: Wie lautet denn Ihre E-Mail-Adresse?«

Die Kundin: »Theresa.Meier@Muster.de!«

Der Smartseller: »Vielen Dank, Frau Meier! Seien Sie schon auf die enormen Vorteile gespannt, die Sie kennenlernen werden. Acht von zehn Kundinnen und Kunden sind so begeistert, die springen vor Glück fast aus dem Fenster ... So lautet zumindest das, was man so darüber hört!«

Unser fiktives Telefongespräch ist natürlich eine Musterlösung – und zeigt genau deshalb auf, wie ein planvolles Gespräch nach Muster ablaufen kann.

Die Kundin aus unserem Beispiel könnte an den Wendepunkten des Dialogs auch ihr Desinteresse bekunden – dann hätten wir als Smartseller und Smartsellerinnen die Aufgabe, clever auf ihre Einwände einzugehen, wie dies später noch im Einzelnen gezeigt wird – und uns höflich für das nächste Mal zu empfehlen

Wichtig ist, dass wir unser Telefonat in jedem Fall zwar dialogisch führen, aber als Struktur vordenken. Dabei können wir uns sehr gut auf die möglichen Reaktionen des Gegenübers vorbereiten – und reagieren mit diesem Vorwissen während des Gesprächs souverän und lassen für unser Gegenüber alles spontan wirken, obwohl wir das Gespräch damit weitgehend in der Kontrolle behalten und die Optionen dafür lenken.

Die Schritte, in die wir unsere Struktur aufteilen, folgen dabei rhetorischen Prinzipien. Wer ihre Klaviatur souverän beherrscht, überzeugt am Telefon voll und ganz:

Die Kunst des Openings

Jedes erfolgreiche Telefonat fängt mit dem Anfang an – und gerade dieser Beginn entscheidet darüber, ob und wie das Telefonat überhaupt weitergeht. Smartsellerinnen und Smartseller lernen dabei schnell, das Eis mit einem geeigneten Opener-Spruch zu brechen.

Ziel ist es, eine positive Emotion hervorzurufen, die das Gegenüber davon überzeugt, dass sich das weitere Gespräch lohnt. Zu Beginn eines Telefonats sollte deshalb sofort die Neugierde und Lust auf einen Dialog im Anschluss geweckt werden, oder anders gesagt: Unser Werben um die Gunst des Zuhörers und der Zuhörerin muss erhört werden; gelingt dies nicht, dann ist das Telefonat oft schneller zu Ende als es dem Smartseller lieb sein kann.

Der gelungene Telefoneinstieg mit seinem Opener-Spruch ist somit der Gamechanger für viele gelingende Telefontermine; gelingt es uns in einer Welt der Überinformation nicht, die Aufmerksamkeit des Gegenübers am Telefon zu gewinnen, existieren wir für dieses Gegenüber in der Folge auch nicht – und können es nicht zum Kunden und zur Kundin machen.

Wichtig ist, dass der gewählte Opener-Spruch immer zur Persönlichkeit des Anrufenden passen muss, wenn er seine volle positive Wirkung erzeugen soll – und darüber hinaus auch zur angerufenen Person!

Es macht daher Sinn, für Männer und Frauen, für ältere und jüngere Gesprächspartner und Gesprächspartnerinnen, gerade wenn man bereits einige Informationen über sie vorliegen hat, unterschiedliche Ansprachen vorzubereiten und dann clever auszuwählen.

Den Umstand, dass Menschen meist auf die direkte Ansprache und sehr positiv auf ihren eigenen Namen reagieren, sollten wir uns als Smartsellerin und Smartseller dabei zunutze machen. Wir sollten daher so häufig wie möglich den Namen des Kunden und der Kundin nennen, was im Übrigen nicht nur für den Opener gilt, da wir auf diese Weise Sympathiepunkte sammeln. Sprechen wir den Namen zusätzlich in einer gehobenen Tonalität mit Klarheit aus, dann erzeugt das eine zusätzliche positive Gesprächsatmosphäre.

Mit den richtigen Fragen die Antworten im Vorhinein formulieren

Der an den Opener-Spruch anschließende Teil des Telefonleitfadens führt durch fünf essentielle Fragen, die sich jede Kundin und jeder Kunde typischerweise stellt – und dies im Zweifelsfall auch ganz unbewusst.

Nachvollziehbar ist, dass der Kunde und die Kundin meist als Erstes wissen möchten, wer am Telefon ist – und wie lange die Gesprächsdauer des Telefonats sein wird. Beantworten wir diese ungestellten Fragen bereits proaktiv durch die gewählte Struktur, ist der Kunde bereit, schnell zum Kern des Anrufes voranzugehen: Er möchte darüber hinaus wissen, worum es geht – und ob der Anrufer es gut mit ihm meint.

Deswegen empfiehlt sich auch hier, eine proaktive Gesprächsführung im Blick zu behalten, da die Kundin und der Kunde sofort nachvollziehen werden, dass wir sie verstehen, indem wir ihre wahrscheinlichen Rückfragen sogar ungefragt beantworten!

Als Letztes fragt sich das Gegenüber, wie und wobei ein Termin, wie wir ihn vereinbaren wollen, ihm überhaupt nutzt: Spätestens diese Antwort sollten wir als Smartseller und Smartsellerin jederzeit in einen Pitch einbringen können.

Beantworten wir die typischen Fragen des Kunden mit einer ›Einwand-Vorwegbehandlung‹ und wecken wir dabei das Interesse des Gegenübers, ist die Vereinbarung eines Termins im Anschluss die wahrscheinliche Option.

Hinzu kommt, dass auf diese Weise Einwände und Stolperstellen ausgeschlossen werden, bevor sie vom Kunden und der Kundin überhaupt aufgebracht werden.

Ein Musterskript hat deshalb immer den Anspruch, die aufkommenden Fragen des Gegenübers zu antizipieren und in der Vorwegnahme der Frage bereits zuvor eine passende Antwort zu geben. Ein höherer Unsicherheitsfaktor wird dadurch aus dem Game eliminiert: In unserem Beispiel sehen wir jedenfalls, wie antizipatorisch kommuniziert wird – und eine entsprechende Reaktion erfolgt.

»Sie« statt »ich«

Zur erfolgreichen Rhetorik von Smartsellerinnen und Smartsellern gehört es auch, im vorbereiteten Dialog des Telefonats konsequent auf die ›Sie-Sprache‹ zu achten. Damit ist gemeint, dass die sprachlichen Mittel nach Möglichkeit stets auf das Gegenüber ausgerichtet werden. Dabei wird sichergestellt, dass sich das Gegenüber konsequent angesprochen fühlt. Indem der Gesprächspartner und die Gesprächspartnerin kommunikativ in den Vordergrund gestellt werden, erhöht sich für uns die Wahrscheinlichkeit, das kommunikative Anliegen zu erreichen.

Wir können uns mit dem Beispiel einer einfachen Botschaft in verschiedenen Satzvarianten den Unterschied zwischen der ›Ich-‹ und ›Sie-Sprache‹ klar machen:

Variante eins lautet: »Ich liebe Dich!« Menschen, die verliebt sind, sagen diesen Satz sehr oft. Wir empfinden es auch als einigermaßen normal, dass sich die kommunizierende Person an den Satzanfang stellt, wenn sie »Ich liebe dich!« sagt. Biologistisch argumentiert ist es ja evolutionär richtig und psychisch gesund, sich selbst im Blick zu haben, wenn der Zweck der Existenz in erster Linie das eigene Überleben ist. Nachvollziehbar ist es deshalb, dass die eigene Person mit dem »Ich« am Satzanfang in den Vordergrund gestellt wird.

Richtig ist aber auch, dass damit der Satz »Ich liebe dich« auch den Egoismus deutlich macht, der jeder Beziehung anhaftet. Für unser Learning wichtiger allerdings ist der Umstand, dass damit auch die implizierte Wertung vorgenommen wird, wer in der Kommunikation die bedeutendere Person ist.

Genau diese Botschaft wollen wir jedoch als Smartsellerin und Smartseller vermeiden. Deshalb wenden wir die Technik der Sie-Sprache an und verändern unseren Satz zu Variante zwei: »Dich liebe ich!«

Damit wird unser Gegenüber – im Verkaufsgespräch: unsere Kundinnen und Kunden! – selbst zur wichtigsten Person des Gesprächs gemacht. Nicht nur im Verkaufsgespräch wird mit der Technik der Sie-Sprache also nicht die eigene Person in den Fokus gerückt, sondern es sind vielmehr die angesprochenen Personen, die Kundinnen und Kunden, denen die höchste Wertigkeit zugedacht wird.

Im Beispiel genügt es, um dies zu erreichen dazu wie bei vielen anderen Sätzen einfach die Pronomen zu vertauschen und das Gegenüber an den Satzanfang zu stellen; in der erweiterten Konsequenz wird aber auch der gesamte Inhalt so formuliert, dass sich das Gegenüber maximal angesprochen fühlt.

Der Trick dabei ist, stets sämtliche Bezugspunkte von Inhalten und Botschaften vom »Ich« weg konsequent auf das »Sie« des Gegenübers zu beziehen: Aus einem egozentrierten »Ich liebe dich« wird konsequent der Satz »Dich liebe ich!« – und vielleicht sogar noch in der Wirkung verstärkt, indem ein »Weil Du einfach rundum wunderbar bist!« im nächsten Satz folgt. Die verwendete Technik kann also bei vielen Satzbausteinen einer gelungenen Kundenkommunikation greifen.

Ein der ›Sie-Sprache‹ verwandter kommunikativer Drive ist übrigens auch die konsequente Verwendung des ›Wir‹ – und zwar immer dann, wenn es darum geht, eine gemeinsame Basis zu betonen. Der Rekurs auf gemeinsames Wissen, eine Grundlage, die wir teilen, kann uns ebenfalls hilfreich dabei sein, unser Gegenüber sprachlich abzuholen. Im Fall des Rekurses auf das ›Wir‹ betonen wir unsere Identifikation mit einer geteilten Sache, geteiltem Wissen und geteilten Werten, also der gemeinsamen Resonanz.

Der Einsatz der ›Wir-Sprache‹ lässt sich dabei auch bestens mit der ›Sie-Sprache‹ verbinden. In beiden Fällen überwinden wir als Smartseller und Smartsellerin dabei die Problematik der ›Ich-Sprache‹, über die wir meist nicht nachdenken und die wir auch unbewusst in den meisten Kommunikationssituationen verwenden würden, mit der Botschaft, dass es dabei nicht um uns, sondern das Gegenüber geht!

Möglicherweise irritiert der Satz »Dich liebe ich!« uns an dieser Stelle dabei ein wenig. Dies zeigt einerseits, wie sehr wir bereits an die Ich-Sprache im Alltag gewöhnt worden sind, und beweist andererseits, dass eine Veränderung und der gezielte Einsatz der Sie-Sprache mächtig auffallen.

Aus dem vorgeblichen Stolperstein wird somit eine bewusste Wahrnehmung, der sich ein Aha-Erlebnis anschließt: Unser Gegenüber wird mit Sicherheit verstehen, dass wir ihn besonders markieren: Weil wir ihn sprachlich so wichtig nehmen, kann er uns abnehmen, dass wir dies auch inhaltlich tun!

Die Sie-Sprache ist dabei ein wichtiger Faktor, der vor allem im Unterbewusstsein wirkt. Wer im Verkaufsgespräch konsequent auf einen richtigen und gut dosierten Einsatz der Sie-Sprache achtet und alle Inhalte und Botschaften an den Kundinnen und Kunden ausrichtet, vermittelt diesen Kunden und Kundinnen ein Gefühl der Wertschätzung.

Gleichzeitig wird den Kundinnen und Kunden durch diese Technik die volle Kompetenz und auch Verantwortung für alle Entscheidungen zugesprochen, die sie treffen – und damit auch die Möglichkeit zur Kaufentscheidung eröffnet. Gerade dadurch wird sichergestellt, dass das Verkaufsgespräch nicht am »Ich« des Verkäufers ins Stocken gerät, sondern durch die Konsequenz des potentiellen Käufers und der Käuferin am anderen Ende der Telefonleitung.

»Lieber Herr Muster, lieber Leser, Sie können nun alle Informationen detailliert durcharbeiten, damit Sie anschließend eine für sich fundierte Entscheidung treffen können!« – dieser Satz zeigt uns eindrucksvoll, wie es funktioniert. »Liebe Frau Muster, liebe Leserin, Sie können in dieser Vorgehensweise für sich erkennen, wie professionell und analytisch die Lösung für Sie ausgearbeitet wurde!« zeigt es ebenso.

Die Sie-Ansprache trägt im Ergebnis zu einer professionellen Gesprächsführung auf einer überlegten Basis bei – und darf stets mit der Botschaft, was das Gegenüber mit einem Angebot »für sich« erreichen kann, verbunden werden – und das nutzt am Ende allen an der Kommunikation beteiligten Personen, den Smartseller und die Smartsellerin eingeschlossen!

Die Sie-Sprache ist verbunden mit der »Sie für sich«-Technik eine starke Waffe, die man im Kampf um neue Kundenkreise erfolgreich führen kann. Jedes Gespräch kann mit ihr auf eine neue Ebene gebracht werden, die als Meta-Ebene professionell genutzt wird und die den Kundinnen und Kunden die volle Verantwortung aller Entscheidungen überträgt.

Stark bleiben in der Hall of Fame der Einwände

Ein Masterplan kann es uns als Smartsellerinnen und Smartsellern möglich machen, erfolgreicher und schneller Terminvereinbarungen am Telefon zu treffen. Wenn der Masterplan gut durchdacht ist, ist es eine große Hilfe, ihn bestens zu verinnerlichen – und ein Telefonskript zur Gedankenstütze zu verwenden, das die richtigen Strukturen und Techniken des Telefonats festschreibt.

Unsere Musterlösung zeigt auf, wie ein ideales Gespräch nach diesem Plan aussehen kann – doch wissen wir alle, dass er im Alltag fast immer in einer modifizierten Art und Weise zur Praxis wird.

Dies liegt einerseits daran, dass wir die Energie des Momentums in unser Gespräch aufnehmen und dabei immer auch Unvorhergesehenes passieren kann. Sind diese spontanen Momente der Art, dass sie innerhalb der Leitplanken unseres Masterplan liegen, bereichern sie unseren Erfahrungsschatz, der es uns erlaubt, bei jedem Gespräch besser zu werden, weil wir mit jeder Erfahrung dazulernen können, und damit beim nächsten Gespräch noch besser werden können.

Schwieriger wird es, wenn wir andererseits an den neuralgischen Punkten unseres Dialogs mit Einwänden konfrontiert werden. Diese neuralgischen Punkte können wir dann als Weichen betrachten – und den Einwand als das Signal, das uns dazu auffordert, unser Gespräch in einer bestimmten Art und Weise fortsetzen zu müssen, ohne dabei die Streckenführung, die uns zum gewünschten Ziel bringt, aus den Augen zu verlieren. Je besser wir uns als Smartsellerin und Smartseller ebenfalls im Vorhinein mit den möglichen Fragen an der Weiche beschäftigen, desto besser wird uns das gelingen.

Wenn Einwände kommuniziert werden, so bedeutet das nicht zwangsläufig, dass unser Verkauf scheitert. Es gilt vielmehr, die Einwände sehr schnell als das zu identifizieren, was sie wirklich sind: Das Spektrum reicht von der tatsächlichen Absage, nach der es zu keinem Termin und keinem Verkauf kommen kann, bis hin zur Klärung einer tatsächlichen Frage, deren Beantwortung erst recht zum Kauf führt.

Viele Kundinnen und Kunden neigen zum schnellen Einwand – sodass wir dies als zum normalen Verlauf eines Gesprächs zugehörig einordnen und grundsätzlich als Chance begreifen sollten, mit einer gekonnten Reaktion erst recht zu überzeugen. Diese Einwände sollen uns als Verkäuferinnen und Verkäufer auf freundliche Art und Weise mitteilen, dass unsere Kommunikation bis dahin noch nicht überzeugend genug war, und wir es ab jetzt besser machen!

Meist greifen unsere Gegenüber auf Einwände zurück, um uns mitzuteilen, dass sie keinen Termin mit uns in Anspruch nehmen wollen. Dahinter stehen aber oft unbewusste Gedanken, die die Kunden hegen: nämlich sich nicht sicher zu sein, ob wir es als Verkäuferinnen und Verkäufer gut mit ihnen meinen, ob sie uns vertrauen können oder ob unser Angebot überhaupt benötigt wird.

All dies heißt auch, dass unsere Gegenüber aufgrund mangelnden Vertrauens oder der Wahrnehmung, dass ein Nutzen zu wenig überzeugend kommuniziert wurde, in einer Antwort auf jene Einwände zurückgreifen, oder anders gesagt: Die eher nicht in Worte zu fassenden Vorbehalte führen dazu, dass unsere Kunden und Kundinnen versuchen, uns durch tendenziell eher vorgeschobene Vorwände und Einwände abzuwimmeln.

Dabei sollten wir verstehen, dass unsere Kundinnen in dieser Reaktion gerade nicht einem Verhalten folgen, das sie sich professionell angeeignet haben – sie sind im Gegensatz zu uns als Smartsellern und Smartsellerinnen gerade nicht darin ausgebildet, und das Abwimmeln von Anrufen erfolgt deshalb nicht als überlegte, sondern vielmehr intuitive Abwehrreaktion.

Diese immer gleichen Abwehrreaktionen ähneln sich dabei so auffallend, dass selten mehr als fünf essentielle Einwände vorzufinden sind – unabhängig von der Branche, auf die sich der Verkauf bezieht. Sie lauten auch in Varianten wie folgt:

»Ich habe kein Interesse an Ihrem Angebot!«
»Ich habe keine Zeit!«
»Ich habe kein Geld oder kein Budget!«
»Ich habe da schon jemanden anderes, der das macht!«
»Ich habe mich schon selber darum gekümmert und ich brauche es deshalb nicht mehr!«

Als Smartsellerin und Smartseller können und sollten wir uns von vornherein darauf einrichten, eine gute Reaktion zu zeigen, wenn einer dieser Einwände vorgebracht wird. Können wir den Umgang mit den Einwänden zur Meisterschaft bringen, verlieren wir unser Gegenüber viel weniger häufig, sodass unsere Terminquote im Anschluss signifikant höher liegen wird!

Allen Smartsellern kann nur dringend empfohlen werden, baldmöglichst gute Antworten vorzubereiten, die in der jeweiligen Kommunikationssituation nicht nur souverän vorgetragen werden können, sondern auch jeweils zur Persönlichkeit des Smartsellers passen: Dazu kann man sich etwa jeweils die ›Einwände der Woche‹ in einer Liste zusammenstellen und sich zu jedem Einwand mehrere überzeugende Antworten aufschreiben, die je nach Bedarf verwendet werden können.

Damit dies im Alltag souverän erledigt werden kann, sollten wir uns überdies entsprechende Techniken aneignen und anwenden, mit denen wir auf Einwände grundsätzlich überzeugend reagieren können. Als Smartsellerinnen und Smartseller können wir dabei auf eine Methode zurückgreifen[3], die in sechs schnellen Schritten eine fast perfekte Reaktion auf diverse Einwände möglich macht:

[3] Die Methode stellt Umberto Saxxer als ›Verkaufskybernetik‹ vor.
Vgl. www.Verkaufskybernetik.com, aufgerufen November 2023.

Die Sechs-Schritte-Methode zur Einwandbehandlung: Mit einer universellen Struktur auf alle Einwände richtig reagieren

Schritt eins der Einwandbehandlung besteht darin, zunächst auf jeden Einwand mit Zustimmung und Lob zu reagieren. Damit wird eine Beziehung zur Kundin und zum Kunden aufgebaut und Verständnis signalisiert. Dabei kann man zum Beispiel antworten: »Okay, das ist ein sehr guter Punkt, den Sie hier aufführen!« Oder man sagt: »Ja richtig, das können Sie genau so sehen!«

Wenn etwa der Einwand »Ich habe kein Interesse!« kommuniziert wurde, ist dann auch folgende Antwort möglich: »Ja, das ist absolut verständlich, dass Sie dies an dieser Stelle sagen – und auf Anhieb noch kein Interesse besteht!« Entscheidend beim ersten Schritt ist also: Wir zeigen Verständnis und kommunizieren, dass wir zuhören, wir schmeicheln dem Gegenüber sogar – denn eine solche Reaktion bis hin zum Lob bringt uns dem Gegenüber sehr viel näher und erzeugt im besten Falle echtes Wohlwollen!

In Schritt zwei gilt es nun, auf Basis der in Schritt eins vertieften Kommunikationsbeziehung herauszufinden, ob der vom Gegenüber verbalisierte Grund tatsächlich ein maßgeblicher Einwand ist. Das ist deshalb sehr wichtig, weil Menschen in aller Regel zunächst zwei bis drei Vorwände nennen, bevor sie den wirklichen Grund ihres Vorbehalts offenbaren. Unser Ziel als Smartseller ist es also, herauszufinden, worin das wahre Problem liegt – um dabei im Anschluss darauf überzeugend reagieren zu können.

Gelingt es uns nicht, zum eigentlichen Grund eines Einwands des Kunden und der Kundin vorzustoßen, bekommen wir diese Chance nicht. Wir werden dann lediglich auf den Vorwand reagieren können – und rhetorisch scheitern, weil dann die Kommunikation ohne das intendierte Ergebnis – sprich: ohne die Terminvereinbarung – beendet werden wird.

Damit haben wir in Schritt zwei als erste Aufgabe der konkreten Einwandbehandlung den wahren Einwand zu identifizieren: Finden wir also den wirklichen Grund heraus!

Die Frage, die wir dazu in Varianten stellen müssen, lautet: »Gibt es über die genannten Punkte hinaus sonst noch einen wichtigen Grund, der Sie zögern lässt, einen Termin zu vereinbaren?«

Im dritten Schritt setzen wir unseren Weg fort, die wahren Gründe für einen Einwand zu finden – nämlich dann, wenn unser Gesprächspartner und unsere Gesprächspartnerin weiterhin den zu Beginn der Einwandbehandlung genannten Vorbehalt vortragen und uns glauben machen wollen, dies sei der wahre Grund für ihr Zögern.

Beharrt ein Kunde also weiterhin auf dem »Ich habe kein Interesse!«-Einwand, besteht unsere Aufgabe darin, herauszufinden, weshalb er gerade diesen Einwand nennt. Dies gelingt uns mit einer Fragetechnik, die Informationen darüber liefert. »Aus welchem Grund haben Sie denn kein Interesse an einem Termin?«, so können wir nun die Frage formulieren, die diese Aufgabe erfüllt.

Für die Fragen, die uns Informationen bringen, sollten wir stets unsere Aufmerksamkeit zusammennehmen, damit wir auch die kleinen Hinweise des Gegenübers in einer Antwort wahrnehmen können.

Denn diese Antworten werden für unseren Schritt vier wichtig. Nehmen wir an, der Kunde unseres Beispiels antwortet »Ich kümmere mich einfach nicht gerne um das Thema!«, so ist unser Dialog an der Weiche angekommen, an der es besonders spannend wird. Wir können nun nämlich am neuralgischen Punkt ansetzen – und die Frage stellen, die die Bedingungen einer Veränderung klären soll. Unser Dialog kann nun wie folgt fortgesetzt werden:

»Herr Muster, was müsste denn passieren, damit Sie doch einen Termin für sich vereinbaren? Welche Bedingung muss erfüllt werden, damit Sie für sich einen Nutzen davon haben?«

Unsere Antwort ist somit die Frage nach der Bedingung – und setzt dabei gleichzeitig das ›Sie für sich‹-Prinzip ein.

Der Kunde antwortet: »Punkt A.«

Der Smartseller hakt nach: »Okay, was noch?«

Der Kunde: »Ja, also Punkt B auch noch …«

Mit einer Bedingungsfrage finden wir heraus, was wir tun müssen, welche Voraussetzung wir noch erfüllen können, die unsere Kundin und unseren Kunden doch einen Termin vereinbaren lässt. Frage als Smartseller und Smartsellerin die Kundinnen und Kunden an der richtigen Stelle, was du tun musst, damit sie einen Termin mit dir vereinbaren!

Wir haben nun den Punkt erreicht, an dem das Gespräch abgebunden und ein Termin vereinbart werden kann. Dies ist unsere Aufgabe in Schritt fünf. Wir beziehen uns dabei auf die vorigen Schritte und fragen etwa so: »Angenommen, diese Punkte können für Sie erfüllt werden, vereinbaren Sie dann einen Termin mit mir?« Haben wir unsere Aufgabe in Schritt eins bis vier gut gelöst, antwortet der Kunde nun: »Ja, wenn A und B erfüllt sind, gerne!« In Schritt fünf gilt es also, mit einer Vorabschlussfrage die Terminvereinbarung vorzubereiten.

In Schritt sechs geht es dann daran, die Terminvereinbarung final umzusetzen. »Damit Sie prüfen können, wie sehr sich ein Termin für Sie lohnt, habe ich eine Frage an Sie: Haben Sie diese oder nächste Woche Zeit für ein Gespräch?«, so lautet die richtige Frage zu Schritt sechs.

Telefonieren wir an einem Freitag oder Samstag, dann fragen wir ebenfalls, ob der Kunde und die Kundin noch in der laufenden Woche, also am Freitag, Samstag oder Sonntag, einen Termin wahrnehmen möchte. Diese Frage nach einem unmittelbaren Termin führt in der Praxis mit fast einhundertprozentiger Wahrscheinlichkeit dazu, dass unser Gegenüber den Termin erst für die kommende Woche vereinbart – aber genau darum geht es uns ja.

Dabei ist der Termin, der nur wenige Tage in der Zukunft liegt, der von uns präferierte Termin. Denn je unmittelbarer der Termin bevorsteht, desto höher steigt die Wahrscheinlichkeit einer Verbindlichkeit des Kunden und der Kundin, diesen Termin wahrzunehmen – und somit unsere Chance auf einen erfolgreichen Verkauf. Der verbindliche, baldige Termin wird durch unsere Fragetechnik vorbereitet.

Würden wir dagegen den Satz zur Terminvereinbarung mit der Formulierung »Möchten Sie nächste oder übernächste Woche einen Termin vereinbaren?« vortragen, erhöht sich die Wahrscheinlichkeit, dass unser Gegenüber ein Datum am Ende der übernächsten Woche nennt. Damit würde wiederum die Chance auf ein tatsächlich stattfindendes Verkaufsgespräch enorm sinken.

Die Empfehlung ist daher klar: Lass immer nur wenige Tage zwischen Terminvereinbarung und Verkaufsgespräch vergehen – und lasse dem Kunden und der Kundin daher so wenig Zeit wie möglich, um über den Termin mit dir nachzudenken!

Den Telefonanruf beenden wir am besten mit einer Frage, die wiederum Emotionen wecken kann. »Worauf freuen Sie sich am meisten bei Ihrem Termin?« An diese Frage lässt sich in der späteren Begegnung bestens anschließen.

An diesem Punkt wird das Verkaufsgespräch final vereinbart.

Wer die Sechs-Schritte-Methode zur Einwandbehandlung in beständiger Wiederholung anwendet und ihren Einsatz dabei perfektioniert, wird automatisch zu einem Profi im Verkauf.

Als erfolgreicher Smartseller und erfolgreiche Smartsellerin profitieren wir enorm von den erprobten Strukturen und der Sicherheit des Systems – und können dann gleichzeitig innerhalb der gesetzten Leitplanken flexibel und natürlich kommunizieren.

Diese Flexibilität in der Argumentationslogik bei gleichzeitiger Sicherheit und das Höchstmaß, das wir damit anstreben, erwerben wir durch das Studium der einschlägigen Literatur einerseits[4], doch müssen wir sie andererseits schlicht und einfach praktisch durch die Anwendung erwerben – nämlich durch praktisches Tun, das zu einem Erfahrungsschatz führt, und viele Stunden des Live-Trainings der Power-Techniken für mehr Termine trotz (oder gerade wegen) der Einwände der potentiellen Kundinnen und Kunden!

Die universellen Techniken sollten wir als Smartseller und Smartsellerin dabei auf unser spezielles Verkaufsmetier herunterbrechen und in der Praxis mit Inhalten füllen, die zur Struktur passen. Wir sollten deshalb systematisch damit beginnen, uns unsere eigenen Skripte auszuarbeiten – und sie immer und immer wieder in der Praxis übend anzuwenden.

Besonders der Katalog an klugen Fragen ist dabei wichtig, wie ein Beispiel zeigt:

---

[4] Klaus H. Fink und Umberto Saxxer gehören zu den erfolgreichsten und bekanntesten Experten im deutschsprachigen Raum, wenn es um die Themen ›Telefonische Terminvereinbarung und Einwandbehandlung‹ geht. Es lohnt sich, deren Veröffentlichungen zum Thema als elementare Ausbildungsbausteine ausgiebig zu studieren. Die vorgestellten Techniken sind in der Praxis millionenfach erfolgreich umgesetzt worden, sodass wir als Smartseller und Smartsellerinnen mit Sicherheit enorm von ihrer Kenntnis profitieren können.

Keine Angst vor dem Einwand: Kluge Rückfragen für einen erfolgreichen Dialog

Wenn es darum geht, die wahren Motive des Gegenübers zu identifizieren, eignen sich diverse Fragenkomplexe.

Die direkte Frage nach den Gründen des Gegenübers eignet sich gut dafür, die nötige Tiefe der Motive zu ergründen:

»Aus welchem Grund zögern Sie noch bei Ihrer Terminvereinbarung?«

»Was ist der Grund, der Sie noch zögern lässt?«

»Angenommen, Sie vereinbaren einen Termin: Aus welchem Grund machen Sie das?«

Eine ähnliche Wirkung lässt sich erzielen, wenn man Gegenfragen stellt:

»Wie sehen Sie das?«

»Was müsste ich sagen, damit Sie tatsächlich einen Termin für sich vereinbaren?

Auch wenn der Kunde offen zweifelt, eignen sich die Gegenfragen, um diesem Zweifel auf den Grund zu gehen:

Der Kunde. »Brauche ich das wirklich?«

Der Smartseller: »Hm ... Was denken Sie darüber?«

Die Kundin: »Lohnt sich das für mich?«

Die Smartsellerin: »Wann lohnt sich ein Termin normalerweise für Sie?«

Als besondere Art der Gegenfrage kann ein Argument mit einer Kontrollfrage verbunden werden, die das Gegenüber in seiner Argumentation zunächst bestätigt, um gerade daraus eine notwendige Konsequenz abzuleiten:

Die Kundin: »Ich habe schon alles!«

Die Smartsellerin: »Gratulation, das freut mich für Sie – und zeigt mir, dass Sie Interesse an solchen Lösungen haben. Dann stimmt es auch, dass Sie grundsätzlich offen für neue Möglichkeiten sind, richtig? Damit Sie prüfen können, ob und wie Sie von Ihrem Angebot profitieren, stelle ich die Frage an Sie: Wann passt es Ihnen am besten? Montag oder Dienstag, 13 oder 15 Uhr?«

Die Gegenfragen können auch dazu genutzt werden, eine Meinung abzufragen, die später für die Argumentation benutzt werden kann:

»Wie finden Sie diesen Nutzen für sich als potentiellen Kunden?«

»Was sagen Sie dazu?«

»Wie hört sich das für Sie an?«

»Wie fühlt sich das an?«

Es lohnt besonders, nach der Meinung des Gegenübers zu fragen, um den emotionalen Motiven auf den Grund zu gehen.

Der Rekurs auf die Emotionen ist ein starkes Tool in der Kommunikation, das auch durch emotionale Feststellungen genutzt werden kann:

»Das stört Sie noch! Dann lassen Sie uns in Ihrem Termin schauen, ob wir für Sie ein besseres Gefühl finden!«

»Das macht Ihnen Bedenken!«

»Das enttäuscht Sie!«

Das Verständnis dafür, wie sich unser Gegenüber fühlt, öffnet in einem Dialog in aller Regel den Zugang zur Person auf der anderen Seite des Gesprächs. Wenn eine emotionale Verbindung aufgebaut werden kann, ist es uns als Smartsellerin und Smartseller möglich, den Einwänden des Gegenübers auf den Grund gehen zu können!

Mit der Frage nach den Bedingungen wählen wir eine direkte Ansprache des Gegenübers aus:

»Was müsste erfüllt sein, damit Sie von einem Termin profitieren?«

»Unter welcher Voraussetzung würden Sie einen Termin vereinbaren. Frau V, Herr W?«

Diverse Einwände lassen sich mit der Weiterführung als Frage in einen positiven Wunsch überführen:

Der Kunde: »Das lohnt sich nicht!« Der Smartseller führt weiter aus: »Dann möchten Sie, dass es sich für Sie lohnt?«

Oder der Kunde sagt: »Das macht mir nur Probleme!« Der Smartseller leitet daraus den Wunsch ab: »Für Sie ist es also wichtig, dass Sie keine Probleme damit haben – ist das richtig?«

Auch wendet der Kunde ein: »Ein Termin macht doch keinen Sinn ...« Der Smartseller formuliert daraus den Wunsch: »Dann wollen Sie, dass sich Ihr Termin lohnt?«

Ein weiterer Ansatz ist es, gerade den Einwand des Kunden und der Kundin als Begründung dafür aufzugreifen, dass eine weitere Beschäftigung mit der Sache lohnt. Der Einwand wird dann zum Bumerang – und führt damit das Gespräch gleich wieder zum Gegenüber zurück:

»... gerade weil Sie das sagen, macht ein Termin Sinn für Sie! Wann haben Sie Zeit?«

»Genau aus diesem Grund macht ein Termin Sinn für Sie! Wann haben Sie Zeit?«

Die Bumerang-Technik geht dabei tendenziell aufs Ganze: Entweder man hat direkt Erfolg mit der Methode – oder verschreckt das Gegenüber erst recht: Darum macht es Sinn, diese Technik dann einzusetzen, wenn man das Gefühl hat, bereits einen emotionalen Zugang gefunden zu haben und gute Argumente vorgetragen zu haben, sodass der Bumerang nunmehr die gewünschte Entscheidung herbeiführen könnte.

Auch lohnt es sich bisweilen, mit der ›Darf ich fragen, darf ich's wagen-Frage‹ eine positive Antwort zu forcieren:

»Die meisten in Ihrer Situation reagieren genauso, um danach festzustellen, wie sinnvoll es war, einen Termin zu vereinbaren. Darf ich Ihnen deshalb zwei Fragen stellen, damit Sie herausfinden können, ob sich ein Termin wirklich für Sie lohnt?«

Sollte sich herausstellen, dass wir die wirklichen Motive des Gegenübers auch jetzt doch noch nicht kennen, eignen sich die Fragen einer Rückwärts-Schleife, um zurück in die Kundenergründung zu kommen:

»Das zeigt mir, dass wir noch nicht alles angeschaut haben: Was ist noch offen?«

»Es erstaunt mich, dass Sie noch nicht Ja gesagt haben: Was ist für Sie noch nicht erfüllt?«

Jede gute Frage, jede gelungene Reaktion ermöglicht es uns als Smartsellern und Smartsellerinnen, den Dialog fortzuführen, indem wir ihm eine neue Wendung geben. Natürlich muss der entsprechenden Intervention unsererseits mittels der geeigneten Fragetechnik dann mehr folgen – nämlich eine Argumentation oder eine Erläuterung, die durch unsere Fragen bereits inhaltlich angedeutet werden.

Unabdingbar ist also, dass wir stets sattelfest bleiben, wenn wir den sprichwörtlichen Gaul noch einmal herumgerissen haben, um dem Ritt eine neue Richtung geben zu können.

Nach einer gewissen Zeit werden wir die notwendige Flexibilität in der Anwendung der Techniken und der geeigneten Fragen erzielen. Unsere Skripte funktionieren dann am Ende wie ein modulares Baukastenprinzip, dessen Elemente wir logisch kombinieren und mit einer hohen Erfolgswahrscheinlichkeit zur Anwendung bringen. Das Resultat wird sich für dich mit einem steigendem Einkommen bemerkbar machen.

Bei allen Kundeneinwänden kommt es also maßgeblich auf die Fragetechnik und die Struktur des Gesprächs an, um Widerstände zu überwinden. Als Smartsellerin und Smartseller geben wir uns dabei erst geschlagen, wenn wir feststellen, dass auch all unser Nachfragen nichts nutzt und die Brücken, die wir dem Gegenüber bauen, partout nicht genutzt werden (oder genutzt werden können).

Unsere universelle Methode perfektionieren wir als vertrautes Tool, dass wir bestens beherrschen und immer nutzen können, egal um welche Kundeneinwände es geht.

Der Gang in die Hall of Fame der Einwände ist für uns ein Gang der überzeugten Selbstsicherheit und des stetigen Dazulernens, weil wir in die Geheimnisse der erfolgreichsten Techniken zur Behandlung von Kundeneinwänden eingeweiht sind, die im Museum of Temporary Sales Art verwahrt werden.

Das Verkaufsgespräch: Für das Angebot begeistern, Daten erfassen – und das Closing vorbereiten!

Nachdem wir mit unserer Akquise-Strategie Leads gewonnen und sie erfolgreich telefonisch terminiert haben, können wir uns im nachfolgenden Verkaufsgespräch daran machen, unsere Kundinnen und Kunden von unserem Angebot zu begeistern! Auch dabei können wir auf Strukturen und Hilfsmittel zurückgreifen, die die Möglichkeiten unserer Verkaufsfabrik verbessern.

Erfolgreiche Verkaufsunternehmen und ihre Smartsellerinnen und Smartseller automatisieren die Verkaufspräsentation ähnlich wie beim Telefonieren durch vorbereitete Skripte. Sie werden durch praktische Erfahrungen immer weiter verfeinert, bis als Resultat ein perfekt auf den jeweiligen Verkäufer oder die Verkäuferin zugeschnittenes Drehbuch eines Verkaufsgespräches vorliegt.

Unser geskriptetes Verkaufsgespräch bringt uns somit in dieselbe Situation, mit der ein Theaterschauspieler, der sein Drehbuch perfekt beherrscht, jeden Abend seine Rolle auf die Bühne bringt. Die Schauspieler, die dabei identische Rollen spielen, unterscheidet dabei nicht der Text, aber immer die persönliche Interpretation der Rolle.

Im Verkauf verhält es sich genauso: Am Anfang steht das Skript, das einen Rahmen für das Verkaufsgespräch entwirft. Dieser Rahmen ermöglicht dem Verkäufer Struktur, kommunikative Hilfestellung und Sicherheit. Doch erst die Persönlichkeit des Verkäufers und der Verkäuferin, die das Skript nutzen und zum Leben erwecken, macht die eigentliche Performanz, die Aufführung unseres besonderen Verkauf-Schauspiels, möglich – und ermöglicht somit auch erst den Verkaufserfolg. Dabei greifen wir auch auf die Erkenntnisse der First Impression-Leadership zurück.

Je besser unser Drehbuch ausgearbeitet ist und je besser wir als Smartsellerin und Smartseller unsere Performanz leisten, desto natürlicher werden wir mit dem ganzen Stück umzugehen lernen. Es mag sein, dass sich das Drehbuch zunächst noch holprig liest und etwas ungelenk aufgeführt wird – doch ist das nur sol ange der Fall, bis wir das Spiel ganz verinnerlichen. Dann werden wir auch die Formulierungen, die unsere Smartseller-Methoden anbieten, zu unseren gemacht haben – und jeweils nicht nur in die Haut des Verkäufers und der Verkäuferin schlüpfen können, wenn das nötig wird, sondern auch unsere Rolle im Stück des Verkaufsgesprächs spielen, wie sie sein muss!

Die Drehbücher sind selbst dann noch entscheidend, wenn der Verkaufsprozess immer digitaler ausgestaltet wird. Auch hier gilt es, eine Idee für eine digitale Verkaufsstrategie zu entwickeln und zu fixieren. Verkauft man digital, kann ein erster Set-Up-Call der eigentlichen Verkaufspräsentation vorangehen.

In der Praxis fällt dabei auf, dass der einzige Unterschied zwischen dem analogen und digitalen Verkaufsprozess darin besteht, dass beim letzteren eine ›Mehrterminstrategie‹ der Gleichzeitigkeit genutzt wird. Die intendierte Zeitersparnis, die damit verbunden ist, ist nicht zuletzt dem Umstand geschuldet, dass die Aufmerksamkeitsspanne der Kundinnen und Kunden immer geringer wird – und gleichzeitig der so entscheidende Vertrauensaufbau in der anonymeren, digitalen Welt paradoxerweise eine längere Zeit beansprucht.

Mit dem Aufbau des Vertrauens sind wir bei der Aufgabe des Verkaufsgesprächs angelangt, die die größten Ressourcen an Energie und Zeit beansprucht. Wieder geht es hier um unserer First Impression-Leadership.

Wenn wir den Aufbau eines Verkaufsgespräches analysieren, besteht es mit bis zu sechzig Prozent der Ressourcen im Vertrauensaufbau; dreißig Prozent der Zeit wird daneben auf die Analyse des Bedarfs verwendet, und nur ganze zehn Prozent des gesamten Verkaufsprozesses entfallen auf den eigentlichen Abschluss, das Closing des Angebots!

Der entscheidende Teil eines erfolgreichen Verkaufsprozesses ist also der gelungene Aufbau einer Vertrauensbeziehung zum Kunden und zur Kundin, angefangen beim ersten Eindruck.

Als Smartsellerinnen und Smartseller greifen wir dabei erneut auf unsere bewährten Musterskripte für den gesamten Prozess zurück, wie sie auf den folgenden Seiten skizziert und eingeordnet werden. Dabei sollten wir nicht nur die einzelnen Schritte inhaltlich verinnerlichen, sondern auch verstehen, wie sich die dabei verwendete Verkaufspsychologie erklärt.

Unser Ziel ist es, dass wir somit den gesamten Verkaufsgesprächsprozess für unseren persönlichen Verkaufserfolg ideal ausmodellieren:

Vertrauen etablieren mit der Set-Up-Beratung

Auf der ersten Seite des Drehbuches zum Verkaufsgespräch beginnt Teil 1 unseres strukturierten Verkaufsprozesses mit dem Set-Up-Call.

Dabei wird die gegenseitige Vorstellung von Interessent und Smartseller dazu genutzt, gegenseitiges Vertrauen aufzubauen. Wer eine langfristige Geschäftsbeziehung anstrebt, wird damit die Voraussetzung schaffen, mit der ein Aufbau einer Beziehung gelingen kann. Dabei kann durch eine geschickte persönliche Vorstellung die Beziehung zu potentiellen Kunden und Kundinnen entscheidend geprägt werden.

Der Set-Up-Call wird mit der Vorstellung deiner Person eröffnet. Du stellst dich als Smartseller und Smartsellerin stets zuerst vor – und prägst damit bereits die Art der Beziehung, die aufgebaut wird. Wie die Entenmutter, die voraus läuft, damit ihr die Babyenten nachfolgen, beginnt mit unserer Vorstellung der Überzeugungsprozess der Kundinnen und Kunden, die wir für uns gewinnen möchten.

Das Stichwort ›Gewinnen‹ ist dabei entscheidend: Mit der Erzählung unseres Attractive Characters geben wir dem Set-Up-Call die entscheidende Richtung. Nimmt uns der Kunde und die Kundin tatsächlich als Sieger wahr, und damit als lohnenden möglichen Businesspartner, ist der Einstieg geglückt.

Im Anschluss an unsere Vorstellung wollen wir das Gegenüber kennenlernen. Dabei erzählen der Kunde und die Kundin von sich und dem jeweiligen Werdegang. In dieser Phase zählt, dass wir uns für die Kundinnen und Kunden und ihr Leben interessieren.

Wir zeigen und erreichen dies, indem wir vertiefende Fragen stellen: »Ah, Sie fahren Ski! Wo denn? Wie gut? Wie lange?« Durch vertiefende Fragen erfährt unser Kunde eine Wertschätzung, die ihre Wirkung entfalten kann: Dadurch baut sich Vertrauen und Sympathie auf.

Der Set-Up-Call wird anschließend mit der Abfrage der gegenseitigen Erwartungen fortgeführt: »Welche Erwartungen haben Sie an Ihr Gespräch mitgebracht?« Oft werden Kunden und Kundinnen darauf mit einem »Hm, ich habe eigentlich keine Erwartung« antworten – was uns als Smartseller und Smartsellerin wiederum zeigt, dass unsere Gegenüber zu Beginn eines Gesprächs oft noch unsicher, skeptisch oder sogar ängstlich sind, was dazu führt, dass die meisten von ihnen ihre eigentlichen Erwartungen noch verbergen.

Smartseller begegnen dieser Unsicherheit mit einer Formulierung, die das Eis bricht und entspannt:

»Hervorragend! Das sagen die meisten in Ihrer Situation als Erstes. Das ist vollkommen in Ordnung! Meine Erwartung ist, dass Sie am Ende Ihres Gesprächs eine positive Entscheidung für eine langfristige, gemeinsame Geschäftsbeziehung treffen. Außerdem ist es toll, wenn ich kein Geheimtipp in Ihrem Netzwerk bleibe und Sie mich gerne weiterempfehlen!«

Der Rekurs auf das Verhalten der anderen – unser Satz »Das sagen viele in Ihrer Situation« – lässt beim Gegenüber ein Gefühl von Sicherheit entstehen, das mit dem Effekt des Verhaltens der sozialen Gruppe, dem Herdentrieb, zusammenhängt.

Auch der Prozess der Weiterempfehlung wird damit bereits zu Beginn der Verkaufspräsentation angestoßen: Tatsächlich ermöglicht eine beständige Wiederholung und Betonung einer möglichen Weiterempfehlung durch den Kunden und die Kundin uns als Smartsellern am Ende des Gespräches auch den Zutritt in das Netzwerk des Kunden.

Ein guter Smartseller und eine überzeugende Smartsellerin hat bis zu diesem Punkt des Gesprächs zudem auch mehrfach die Stichworte »Entscheidung« und »langfristige Beziehung« in das Verkaufsgespräch integriert. Das ist kein Zufall, weil mit der Wiederholung der Stichworte eine psychologische Lernkurve bei unserem Gegenüber aktiviert wird.

Es ist dabei gerade nicht redundant, immer wieder Sätze wie den folgenden zu wiederholen: »Sie dürfen am Ende des Gespräches eine Entscheidung treffen, ob Sie langfristig mit mir arbeiten möchten – so langfristig, dass wir beide uns noch im Altersheim kennen!«

In der Praxis sind sechs bis acht Wiederholungen ein effektives Stilmittel dafür, das Verhalten aktiv beeinflussen zu können.

Mit dem Wort »Entscheidung« und dessen beständiger Wiederholung im Verkaufsprozess bereiten wir folglich unsere Kundin, unseren Kunden darauf vor, tatsächlich diese Entscheidung zu unserem Angebot zu treffen – dafür oder dagegen; mit der Betonung der »langfristigen Beziehung« bauen wir zugleich weiter das Vertrauen zu unserem Gegenüber auf. Gerade das gezielte Einsetzen von Schlüsselwörtern und ihre Wiederholung führen dazu, dass unsere Kundinnen und Kunden unser Angebot aufgreifen.

Unsere erste Set-Up-Beratung soll vor allem eines erreichen. Die wichtige Vertrauensbildung soll bei unseren Kunden und Kundinnen begonnen werden – egal, ob der Set-Up-Call am Telefon oder doch sogar schon bei einer persönlichen Begegnung vor Ort stattfindet. Für das Drehbuch zum Set-Up-Call spielt es in aller Regel keine Rolle, ob wir digital oder in der physischen Welt unser Verkaufsgespräch orchestrieren; der Aufbau des Skriptes ist derselbe. Es zeigt sich allerdings, dass wir gerade in der digitalen Welt größere Erfolge feiern, wenn ein erster Set-Up-Call als persönlicher Teil des Verkaufsprozesses implementiert wird!

Die Basis, die wir mit der Wirkung unserer Person und der Beziehung, die wir zum Gegenüber aufgebaut haben, schaffen, muss unbedingt zu Beginn des Verkaufsgesprächs gelegt werden. Gelingt uns dies, können wir im Anschluss über Inhalte reden – doch überzeugen wir dabei nur, wenn wir uns zuvor als glaubwürdige und lohnende Person gemäß der First Impression-Leadership-Methode eingeführt haben.

Schaffen wir das nicht, werden wir später mit großen Schwierigkeiten zu kämpfen haben, weil die Möglichkeit, aus der Wirkungsebene der Person heraus zu überzeugen, nicht abgerufen werden kann.

Dabei ist es gerade diese Wirkungsebene der Person – in der Rhetoriktheorie wird sie als Ebene des Ethos bezeichnet, in der wir über Sympathien wirken und überzeugen –, die später maßgeblich zum Kaufimpuls beiträgt.

Am Ende des Set-Up-Calls steht schließlich die Entscheidungsfrage an: »Können Sie sich vorstellen, langfristig mit mir zusammenzuarbeiten?« Der Kunde und die Kundin müssen nun das Commitment abgeben, ob sie sich eine weitere Zusammenarbeit vorstellen können. Bestätigt das Gegenüber unsere Frage durch ein einfaches »Ja«, haben wir bereits einen großen Schritt Richtung Umsatz getan.

Der Teil des Verkaufsgesprächs, der sich jetzt anschließt, beinhaltet seinen Kern. Wenn unser Set-Up-Call noch fernmündlich stattgefunden hat, gilt es nun, vor Ort auf der Basis des aufgebauten Vertrauens weiter zu überzeugen.

Im Übrigen ist es darum kein Nachteil, wenn der Set-Up-Call bereits als Part eins der persönlichen Begegnung vor Ort stattfindet und sich nun als Part zwei die Bedarfsanalyse direkt anschließen lässt. Oft ist das für die Kundinnen und Kunden sogar einfacher als zwei zeitlich getrennte Termine zu vereinbaren, und damit sogar erfolgversprechender.

Das ist auch deshalb so, weil wir bei einer persönlichen Begegnung Mittel der rhetorischen Evidenz einbringen können.

Mit rhetorischer Evidenz wird eine Überzeugungstechnik bezeichnet, die in sehr vielen Kommunikationssituationen eingesetzt werden kann. Die Technik besteht im Wesentlichen darin, Gesagtes aus der theoretischen Ebene durch eine praktische Handlung, die beide Ebenen miteinander verknüpft, zu bestärken oder zu illustrieren.

Ein einfaches Beispiel für die rhetorische Evidenz liegt vor, wenn wir dem Gegenüber sagen: »Ihnen reiche ich die Hand!« und unsere Hand dann auch wirklich ausstrecken. Unsere Handlung beweist damit, dass wir wirklich meinen, was wir da sagen – sie wird evident, also bewiesen.

Evidence ist der englische Begriff für einen Beweis – und entsprechend ist die rhetorische Evidenz ein Vorgang, mit dem wir erlebbar ›beweisen‹, was unsere Sprache im gesprochenen Wort ankündigt. Damit wird unser Gegenüber quasi im Moment ›live‹ – und auch am besten vor Ort – von der Wahrhaftigkeit unserer Behauptung oder Aussage überzeugt.

Alle Handlungen, alle Emotionen, die unsere inhaltlichen Aussagen ›live‹ erlebbar machen, haben in diesem Sinne einen evidenten Charakter – und können auch über die Sinne wahrgenommen werden, indem sie etwa durch visuelle und haptische Vorgänge unsere Aussage beweisen.

Zum Ende des Set-Up-Calls kann die rhetorische Evidenz als der entscheidende Gamechanger eingesetzt werden. Dafür nehmen Smartseller und Smartsellerinnen etwa einen Zehn Euro-Schein aus der Brieftasche und fragen das Gegenüber: »Wollen Sie nun wissen, wie wir hier in der Firma für Sie arbeiten? Haben Sie einen Fünf Euro-Schein in der Tasche? Falls ja, dann geben Sie ihn mir bitte!« Nun nehmen wir den Fünf Euro-Schein des Gegenübers und händigen ihm im Gegenzug den Zehn Euro-Schein aus – verbunden mit der Botschaft zur Evidenz: »Egal, was Sie investieren, lieber Kunde, liebe Kundin, Sie bekommen bei mir immer mehr an Leistung heraus als Sie hineinstecken!« Die Evidenz unserer symbolischen Handlung verdeutlicht dem Kunden und der Kundin mit einem ganz praktischen Aspekt, dass sich eine Zusammenarbeit lohnt.

Zusätzlich wirkt das Gesetz der Reziprozität: Indem wir auf das Beziehungskonto einzahlen und das Motiv des Profits emotional aufwerten, steigt die innere Verpflichtung des Kunden, im Tausch dafür mit uns zusammenzuarbeiten!

Anders gesagt: Du gibst wenig, genauer gesagt fünf Euro – und erhältst dafür einen neuen Kunden. Das ist ein perfekter Deal!

Solcherlei Evidenzprinzipien lassen sich auch im Online-Verkauf umsetzen, wobei hier der Mechanismus der Haptik und Optik allerdings nicht so stark wirkt wie im persönlichen Gespräch.

»Lieber Kunde, liebe Kundin, lassen Sie uns jetzt mit Ihrer Präsentation starten und schauen, welche Vorteile andere in Ihrer Situation mit unserem Angebot bereits genutzt haben – und wie Sie persönlich von unserem Angebot profitieren.« Mit diesem Satz beenden wir nun den Set-Up-Call, wobei wir mit unserer Formulierung die Neugierde bei unserem Gegenüber wecken, indem wir den Gewinn- und Profitnutzen betonen.

Die inhaltliche Präsentation unseres Verkaufsskriptes kann nun begonnen werden:

Ziele der potentiellen Kunden und Kundinnen abfragen

Ein gutes Verkaufsskript folgt den Kriterien, die wir bereits bei der Akquise kennengelernt haben: Wir überzeugen mit Struktur und gekonnter Ansprache. Jede Art der Ansprache bezieht sich dabei auf die Kundin und den Kunden – und den Nutzen, den unser Angebot dem Gegenüber bietet. Es ist hilfreich, dies auch eindeutig zu machen, indem wir entsprechend formulieren.

Das Verkaufsgespräch wird von uns als Smartsellern nun in den inhaltlichen Teil überführt. Unsere Verkaufspräsentation beginnt im zweiten Teil daher auch damit, die Ziele und den Nutzen, die unser Angebot für unsere Kundinnen und Kunden haben, klar zu benennen und abzufragen. Schon mit der ersten Inhaltsseite unserer Präsentation wird deshalb gleich zu Beginn klargemacht: »Ziel dieser Seite ist es, lieber Kunde, liebe Kundin, Ihnen aufzuzeigen, wie Sie von unserer Firma langfristig profitieren!«

Tatsächlich ist die Benennung der Struktur erneut nicht redundant, weil sie eine klare Orientierung ermöglicht – sodass auch im Folgenden am Anfang jeder neuen Seite der Präsentation die Funktion dieser Seite genauso benannt werden wie konsequent darüber informiert werden kann, welchen Nutzen der Kunde und die Kundin vom Inhalt haben.

Dass der Nutzen in einem Profit besteht, darf gerade zu Beginn der Präsentation hervorgehoben und im Anschluss stetig wiederholt werden – wobei zugleich erneut auf die Sie-Sprache geachtet wird: »Ihnen wird aufgezeigt, wie Sie von unserer Firma profitieren!« Auch der Begriff »langfristig« wird weiterhin rhetorisch als Keyword verwendet.

»Dazu sehen Sie in unserer Präsentation mögliche Ziele dargestellt, die Sie mit unserem Angebot erreichen können. Diese haben sich seit Gründung der Firma bewährt. Bitte prüfen Sie für sich, welche Ziele Sie mit unserem Angebot erfüllt haben möchten!« – so oder ähnlich können wir dabei die Ziele des Kunden, der Kundin in den Vordergrund stellen.

Damit zeigen wir dem Gegenüber mehrere Dinge auf: Zum einen, dass es als unser Kunde und unsere Kundin am Anfang und Ende unserer Bemühungen steht. Die Frage nach den Zielen beantwortet zum anderen die Frage, was das Gegenüber von einer Zusammenarbeit mit uns hat.

Zusätzlich wird aufgezeigt, dass es nicht darum geht, ein simples Produkt zu verkaufen – sondern vielmehr darum, dass unsere Kundinnen und Kunden ihre Ziele erreichen!

Egal in welcher Branche du tätig bist, es geht letztlich immer um die erfolgreichen Lösungen zu typischen Fragekomplexen:

Was hat der Kunde davon, dass es dich gibt?

Welches Problem löst die Firma für ihre Kunden und Kundinnen?

Für dich als Smartsellerin und Smartseller gilt, dass du nicht nur inhaltlich klug Auskunft gibst, sondern dich auch als Experte und Expertin präsentierst.

Wir sind der Spezialist und die Spezialistin, die die Erreichung der Ziele des Kunden und der Kundin möglich machen – und dabei auch alle Probleme des Gegenübers verstehen und lösen!

Benennen die Kundin und der Kunde ihre Ziele und verstehen sie, welche Probleme sie durch uns gelöst bekommen, und tun wir dies ebenso, beenden wir diese Seite als Abschnitt unseres Drehbuchs – wie wir auch jede weitere Seite im Drehbuch beenden – mit der Zusammenfassung des besprochenen Inhalts. Unsere Präsentation begreifen wir dabei ebenfalls als einen Dialog, dessen Ergebnis wir uns immer wieder zusammenfassend versichern.

Unsere Zusammenfassung nach Klärung der Ziele und des Nutzens leiten wir etwa mit diesen Fragen ein:

»Lieber Kunde, liebe Kundin, welche Vorteile sehen Sie in dieser Vorgehensweise für sich?«

»Lieber Kunde, liebe Kundin, spricht aus Ihrer Sicht – aufgrund der von Ihnen genannten Vorteile – an dieser Stelle irgendetwas gegen eine langfristige Geschäftsbeziehung mit mir?«

Oder alternativ: »Lieber Kunde, liebe Kundin, können Sie sich – aufgrund der von Ihnen genannten Vorteile – bereits jetzt eine langfristige Geschäftsbeziehung mit mir vorstellen?«

Indem wir diese Seite des Drehbuchs mit der Beantwortung der Fragen beenden, testen wir zugleich die Bereitschaft des Kunden und der Kundin, mit uns im Anschluss ein Geschäft abzuschließen. Aus genau diesem Grund stellen wir auch unsere ›Vorabschlussfragen‹! Mit den Fragen, die auf den Abschluss abzielen, bauen wir uns dabei ›eine Straße des Jas‹ bis zum finalen Abschluss auf, je länger wir unserem Drehbuch folgen.

Je öfter dein Kunde und deine Kundin ein »Ja!« zu dir und deinem Angebot sagen, während du dem Skript folgst, desto wahrscheinlicher wird es, dass es zum Closing des Deals kommt!

Dabei wirkt das Konsistenz-Prinzip, das besagt, dass Menschen ihr Verhalten nur schwer ändern, wenn sie einmal – oder besser noch mehrmals – zu etwas »Ja« gesagt haben.

Nicht immer wird es uns dabei gelingen, dass unsere Kunden und Kundinnen bereits jetzt schon die Vorteile erkennen und benennen, die wir als Smartseller präsentieren. Wenn dies nicht der Fall ist, ist das ist kein Grund, die Flinte ins Korn zu werfen – sondern vielmehr der Anlass dafür, nochmals an den jeweiligen Seitenanfang der Drehbuchseite zurückzuspringen.

Nun gilt es, die unverstandenen Punkte nochmals durchzugehen – und dabei die bereits in Zuge der Terminvereinbarung vorgestellten Techniken zum Umgang mit Einwänden einzusetzen.

Damit wird uns fast immer gelingen, dass unser Gegenüber einen Vorteil erkennt – und bis das passiert, müssen wir eben weiter überzeugen.

Es ist wichtig, gerade in der Anfangsphase der Verkaufspräsentation dieses über kluge Fragen herausgefundene Feedback zu bekommen, damit ein späterer Verkauf gelingen kann.

Wenn der Kunde sich an diesem Punkt des Verkaufsgesprächs noch keine langfristige Geschäftsbeziehung mit uns vorstellen kann, lohnt es sich also, mit den entsprechenden Rückfragen zu intervenieren.

Wenn ein Smartseller und eine Smartsellerin wahrnehmen, dass noch keine vollständige Überzeugung erfolgt ist, können sie etwa fragen:

»Wo befinden Sie sich auf einer Skala von eins bis zehn, wobei eine zehn bedeuten würde, dass Sie langfristig mit mir zusammenarbeiten wollen?

Die Kundin: »Auf einer sechs.«

Der Smartseller antwortet dann: »Okay, danke. Was benötigen Sie, um auf eine zehn zu kommen?«

Die Kundin: »Ich weiß nicht. Ich muss erst wissen, worum es geht!«

Der Smartseller: »Okay! Dann gehen wir für Sie jetzt genau darauf ein!«

Wir verstehen als Smartsellerin und Smartseller also durch solche Aussagen, wo unser Gegenüber gerade noch steht.

Natürlich kann unsere Kundin, da wir uns erst auf Seite zwei der Verkaufspräsentation befinden, noch gar nicht wissen, worum es geht – wir sind inhaltlich ja auch erst ganz am Anfang des Verkaufsgesprächs.

Die Rückmeldung gilt deshalb an dieser Stelle unserem rhetorischen Ethos, unserer Wirkung als Person: Weil unsere Kunden und Kundinnen auch uns selbst kaufen, zeigen sie uns an dieser Stelle, dass wir als Person beim Kunden und bei der Kundin noch kein einhundertprozentiges Vertrauen in uns aufbauen konnten – ganz unabhängig vom Angebot.

Das kann daran liegen, dass die Interessentin und der Interessent eher introvertierte Zahlen-, Daten- und Faktenmenschen sind ist und mehr Informationen benötigen, bevor sie sich auf eine Person einlassen können. Es kann auch sein, dass sie uns nicht als sympathisch oder kompetent wahrnehmen. Es ist zudem möglich, dass sie an unserem Angebot keinen Bedarf zu haben meinen.

All dies ist nicht schlimm, ganz im Gegenteil: Das Feedback an dieser Stelle ist deshalb so wichtig, weil wir aus dieser Situationsbestimmung noch rechtzeitig lernen können, was wir nun im Anschluss daran leisten müssen.

Nach einer Standortbestimmung weißt du, wie weit der Abschluss des Weges noch entfernt ist – und kannst das Gespräch auf den nachfolgenden Seiten des Skriptes so lenken, dass der Erfolg wahrscheinlicher wird. Wir können das Gespräch auf den kommenden Seiten des Drehbuchs und seines Skriptes so beeinflussen, dass die zehn auf der Kaufskala erreicht werden kann!

Dies tun wir, indem wir nun stringent das Learning betonen, das wir ab jetzt Seite für Seite mit unser Präsentation vermitteln. Wir achten dabei darauf, die Struktur zu benennen und weiterhin unter Beachtung der Sie-Sprache den Nutzen zu betonen.

Jede neue Seite unseres Skript können wir dann mit einem vertrauen Satz aufschlagen: »Auf dieser Seite geht es für Sie darum, folgendes Learning zu haben … Das bringt unseren Kunden und Ihnen folgendes …« Am Ende der jeweiligen Seiten des Skriptes binden wir das Gespräch ab, indem wir uns rückversichern, ob unsere Gegenüber unsere Argumentation nachvollziehen konnten, welche Vorteile der Kunde und die Kundin im präsentierten Inhalt erkannt haben – und ob sie sich aufgrund der Learnings inzwischen eine langfristige Geschäftsbeziehung mit uns vorstellen können.

Wir binden dabei unseren Zuhörer und unsere Zuhörerin immer mehr an uns und beobachten genau, ob unser Plan aufgehen kann:

Je öfter du dir dabei das »Ja« zu dir und deinem Angebot einholst, desto größer wird die Chance darauf, dass am Ende ein Abschluss getätigt wird!

Mit Marke und Image punkten

Auf der nächsten Seite unseres Drehbuches mit dem dritten Teil des Set-Up-Gesprächs geht es inhaltlich um unser Unternehmen und die Firma, und weshalb die Kundschaft mit uns zusammenarbeiten soll:

»Lieber Kunde, liebe Kundin« – wir legen als Smartsellerin und Smartseller nach wie vor viel Wert darauf, den Namen des Gegenübers so oft wie möglich zu nennen, weil Menschen wie gesehen ihren Namen sehr gerne hören und dies für den Aufbau von Sympathie und Vertrauen sorgt – »auf dieser Seite zeigen wir Ihnen, aus welchem Grund Sie mit unserer Firma zusammenarbeiten dürfen, ja sollten! Dazu eine erste Frage an Sie, liebe Kundin, lieber Kunde: Was wissen Sie bereits über unsere Firma?«

Wenn die Kundin nun »Nicht vie l ...« antwortet, haben wir als Smartsellerin und Smartseller die Gelegenheit, unser Unternehmen zu erklären.

Dabei geht es vorrangig um die Marke, die über das Prinzip des Social Proof auf das Vertrauenskonto der Kundinnen und Kunden einzahlt.

»Unsere Firma wurde im Jahr A gegründet von B. Die Idee des Gründers war damals, Menschen im Bereich C zu helfen. Das hat er so gut gemacht, dass die Firma so schnell gewachsen ist, dass sie heute D Millionen Euro Umsatz macht, E Beschäftigte hat und eine der erfolgreichsten Firmen in diesem Bereich darstellt. Die Qualität unseres Angebotes bestätigen uns zudem renommierte Medien, Ratingagenturen – und natürlich unsere Kunden und Kundinnen. Sie sehen hier eine Auswahl« – wieder können wir das Prinzip der rhetorischen Evidenz nutzen, wenn wir etwa die angesprochenen Gütesiegel vorzeigen oder andere starke Bilder, die etwas über das Unternehmen aussagen –, »und mehr finden Sie natürlich im Internet: Nach unserem Gespräch bekommen Sie gerne noch weiterführende Links zugesendet.«

Mit unserer Präsentation verfolgen wir dabei das Ziel, unsere Glaubwürdigkeit zu vergrößern, ein hohes Maß an Seriosität zu vermitteln – und uns selbst mit der evidenten Darstellung damit zu nutzen, unsere eigene Kompetenz zu belegen und weiteres Vertrauen zu ermöglichen.

Die Marke hilft uns, einen ›Reason to believe‹ für unsere Kundinnen und Kunden zu zeichnen, der Sinn ergibt und begründet, warum es genau richtig ist, bei uns zu kaufen und nicht zum Wettbewerber zu gehen.

Um diesen Reason to believe zu unterstützen, können wir auf Mittel der Öffentlichkeitsarbeit zurückgreifen, aber auch auf Zeitungsartikel oder Ratings zu unserem Angebot. Auch Referenzlisten zufriedener Kunden dienen in diesem Zusammenhang ebenfalls als ein wirkungsmächtiges Werkzeug der Vertrauensbildung.

Wiederum kann es vorkommen, dass uns nun unser Kunde und unsere Kundin mitteilen, dass sie eigentlich nur Negatives über unsere Firma gehört haben – und sogar ebenfalls über uns selbst! Auch hier bleiben wir ruhig und denken an die Techniken zur Einwandsbehandlung:

Wir erkundigen uns zunächst danach, was unser Gegenüber tatsächlich gehört hat. Wenn wir diese Punkte wiederholend aufzählen, können wir um die Einordnung bitten, welchen Eindruck wir bei unserem Kontakt und dem Set-Up-Call bis dahin vermittelt haben – und ob die Eindrücke, die unser Gegenüber im Verkaufsgespräch gewonnen hat, die negativen Aussagen bestätigen können.

Tatsächlich werden wir es als Smartseller immer wieder – und nicht nur in Bezug auf unser Unternehmen – mit negativen Impressionen zu tun bekommen. Damit kann gut umgegangen werden, indem wir diese negativen Impressionen von uns oder der Firma mit den Mitteln des Storytellings neu einordnen und ganz anders deuten:

Wir können beispielsweise von unserem Lieblingsitaliener berichten, zu dem wir mit Überzeugung gehen, obwohl er schlechte Bewertungen im Internet besitzt – weil es eben schwierig ist, in einem Restaurant, das immer voll ist, alle Gäste gleichzeitig schnell und in derselben Weise zuvorkommend zu behandeln, sodass eben auch die eine oder andere schlechte Bewertung geschrieben wurde, die das Restaurant eigentlich nicht verdient.

Oder wir können unserem Gegenüber vom Gesetz der Polarität erzählen, demzufolge alles sein Gegenteil erzeugt und damit jeder Fan, jeder zufriedene Kunde auch automatisch einen Hater und einen unzufriedenen Kunden generiert.

Wieder fragen wir den Kunden und die Kundin nun, ob sie unsere Ausführungen nachvollziehen können – und wenn sie das tun, fragen wir sie, wie sie uns als Smartsellerin und Smartseller bislang wahrnehmen – und ob sie sich ein langfristiges Engagement mit uns und unserer Firma vorstellen können ... Wenn dir das mittlerweile vertraut erscheint, zeigst du, dass du die Philosophie der Smartselling Leadership und ihre Systeme langsam verstehst!

Egal wie die Antwort ausfällt, wir werden danach unser Gegenüber fragen müssen, ob eine Fortsetzung des Gesprächs sinnvoll ist.

War der Kunde tatsächlich bis zu diesem Punkt im Verkaufsgespräch begeistert, können wir mit dem Gespräch fortfahren. Falls das nicht der Fall ist, endet das Verkaufsgespräch an dieser Stelle (wie auch in den anderen Situationen, in denen unser Gegenüber nicht mehr mit uns kommunizieren möchte).

Wir sollten uns dann nicht über die potentiellen Kunden und Kundinnen ärgern, die uns im besten Falle missverstehen, sondern uns darüber freuen, dass wir dadurch Zeit für die Kundschaft gewinnen, die wirklich mit uns zusammenarbeiten möchte.

Und deshalb gilt auch: Dann, wenn das Gegenüber »Ja« sagt, fahren wir in unserer Beratung fort – und falls ein »Nein, noch nicht so richtig« zu hören ist, das keine grundsätzliche Absage an dieser Stelle bedeutet, fragen wir es wieder, wo es sich auf der Skala von eins bis zehn befindet, wenn es um die Möglichkeit geht, eine Leistung von uns zu erwerben, und was noch benötigt wird, sodass es auf eine zehn kommt und zum Kunden wird.

Dabei bleibst du stets besonnen und arbeitest verlässlich wie ein Uhrwerk – es gibt keine unangenehme Sache, die im Gespräch nicht abgearbeitet werden kann, wenn sie zur Sprache gekommen ist.

Gerade dieser souveräne und konsequente Umgang wird unseren Kundinnen und Kunden evident vorführen, dass sie es mit echten Smartsellern und Smartsellerinnen zu tun haben, die es sich eben nicht leicht machen, sondern mit hohem Ethos am Werk sind. Du wiederholst dazu am besten den Punkt, der als Einwand geklärt wurde, und notierst ihn in deinen Unterlagen.

Besser als die Konkurrenz: Einzigartige USP

Der Smartseller: »Ich habe die Frage an Sie, lieber Kunde, liebe Kundin, ob Sie eine Idee davon haben, was uns von der Konkurrenz unterscheidet – und was wir besser für Sie machen als der Rest des Markts?«

Die Kundin antwortet wie so viele andere etwa in die folgende Richtung: »Hm, vielleicht F und G?« Der Smartseller: »Das ist richtig. Das ist eine gute Überlegung! Zusätzlich möchte ich Ihnen folgende Punkte zurufen …«

Auch die Etappe, in der wir vermitteln, warum wir und unsere Firma vorteilhaft, mehr noch, vorteilhafter als andere und besser als die Konkurrenz für unsere Kundschaft sind, ist im Verkaufsgespräch eine wichtige Wegmarke.

Deshalb benennen wir nun die Alleinstellungsmerkmale unseres Unternehmens und unseres Angebots, die Unique Selling Points – und wenn wir dies auf eine überzeugende Art und Weise tun und erklären, warum unsere Firma die besten Lösungen für den Kunden und die Kundin auf dem Markt anbieten, werden sie das Angebot mit uns umsetzen.

Nachdem die Ideen der Kundschaft aufgegriffen und von uns ergänzt worden sind, fragen wir am Ende der Seite unseres Drehbuchs erneut, welche Vorteile unser Gegenüber in der Zusammenarbeit mit uns und unserer Firma sieht: »Meine Frage an Sie lautet, welche von den vielen Vorteilen Sie mit dem Wissen von jetzt Ihren Bekannten als den größten und wichtigsten benennen würden?«

Wenn die Kundin nun »H und I« nennt, wiederholst du als Smartsellerin und Smartseller diese Punkte nochmals und ergänzt: »Die Vorteile H und I sehen viele unserer Kundinnen und Kunden genauso wie Sie! Prima! Spricht denn jetzt aus Ihrer Sicht noch irgendetwas gegen eine langfristige Zusammenarbeit mit mir und meiner Firma?«

Erneut willst du hier alle möglichen Einwände und Überlegungen, die gegen eine Zusammenarbeit sprechen, von den Interessenten erfahren, damit du darauf eingehen kannst, sodass sie von Hinderungs- zu Beweggründen gemacht werden können.

Falls deinem Gegenüber an dieser Stelle nichts mehr einfällt, hast du automatisch ein weiteres Ja zur Umsetzung deines Konzeptes erhalten und kommst dem Closing mit großen Schritten näher!

Der Unterschied bei der Preisfrage

Auf der nächsten Seite des Verkaufsdrehbuchs geht es im vierten Teil um die transparente Darstellung von Kosten und Preisen. Wie wir es bereits immer dann gemacht haben, wenn wir ein neues Thema eingeführt haben, starten wir erneut mit der Benennung des Ziels in die neue Seite der Präsentation: »Lieber Kunde, liebe Kundin, das Ziel dieser Seite ist es, transparent aufzuzeigen, wie der Preis Ihres Angebots entsteht. Für die meisten Kundinnen und Kunden ist es von Interesse zu wissen, welche Investitionen im Angebot stecken – und was wir als Firma daran verdienen. Ist das bei Ihnen auch so?«

Falls Kundinnen und Kunden kein Interesse an dem Thema der Preis- und Kostensetzung haben, ist es nicht zwingend notwendig, sie im Verkaufsgespräch zu thematisieren; die Erfahrung zeigt jedoch, dass der Preis und der Prozess der Preisbildung oft von Interesse ist.

Deshalb gilt für alle Smartsellerinnen und Smartseller die Empfehlung, offensiv mit dem Thema Kosten umzugehen! Wir sollten sogar unsererseits als Erste im Dialog mit den Kundinnen und Kunden darauf zu sprechen kommen, noch bevor unser Gegenüber daran denkt. Damit behalten wir die Kommunikationshoheit des vielleicht schwierigen Themas, anstatt die Kundin und den Kunden dahin zu bringen, sich selbst an eine Preisrecherche zu machen.

Gerade weil das Internet heute für fast alle Branchen schnelle Preisvergleiche aller Wettbewerber ermöglicht, können wir mit der Kommunikationshoheit unsere Preise erklären, anstatt uns für sie lediglich zu rechtfertigen.

Sogar in dem Fall, dass unser Angebot teurer aussieht als dasjenige des Wettbewerbs, haben wir dann die Möglichkeit, dem Gegenüber genau zu erläutern, wodurch der Preisunterschied entsteht – und weshalb er am Ende sogar gerechtfertigt ist.

Wir zeigen damit auf, dass wir einerseits differenziert argumentieren und keine Äpfel mit Birnen vergleichen, machen aber auch andererseits deutlich, dass wir verstanden haben, warum das Wissen um die Details für unsere Kundschaft wichtig ist. Können wir unseren Kunden und Kundinnen aufzeigen, welche Kosten und Margen hinter unserem Angebot stehen, und damit nachvollziehbar machen, weshalb ein geforderter Preis gerechtfertigt ist, wirkt das vertrauensfördernd und erhöht unsere Abschlusswahrscheinlichkeit.

Das Geheimnis im Umgang mit den Preisen besteht indessen darin, sie in den bestmöglichen Bezugsrahmen zu setzen. Wenn wir Preise klug einordnen, nutzen wir dabei psychologische Ankereffekte.

Dabei gilt: Preise sind nur Zahlen auf einem Blatt Papier oder einem Computerbildschirm. Weil das so ist, können sie auf fast magische Weise größer oder kleiner gemacht werden – und zwar stets durch die Wahl des Bezugspunktes. Ein höherer Preis, der sich auf ein Jahr bezieht, wird auf diese Weise verkleinert, indem er auf einen Monat oder einen Tag heruntergerechnet wird. Der Preis, der zuvor als abstrakte hohe Größe wahrgenommen wurde, wird jetzt besser fassbar und vorstellbar gemacht.

Führt die Präsentation der Preise zu Rückfragen im Sinne von Einwänden, greifen wir als Smartseller und Smartsellerinnen auf die bereits vertrauten Methoden der Einwandbehandlung zurück. Kunden und Kundinnen können dann etwa direkt gefragt werden, warum ihnen der Preis zu teuer erscheint oder in welchem Maß das Angebot denn zu teuer ist.

Wenn es um einen direkten Vergleich geht, ist die Frage »Lieber Kunde, liebe Kundin, wenn ich Ihnen das Angebot zum gleichen Preis überlasse wie der Wettbewerber, nehmen Sie es dann?« sinnvoll, da im Anschluss eine konkrete Lösung entwickelt werden kann.

Falls das Gegenüber die Frage bejaht, lässt sich auch erneut zur Marke und dem Smartseller überleiten: »Warum nehmen Sie es dann bei mir?« Dies führt dazu, dass der Kaufentscheid nicht mehr mit den Kosten, aber der gebotenen Lösung, die eben durch den Smartseller vertreten werden kann, zusammenhängt.

Am Ende der Seite wird der Inhalt nochmals zusammengefasst, wiederholt und eine Vorabschlussfrage formuliert: »Sehen Sie die Vorteile in dieser Vorgehensweise für sich? Wenn ja, welche?«

Die Antworten des Kunden und der Kundin werden – wie es zuvor bereits als Muster praktiziert wurde – erneut wiederholt und bestätigt: »Lieber Kunde, liebe Kundin, das sind exzellente Punkte, die Sie da ansprechen! Spricht denn aus Ihrer Sicht bis hierher noch etwas gegen eine langfristige Zusammenarbeit?«

Falls immer noch Bedenken bestehen, gehen wir ihnen erneut auf den Grund: »Okay, ich verstehe! Was fehlt noch? Wenn ich Ihren Punkt lösen kann, arbeiten Sie dann mit mir zusammen?« Oder wir rekurrieren wieder auf die Punkteskala, die uns die Situation einzuschätzen hilft: »Wo befinden Sie sich auf einer Skala von ein bis zehn, wobei zehn bedeuten würde, dass Sie Kunde oder Kundin werden?«

Aufzeigen, wie der Verkaufsprozess und die Zusammenarbeit aussehen

Auf der nächsten Seite des Drehbuchs wird in Teil fünf die Art und Weise der gemeinsamen Zusammenarbeit aufgezeigt: »Lieber Kunde, liebe Kundin, auf dieser Seite möchte ich Ihnen unseren Weg zur Zusammenarbeit aufzeigen. Dazu eine Frage an Sie: Waren Sie einmal beim Arzt und können Sie sich erinnern, wie er oder sie vorgegangen ist?«

Das Beispiel eines typischen Arztbesuchs können wir als Smartseller und Smartsellerin dabei gut heranziehen, um unserer Kundschaft den Ablauf unserer Zusammenarbeit zu vermitteln, indem wir es mit einem bereits allgemein und damit auch dem Gegenüber vertrauten Prozedere vergleichen.

Nachdem wir die Aussagen des Gegenübers als Reaktion auf unsere Gesprächseröffnung angehört und es dabei wie zuvor darin bestärkt haben, zeigen wir am Beispiel auf, wie wir für unsere Kundschaft arbeiten. Dabei setzen wir wieder auf die Methode der rhetorischen Evidenz, indem wir das Gesagte mit vielen Emotionen verbinden – was in diesem Fall dadurch funktioniert, dass wir auf einen allgemeinen Erinnerungsschatz rekurrieren.

Wir skizzieren deshalb dem Kunden und der Kundin möglichst lebhaft und bildlich, damit die Erinnerung wachgerufen wird, wie ein Arzt den Patienten ins Sprechzimmer bittet; danach folgt die Anamnese, die der Arzt mit der Frage einleitet, was die Patienten schmerzt; nun schließt sich eine Bestandsaufnahme der aktuellen Situation des Patienten an; jetzt kann der Arzt eine Diagnose finden und eine Therapie inklusive der passenden Medikamente verschreiben; zuletzt findet nach einigen Tagen, Wochen oder Monaten eine Nachsorgeuntersuchung statt, in der geschaut wird, ob alles wie erhofft verlaufen ist.

Jetzt nutzen wir dieses Arztbeispiel, um damit auch unseren Verkaufsprozess bildlich darstellen zu können:

»Lieber Kunde, liebe Kundin, wir arbeiten für Sie wie ein Arzt. Einen Doktor suchen Sie auf, weil Sie ein Problem haben – und das machen Sie als Kundin und Kunde von mir genauso: Sie bringen ein Problem mit, das ich zu lösen begleite. Die erste Frage, die Sie sich daher beim Arzt und auch bei mir stellen, lautet: Ist der gut und kann der mir helfen? Das gilt es heute für Sie herauszufinden!

Stellt sich heraus, dass es so ist – wovon ich ausgehe –, dann führe ich eine Anamnese an Ihnen durch. Das bedeutet: Ich nehme Ihre Daten, Ziele und Wünsche auf und erstelle daraus eine Diagnose, oder anders gesagt: Ihre Angebotslösung. Diese Lösung beinhaltet dann Ihre Medikamente, also passende Produkte!

Einmal im Jahr treffen wir uns dann und schauen dabei wie beim Arztbesuch, ob noch alles passt, oder ob sich etwas geändert hat und wir an einer Änderung der Lösung arbeiten müssen.

Das können Sie sich dann wie in einer Maßschneiderei vorstellen: Es wird so lange ausgemessen und angepasst, bis alles perfekt sitzt! Meine Frage an Sie, lieber Kunde, liebe Kundin, lautet deshalb: Falls Ihre Lösung zu einhundert Prozent perfekt für Sie passt, setzen wir das Konzept dann auch für Sie um?«

Signalisiert das Gegenüber an dieser Stelle ein Nein, geht es mit den Techniken zur Einwandhandlung zurück in die Kundenergründung: Du drückst als Smartseller einfach die Reset-Taste und fängst nochmals von vorne an! Du suchst den Nutzen und – um im Arztvergleich zu bleiben – den Pain Point des Kunden!

Antwortet das Gegenüber allerdings mit einem erwartbaren »Ja«, fragen wir es nun, weshalb es die Lösung umsetzen möchte.

Das hat zur Folge, dass sich unsere Kundin, unser Kunde in diesem Moment selbst erklärt, warum er mit uns zusammenarbeiten wird! Der Kunde und die Kundin verkaufen sich die Angebotslösung dann selbst, wenn wir sie dazu bringen, sich selbst die Kaufgründe zu erzählen.

Der Kunde und die Kundin werden mit unserem Skript folglich ihr eigener Verkäufer – und überzeugen sich dann nachhaltig, anstatt nur von uns kurzzeitig überredet zu werden:

Aufgrund deiner disziplinierten, überlegten und gut ausgearbeitetem Verkaufspräsentation mit all ihren Fragen kommt dein Gegenüber zur Selbsterkenntnis, dass du der richtige Partner für es und sein Problem bist.

Das ist genial, weil es unglaublich wirksam und effizient funktioniert!

Mit diesem Moment der Überzeugung endet das erste Verkaufsgespräch, der Set-Up-Call, wie wir es in der vorgestellten Drei-Termine-Strategie skizziert haben. Wir fragen den Kunden und die Kundin an dieser Stelle nochmals, ob alles angekommen ist:

»Meine Frage an Sie: Wie hat Ihnen die letzte halbe Stunde gefallen? Was fanden Sie gut? Was ist noch verbesserungsfähig, was kann ich als Feedback mitnehmen?«

»Okay ... Ich habe das Gefühl, dass wir eine langfristige Geschäftsbeziehung anstreben können! Wie sehen Sie das?«

»Okay, wenn das so ist, dann vereinbaren wir jetzt für Sie einen weiterführenden Termin zur Datenerfassung und Strategiefestsetzung: Haben Sie morgen oder übermorgen Zeit für sich?«

Die Bedarfsanalyse erfolgt dann im weiterführenden Verkaufsgespräch.

Wird anstelle einer Drei-Termine- eine Zwei-Termine-Strategie gefahren, führen wir an diesem Punkt das Verkaufsgespräch mit der Datenerfassung und Bedarfsanalyse direkt weiter.

Die Bedarfsanalyse als Part II der Verkaufspräsentation

Die Erfassung der Daten und des Bedarfs ist zwar reine Formsache, ob sie nun in einer Zwei- oder einer Drei-Termine-Strategie gemacht wird – aber dennoch entscheidend wichtig!

Da der Kunde und die Kundin bereits mehrfach ihr »Ja« zu uns und unserem Smartseller-Angebot gegeben haben, geht es in der Bedarfsanalyse nun darum, die individuelle Erarbeitung einer passenden Angebotslösung vorzubereiten.

Der Prozess dahin kann abgekürzt werden, indem wir dem Kunden und der Kundin bereits vorab einen Datenerfassungsbogen via E-Mail zukommen lassen, mit dem wir schon einmal die Stammdaten abfragen konnten.

Das eigentliche Verkaufsgespräch zum Bedarf wird dann – entweder im Anschluss an den Set-Up-Call im Rahmen der Zwei-Termine-Strategie oder bei einem weiteren Termin in der Drei-Termine-Strategie – angeschlossen. Die Bedarfsanalyse geht dabei auf branchenspezifische Themen ein – ist aber immer auch Teil eines Drehbuchs mit universellem Charakter.

Die Idee hinter einer Bedarfsanalyse ist aus der universellen Sicht heraus einfach. Wieder kann uns ein Bild dabei helfen, ihre Funktion und Abläufe zu verstehen:

Die Bedarfsanalyse können wir uns als den Besuch bei unserem Lieblingsitaliener vorstellen. Wir sitzen erwartungsvoll im Restaurant, wo uns der Kellner die Speisekarte überreicht. Dort sind die Vor-, Haupt- und Nachspeisen, gefolgt von der Getränkeauswahl, bestenfalls in einer übersichtlichen Form zusammengestellt, die uns das Auswählen unseres Gerichts schmackhaft machen soll. Wenn wir unser Wunschgericht bestellt haben, nimmt der Kellner die Bestellung auf, verschwindet Richtung Küche – und bringt uns wenig später unsere Bestellung an den Tisch.

Ein erfolgreicher Verkaufsprozess ist analog dazu aufgebaut. Bei der Bedarfsanalyse überreichen wir als Smartseller und Smartsellerin unsere Speisekarte. Der wesentliche Unterschied zur Situation im Restaurant besteht darin, dass der Gast dort bereits eine Ahnung davon besitzt, was er voraussichtlich essen möchte.

Das ist im Verkauf zumeist anders: Der Kunde und die Kundin kennen uns und unsere Firma oftmals noch nicht und haben daher keine Ahnung von den Angeboten, aus denen sie tatsächlich auswählen können. Oftmals hat die Kundschaft auch keine Idee davon, wie sie die Angebote nutzen soll und was sie ihr bringen.

Deshalb ist es nun unsere Aufgabe als Kellner im Verkaufsgespräch, die Karte entsprechend zu erklären und Empfehlungen zu entwickeln.

Die Erstellung einer Bedarfsanalyse entwickelt sich daher in Zusammenarbeit mit dem Kunden und der Kundin. Es werden die Daten, Ziele und Informationen des Gegenübers zusammengetragen und daraus eine passende Speisekarte designed. Unsere Tools dafür liegen erneut in der Rhetorik – und das Mittel der Wahl sind erneut gute Fragen.

Je tiefgreifender und detaillierter der Prozess der Bedarfsanalyse umgesetzt wird, desto größer kann unser Verkaufserfolg ausfallen. Das ist schon alleine deshalb so, weil wir unsere Kundinnen und Kunden dann dabei begleiten, ihre Bedarfe umfassend zu kommunizieren – und je mehr dabei kommuniziert wird, desto mehr kann angeboten werden.

Es ist logisch, dass dabei ein bestens auf die Wünsche zugeschnittenes Angebot später von der Kundschaft gekauft wird – und auch deshalb ist es so entscheidend, genau zu wissen, was ein Kunde und eine Kundin über das Angebot denken und was sie sich wünschen.

Ist der Prozess der Datenaufnahme beendet, wird anhand der Vorgaben des Kunden und der Kundin ein individuell passendes Angebot erarbeitet – sozusagen die Tageskarte, die der Kellner uns dann empfiehlt, wenn er uns schon etwas besser einschätzen kann.

Nach erfolgter Bedarfsanalyse stellen Smartseller die bereits bewährten Fragen des Systems: »Wie hat Ihnen Ihr heutiger Termin gefallen? Hm ..., das ist prima! Was hat Ihnen besonders gut gefallen? Okay – das ist gut! Mir hat das Gespräch auch sehr viel Freude gemacht und ich bin schon gespannt darauf, wie Sie Ihre Lösung finden werden. Wann haben Sie diese oder nächste Woche Zeit dafür?«

Und auch die Vorabschlussfrage wird am Ende der Bedarfsanalyse wieder gestellt: »Lieber Kunde, liebe Kundin, wenn ich alle genannten Punkte zu einhundert Prozent erfüllen kann, spricht dann aus Ihrer Sicht noch irgendetwas gegen eine Umsetzung des Angebotes im nächsten Termin?«

Antwortet der Kunde mit einem skeptischen »Ja«, gilt es erneut für uns, als Smartsellerin und Smartseller zu ergründen, was dem Gegenüber noch fehlt, bevor es das Angebot final annehmen kann.

Als Technik kann erneut die ›Skalenfrage‹ mit der Einordnung von eins bis zehn verwendet werden. Damit kann der Prozess wieder in Richtung Abschluss des Angebotes vorangebracht werden.

Falls wir an dieser Stelle aber feststellen müssen, dass es keine Aussicht gibt, die Vorgaben des Kunden und der Kundin erfüllen zu können, ist es jetzt auch an der Zeit, die Niederlage zu realisieren – und hier die Verkaufspräsentation erhobenen Hauptes abzubrechen.

Das ist niemals schön, wird aber dann und wann passieren – und gehört auch zum Beruf eines Verkäufers und einer Verkäuferin. Trotzdem ist im Verkauf nichts schlimmer, als auf die Unterschrift eines Kunden zu warten, die nie kommt!

Gerade deshalb ist eine zielgerichtete Kommunikation, die zu jeder Zeit auf das Closing des Angebotes abzielt, den Abschluss des Geschäfts, so wichtig: Sie bringt uns Klarheit über zukünftige Abschlüsse.

Eine Verkaufspräsentation, die immer wieder die Bereitschaft des Kunden testet, tatsächlich einen Abschluss zu machen, erspart Verkäuferinnen und Verkäufern am Ende viel Zeit, Stress und emotionale Schmerzen, indem wir mit dem abgefragten Wissen frühstmöglich Hindernisse aus dem Weg räumen und andererseits wirkliche Absagen ebenfalls schnellstmöglich identifizieren können.

Zudem werden dadurch Provisionseinnahmen verlässlich planbar.

Viele durchschnittliche Verkäufer und Verkäuferinnen leben in einer Fantasiewelt, in der sie sich ausmalen, wie viele Kunden und Kundinnen sehr bald alle ihre Angebote annehmen und wie viel Provision sie damit verdienen werden …

In der Realität kommt es dann meistens nicht zum Abschluss, obwohl sich der Verkäufer bis zur Absage doch so sicher war, dass der Kunde das Angebot annehmen würde.

Der eigentliche Fehler, der diese eklatanten Wahrnehmungsprobleme verursacht, liegt in der Kommunikation: Da ein durchschnittlicher Verkäufer keine Vorabschlussfragen stellt, um dem eventuellen Nein des Kunden professionell begegnen zu können, und dies zu einem Zeitpunkt, wo mit Einwänden noch gearbeitet werden kann, bleibt ein möglicher Abschluss in seinem Verkaufsprozess eine vage Hoffnung und verkommt zum Glücksspiel.

Eine solche Situation ist im wahrsten Sinne des Wortes ungesund: Auf Dauer belastet sie die Psyche durchschnittlicher Verkäufer enorm – und kann am Ende sogar dazu führen, dass man den Beruf aufgeben muss.

Antworten unsere Kundin und unser Kunde auf unsere Frage damit, dass sie bereit sind, nun den Abschluss zu tätigen, können wir den Deal final für das Closing vorbereiten!

Bereits zum Ende der Verkaufspräsentation vereinbaren wir nun den nachfolgenden Abschlusstermin; überhaupt macht es Sinn, die Termine frühzeitig und zeitnah zu vereinbaren, weil uns das im gesamten Verkaufsprozess wertvolle Zeit spart und sicherstellt, dass alle Beteiligten am Ball bleiben.

Nach Beendigung des zweiten Teils der Verkaufspräsentation fassen wir dazu das Verkaufsgespräch auf Basis standardisierter Texte und vorgefertigter Bausteine in einer Konzeptmail zusammen. Die Zusammenfassung wirkt professionell, kompetent und fördert den Vertrauensaufbau.

Je mehr Touchpoints wir zum Kunden und zur Kundin aufbauen und sie damit Richtung Abschluss lenken, desto einfacher wird der eigentliche Abschluss, das Closing, gemacht!

Wir sind mit dem anstehenden Closing jetzt dem Ziel der gesamten Verkaufspräsentation ganz nahe gekommen: Alle vorigen Schritte haben wir unternommen und so aufgebaut, damit unsere Kundschaft nun ihre Unterschrift unter das Angebot setzt. Unser Skript haben wir dabei verkaufspsychologisch so aufgebaut, dass der Kunde und die Kundin das Gefühl gewonnen haben, dass sie genau die Lösung gefunden haben, die sie sich gewünscht haben.

Die Belohnung eines perfekten Verkaufsprozesses: Der erfolgreiche Abschluss und die Möglichkeiten des After Sale!

Haben wir unseren gesamten Verkaufsprozess systematisch überzeugend und verkaufspsychologisch förderlich aufgebaut, dann ist der Abschluss meist reine Formsache: Wir stehen als Stürmer vor dem leeren Torgehäuse des Gegners und haben eigentlich keine Schwierigkeiten, nun das Tor zu erzielen. Die harte Arbeit hat uns in den Strafraum, die Closing Zone des Kunden und der Kundin, geführt.

Jetzt eröffnen sich drei mögliche Szenarien:

1. Das Go-Szenario ist, dass unser Kunde, unsere Kundin unser Angebot zu einhundert Prozent umsetzen möchte. Es kommt zur Unterschrift.
2. Das Change Ahead-Szenario besteht darin, dass die Kundschaft das Angebot mit Änderungen umsetzt oder signalisiert, dass sie noch überlegt.
3. Das Stop-Szenario gibt uns kein Go, weil sich unser Gegenüber am Ende gegen das Angebot entscheidet.

Der erste Closing-Termin kann also mit Szenario Nummer eins die ersehnte Unterschrift bringen – muss aber andererseits nicht immer sofort zur finalen Umsetzung des Angebotes führen. Letzteres ist kein Beinbruch, überhaupt nicht schlimm und eigentlich auch keine echte Überraschung, da Menschen grundsätzlich gerne zögern, wenn sie sich entscheiden. Einige benötigen nur eine Minute, andere Wochen, Monate und Jahre – weshalb viele Closings ins Szenario Nummer zwei münden.

Trotz eines strukturierten und psychologisch perfekt aufgebauten Verkaufsprozesses kann es ebenso passieren, dass weder der erste noch der zweite noch irgendein Abschlusstermin zur Unterschrift der Kundschaft führt – auch wenn wir als Smartseller und Smartsellerin mit dem Mindset der Berufsoptimisten immer alles erwarten, auch das Beste! Verkaufen erfordert daher Geduld, ein gutes Management der Prozesse und die Überzeugung, dass dem Gegenüber tatsächlich nichts Besseres passieren kann als du!

Wenn es mit diversen Kundinnen und Kunden zum zweiten Closing-Szenario kommt, wächst mit der Zeit unsere Anzahl an offenen, von Kunden und Kundinnen noch nicht final angenommenen Angeboten. Es wird dann wichtig werden, diese Closing-Situation clever zu moderieren: Die potentielle Verschiebung der Kundschaft in das Szenario eins stellt eine riesige Chance zur Steigerung unserer Geschäftsergebnisse dar!

Führen wir als Verkäuferinnen und Verkäufer eine Wiedervorlageliste dieser noch nicht final umgesetzten Abschlüsse und bemühen uns weiterhin um diese Kontakte, werden wir über die Zeit immer wieder zusätzliche Kundinnen und Kunden aus diesem Pool gewinnen.

Manchmal dauert es tatsächlich Jahre, bis ein Kunde den Bedarf an unserer Dienstleistung erkennt und unser Angebot nutzt. Doch damit sich dieser Kunde bei Bedarf auch erneut an uns und unser Angebot erinnert, müssen wir uns selbst wieder und wieder um die Aufrechterhaltung des Kontaktes zum Kunden und zur Kundin kümmern.

Gelingt das erfolgreiche Management dieser offenen Angebote durch ein funktionierenden System, das die Wiedervorlageliste ständig bearbeitet, bleiben die potentiellen Abschlüsse ›heiß‹ – und lassen unsere Verkaufszahlen irgendwann emporschießen.

Unsere Kundinnen und Kunden gewinnen wir dann nicht nur aus dem täglichen Verkaufsprozess mit Neukunden, sondern auch aus unserer Wiedervorlageliste mit ihren aufgeschobenen Angeboten.

Hinzu kommt die Umsatzquelle von Cross Selling-Verkäufen, die ebenfalls durch unseren gesamten Kundenpool – vor allem natürlich aus der Bestandskundschaft – gespeist wird.

Wichtig ist daher zu verstehen, dass perfekt gemanagte Kreisläufe aus Neu-, Bestands- und potentiellen Kundinnen und Kunden, die ihre Angebote noch nicht abgeschlossen haben, über die Jahre die hohen Einkünfte generieren, die uns als Smartseller und Smartsellerinnen auszeichnen. Die Möglichkeiten des Closings wachsen dabei mit.

Für den erfolgreichen Abschluss ist zuletzt stets das Verhalten unseres Gegenübers entscheidend, das wir bis dahin mit unserer Begleitung überzeugen können. Während des finalen Abschlusstermins ist keine spezielle Technik mehr entscheidend, sondern vielmehr die Basis, die zu legen bis dahin uns bestenfalls gut gelungen ist.

Damit wird es Zeit für einen Blick in den Rückspiegel – in dem wir erkennen, dass unser Closing bereits die ganze Zeit im Fokus war:

Eine holistische Perspektive aus dem Rückspiegel

Der Abschluss durch den Kunden und die Kundin ist das Ergebnis eines gelungenen, systematisch gesteuerten Verkaufsprozesses. Er beginnt bei der Akquise des Kunden und endet mit der Unterschrift unter dem Vertrag.

Das bedeutet, dass auch eine holistische Perspektive richtig ist: Wir beginnen bereits bei der Kontaktgewinnung damit, unser Angebot zu verkaufen, genauso wie wir das während der telefonischen Terminvereinbarung, der Verkaufspräsentation und natürlich im Abschlusstermin machen.

Werden alle Touchpoints richtig ausgeführt, führen die Summe aller Schritte, die Summe jedes Elements im Prozess, in der funktionierenden Summe zum erfolgreichen Abschluss des Verkaufsprozesses.

Die Dramaturgie eines erfolgreichen Abschlusses spielt sich in der Performanz der einzelnen Akte des Verkaufsprozesses ab. Alle Schritte des Verkaufsprozesses haben unterschiedliche kleinere Etappenziele – und sind doch Teil des großen Ganzen. Unsere Etappenziele sollten wir genau wie die Touchpoints, an denen wir in der Kundenkommunikation entscheidende Schritte gehen, als Bestandteile im Verkaufsprozess mit unserem Drehbuch gut im Blick behalten:

Das Ziel der Kontaktgewinnung besteht darin, dass wir Leads erzeugen, die uns die benötigten Kontaktdaten eines potentiellen Kunden liefern. Das Ziel der telefonischen Terminvereinbarung ist es, den Kunden neugierig zu machen – und den Termin für eine Verkaufspräsentation zu finden, die dann tatsächlich stattfindet. Das Ziel der Verkaufspräsentation ist es, mit einem Set-Up-Call eine vertrauensvolle Basis zu schaffen, Begeisterung zu wecken und nach der Bedarfsanalyse den Abschlusstermin zu vereinbarem. Das Ziel des Abschlusstermins ist das Closing des Deals.

Für das System Smartselling und eine funktionierende Verkaufsfabrik gilt damit: Der Abschluss beginnt mit dem Start! Nun arbeiten wir alle Teilschritte so auf, dass bei einer am System orientierten, verlässlichen und überlegten Umsetzung am Ende der Abschluss der Kunden und Kundinnen maximal wahrscheinlich gemacht wird.

Um unsere Kundschaft zielgerichtet zum Abschluss zu führen, muss der gesamte Verkaufsprozess so gestaltet werden, dass Kunden und Kundinnen immer wieder kleine Entscheidungen treffen – und dafür die Voraussetzungen geschaffen werden. Denn diese kleinen Entscheidungen machen erst möglich, am Ende die ganz große Entscheidung treffen zu können – oder anders gesagt, sie summieren sich auf, führen zum Compound Effect und damit letztlich zum Abschluss!

Egal, welchen spezifischen Verkaufsprozess wir in unserer Verkaufsfabrik etablieren: Als Smartseller und Smartsellerinnen setzen wir dabei von Anfang bis Ende auf einen Masterplan, den wir als unser spezielles Drehbuch ausarbeiten!

Je besser es uns gelingt, die Teilschritte in den Abschluss des Kunden und der Kundin münden zu lassen, desto erfolgreicher werden wir als Smartseller und Smartsellerinnen sein.

Dein direkter Kontakt zu Guru Gee:
www.LOGE-DER-SMARTSELLER.de

Es folgt eine Adresse, die sich nach besserer Gegend anhört, und dann noch folgender Spruch:

Du suchst Deine persönliche Begleitung bei der Reise zur
SMARTSELLING LEADERSHIP?
www.PastorundProphet.de

Liebe Smartsellerin, lieber Smartseller!

An dieser Stelle möchte ich Dir danke sagen, dass Du mir bis hierher gefolgt bist! Ich hoffe, dass unser Buch Dir viele Learnings verschafft hat und Du dadurch Lust auf mehr bekommen hast.

Wenn Dir das letzte Kapitel als Vorwegnahme des nächsten Buchs besonders gefallen hat, darf ich Dir versprechen, dass es darin wieder zur Sache gehen wird: Wir beschäftigen uns darin unter anderem mit den weiteren Aspekten der Verkaufsfabrik des Smartselling – und vertiefen unser Wissen zu den Möglichkeiten, mit der Kommunikation der Eingeweihten rundum zu überzeugen … Auch unser Freund Henry wird uns dabei erneut begegnen.

Ich möchte Dich darauf hinweisen, dass unsere Buchreihe um den ANDERSWEG ZUM ERFOLG nicht nur mit weiteren Hardcover-Bänden fortgesetzt wird, sondern wir auch diverse Workbooks für Dich vorbereitet haben und weiterhin vorbereiten! Wenn Du diese Workbooks durcharbeitest, kannst Du ganz praktisch unsere vielen MINDSET-CHALLENGES absolvieren und damit Deine persönliche Entwicklung voranbringen!

Die Workbooks begleiten Dich also noch einen Schritt weiter in die gelebte Praxis der Philosophie der SMARTSELLING LEADERSHIP. Ich möchte Dir wärmstens ans Herz legen, die Workbooks ebenfalls als Deine persönliche Reisebegleiter in Anspruch zu nehmen.

Die Übersicht unserer Publikationen findest Du direkt auf:

www.PastorundProphet.de/Andersweg

wo Du auch alle Titel direkt zu Dir nach Hause bestellen kannst – auch als schnelles E-Book für unterwegs. Du kannst dort auch weitere Informationen rund um unser Programm finden oder auch den direkten Kontakt aufnehmen.

Bis dahin gilt: Nutze Dein Potential und denke an die Weisheiten der SMARTSELLING LEADERSHIP! Sei mutig, sei clever, sei ANDERS! Ich wünsche Dir das Beste auf Deinem persönlichen ANDERSWEG ZUM ERFOLG!

Dein Guru Gee

Deine Mindset-Challenge beginnt jetzt – mit den Büchern der ANDERSWEG-SERIE!

Du willst in die Tiefe gehen? Dann entdecke die Philosophie der Smartselling Leadership in unseren Hardcover-Büchern und den zugehörigen Workbooks im praktischen Ringbuch-Format mit allen Inhalten. Auch als E-Books erhältlich!

Unser Programm reicht vom schlanken Workout bis zum fetten Schmöker – mehr Infos und direkte Bestellungen auf www.PastorundProphet.de/ANDERSWEG!

Steffen Preiss, Steffen Bareiss, Martin Gehring
ANDERSWEG II
Vom Talent zur Legende: Wie Du Dein Potential zum Leuchten bringst • Verkaufskommunikation in der Verkausfabrik • Die Ich-Marke • Verkaufen mit Charisma • Verkäufer und ihre Gesundheit
Hardcover, ca. 400 Seiten
(in Vorbereitung für 2024)

Steffen Preiss, Steffen Bareiss, Martin Gehring
ANDERSWEG III
Erobere als Smartseller Deinen Spitzenplatz im Business: Von der Selbstständigkeit zum Unternehmertum • Smart führen • Das Einkommen skalieren
Hardcover, ca. 400 Seiten
(in Vorbereitung für 2024)

Steffen Preiss, Steffen Bareiss, Martin Gehring
ANDERSWEG IV
Smartseller Allstar: Wie Du als Unternehmer großes Vermögen aufbaust • Die smarten Gesetze des Geldes • Als Unternehmerpersönlichkeit wachsen
Hardcover, ca. 400 Seiten
(in Vorbereitung für 2025)

Reserviere und bestelle Dein persönliches Exemplar direkt auf www.PastorundProphet.de/ANDERSWEG!

Geh jetzt All in!

Deine Mindset-Challenge als Smartseller und Smartsellerin

Liebe Smartsellerin, lieber Smartseller!

Damit Du Deine Learnings vertiefen kannst, biete ich Dir die einmalige Chance, als künftiger Smartseller und als künftige Smartsellerin meine Mindset-Challenges anzunehmen! Deine Aufgabe dabei ist es, Dein Workbook von vorne bis hinten zu Deinem Reisebegleiter zu machen und dabei meine persönlichen Fragen an Dich zu beantworten! Gleichzeitig kannst Du Deine Antworten am dort visualisieren, wo Du Deine Erfolgsgeschichte schreibst und umsetzt.

Die Beantwortung hilft Dir, unsere Learnings nicht nur zu verinnerlichen, sondern auch ganz praktisch auszubauen. Das stärkt nicht nur Dein Mindset, sondern hilft Dir auch, Deinen Lernerfolg zu überprüfen. Beginne noch heute den Deep Walk auf dem ANDERSWEG zum ERFOLG!

Dein Guru Gee

Steffen Preiss, Steffen Bareiss, Martin Gehring
Der ANDERSWEG zum ERFOLG – Das SMARTSELLER WORKBOOK I:
Captain Future erobert die Verkaufswelt

Die All-In-Version des ANDERSWEGS mit Mindset-Challenges zum Durcharbeiten: Die ideale Lektüre für Smartsellerinnn und Smartseller, die ihre Learnings direkt begleiten und vertiefen möchten – und überdies mehr von Henry und seinem Leben als Smartseller erfahren! Das Workbook passt inhaltlich den ersten Teil der Hardcover-Ausgabe ›Andersweg I‹.

Weitere Workbookks sind in Vorbereitung.
Erhältlich ab 2024 – auch als E-Books!

Eine aktuelle Übersicht der Workout-Angebote findest Du auf www.PastorundProphet.de/ANDERSWEG

WORK HARD BUT SMART – mit den Taschenbüchern der ANDERSWEG-SERIE!

Der ANDERSWEG zum ERFOLG macht Smartseller und Smartsellerinnen fit dafür, im weiteren Feld des Verkaufs simply outstanding zu werden. Du profitierst als Smartseller und Smartseller nicht nur dann davon, wenn Du als Verkäufer eine außergewöhnliche Karriere anstrebst, sondern auch für Dein berufliches und persönliches Fortkommen im Non Sales Selling.

Halte Dich dabei fit – mit den ANDERSWEG-WORKOUTS!

Unser Gehirn funktioniert wir ein Muskel: Mit dem Input unserer Workouts baust Du Dir jeweils in sieben bis zehn Tagen ein Mindset auf, das persönliches Wachstum und Selbstführung ermöglicht. Die Workouts vertiefen die Philosophie des SMARTSELLING LEADERSHIP der Hardcover-Bücher zum Thema.

Jeder Tag bringt ein neues Learning, dem sich Aufgaben anschließen. Mit unseren Livehacks kontrollierst Du am Ende Deine Selbstführung.

Verkauf ist alles, und alles ist Verkauf: Wenn Du es verstehst, Deine Chance als Smartsellerin und Smartseller zu nutzen, kannst Du richtig durchstarten! Habe deshalb den Mut, Deine Erfolgsgeschichte zu schreiben – und Deinen persönlichen Andersweg zum Erfolg zu gehen!

Wer Erfolg haben will, der trainiert die wichtigsten Muskel im Erfolgssport: Nutze darum jeden Tag Deines ANDERSWEG-WORKOUTS, um Dich fit zu machen für Deine persönlichen Erfolge!

Bringe Dich in die Erfolgsform Deines Lebens – mit folgenden Workouts:

Workout I: Erfolg sucht Smartseller!
Warum Du im Verkauf die wahren Erfolge feiern kannst
7 Tage-Workout mit Mindset-Challenges
ca. 120 Seiten

Workout 2: Die Alchemie des Erfolgs!
Welche Lebensprinzipien Du kennen musst, um nachhaltig erfolgreich zu werden
7 Tage-Workout mit Mindset-Challenges
ca. 128 Seiten

Workout 3: Die Potentialmaschine!
Wie Du Dein Erfolgspotential zum Leben erweckst
10 Tage-Workout mit Mindset-Challenges
ca. 172 Seiten

Workout 4: Erfolgreich auf den ersten Blick!
Wie Dein erster Eindruck zur Erfolgsgeschichte wird
10 Tage-Workout mit Mindset-Challenges
ca. 208 Seiten

Workout 5: Erfolgreich gegen die Erfolgskiller!
Wie Du die Saboteure Deines Erfolgs besiegst
10 Tage-Workout mit Mindset-Challenges
ca. 192 Seiten

Workout 6: Erfolg am Fließband!
Wie Du eine erfolgreiche Verkaufsfabrik baust
10 Tage-Workout mit Mindset-Challenges
ca. 192 Seiten

Weitere Workouts sind in Vorbereitung.

Erhältlich ab 2024 – auch als E-Books!
Eine aktuelle Übersicht der Workout-Angebote findest Du unter:
www.PastorundProphet.de/ANDERSWEG

Haftungsausschluss und weitere rechtliche Hinweise:

Das Werk inklusive aller Inhalte wurde unter größter Sorgfalt erarbeitet.

Der Verlag und die Autoren übernehmen jedoch keine Gewähr für die Aktualität, Korrektheit, Vollständigkeit und Qualität der bereitgestellten Informationen.

Druckfehler und Falschinformationen können nicht vollständig ausgeschlossen werden. Der Verlag und die Autoren übernehmen keine Haftung für die Aktualität, Richtigkeit und Vollständigkeit der Inhalte des Buches, ebenso nicht für Druckfehler.

Es kann keine juristische Verantwortung sowie Haftung in irgendeiner Form für fehlerhafte Angaben und daraus entstandenen Folgen vom Verlag und den Autoren übernommen werden.

Haftungsansprüche gegen den Verlag und die Autoren für Schäden materieller oder ideeller Art, die durch die Nutzung oder Nichtnutzung der Informationen beziehungsweise durch die Nutzung fehlerhafter und / oder unvollständiger Informationen verursacht wurden, sind grundsätzlich ausgeschlossen.

Rechts- und Schadenersatzansprüche sind daher ausgeschlossen.

Wo uns Impulse anderer Autoren inspiriert haben, haben wir dies ebenso angegeben wie bei der Verwendung von direkten Quellen. Wir bitten um Hinweis, wenn eine Angabe dazu fehlerhaft erfolgt ist oder ergänzt werden muss.

Für die Inhalte von den in diesem Buch genannten Internetquellen sind ausschließlich die Betreiber der jeweiligen Internetseiten verantwortlich. Der Verlag und die Autoren haben keinen Einfluss auf Gestaltung und Inhalte fremder Internetseiten. Zum Zeitpunkt der Verwendung waren keinerlei illegale Inhalte auf den Webseiten vorhanden.

Liste der Bildquellen:

Seiten 5, 10, 19, 22, 25, 26, 32, 46, 48, 65, 66, 70, 78, 80, 99, 101, 106, 124, 127, 131, 133, 135, 140, 148, 153, 156, 180, 182, 190. 207, 209, 211, 223, 230, 254, 270, 287, 289, 296, 313, 319, 331, 349, 362, 364, 369, 371, 380, 418, 436, 443, 447 und 448:
Stefanie Mächtle, digital product design & illustration

Seiten 2, 280, 284, 317, 372, 439 und 444:
Artem, stock.adobe.com

Seite 94:
Oleksandr Pokusai, stock.adobe.com

Seite 168:
Puck-Magazin 1915, nach de.wikipedia.org/wiki/
Meine_Frau_und_meine_Schwiegermutter, aufgerufen Oktober 2023.

Liebe Smartsellerin, lieber Smartseller!

Auf dem ANDERSWEG zum ERFOLG kannst Du nun das nächste Kapitel aufschlagen und eine neue Challenge starten … Ich würde mich freuen, Dich in der nächsten Runde wieder begrüßen zu dürfen!

Bis dahin stehe ich Dir auch für Deine Anliegen persönlich zur Verfügung: Schreib mir gerne direkt an

GuruGee@Loge-der-Smartseller.de

Es bleibt dabei: Sei mutig, sei clever, sei anders!
Bringe Dich in die Erfolgsform Deines Lebens!

Dein Guru Gee